文春文庫

グロテスク
上

桐野夏生

文藝春秋

グロテスク　上・目次

章扉イラスト　水口理恵子

グロテスク　上

第一章　子供想像図

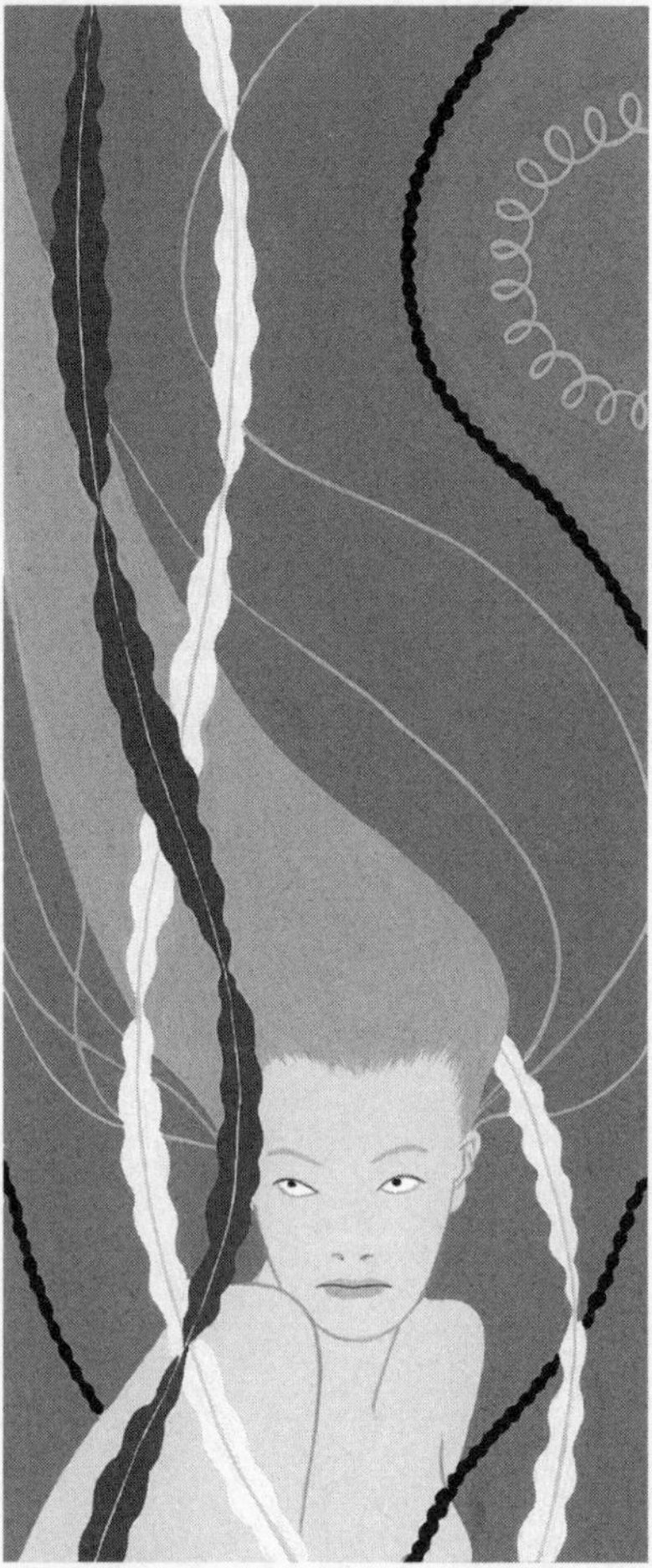

1

わたしは男の人を見るたびに、この人とわたしが子供を作ったら、いったいどんな子供が生まれてくるのだろう、とつい想像してしまいます。それは、ほとんど習い性になっていて、男の人が美しかろうが醜かろうが、歳を取っていようがいまいが、常にわたしの頭の中に浮かんでくるのです。

男の人が、わたしの薄茶色の猫っ毛と対照的な、漆黒の硬い髪を持っていたりすると、その子の髪はちょうどいい柔らかな色合いの直毛になるだろう、などという具合のいいものから始まって、まったく逆の、とんでもない妄想もしてしまいます。

くっきりしたわたしの二重瞼に、相手の薄い眉が張り付き、わたしの小さな鼻に大きな鼻の穴が穿たれる。わたしの肉付きのいい脚に厳つい膝頭。甲高のわたしの足に四角い爪。バリエーションを考え始めると、とめどありません。そうこうしているうちに、想像の中の子供は、双方の欠点ばかりを寄せ集めた醜いものに、変わっていったりもします。

わたしがあまりじろじろ見ているので、相手の男の人が自分に気があるのだと信じ込み、滑稽な誤解が生じてしまったりすることもたまにあるほどです。でも、わたしは不思議でならないだけなのです。

精子と卵子が結合して新しい細胞が造られ、命が生まれる。それは、どのような形状をもってこの世に現れるのだろう、ということが。精子と卵子がいがみ合って悪意に満ち、突然違う種類のものが生まれることはないのだろうか。逆に相性がよくて、親を遥かに超えた素晴らしい生き物が生まれる可能性もあるに違いない。精子と卵子の意志は誰にもわからないのですから。

そんな時、わたしの頭を過ぎるのが、「想像図」というものです。そう、よく生物や地学の教科書に出ていたあれです。覚えていらっしゃいますか。地層から発見された古生物の化石から、その形や習性を想像して描かれるもの。たいがいそれは、海の中や空の様子で、動植物が極彩色で描かれています。

実は、わたしは子供の頃からその手の絵が怖くてたまりませんでした。怖いというのは惹かれている証拠なのかもしれません。だって、わたしは教科書を開くのが嫌で仕方がないくせに、いつしかそのページを探し当て、見入っていたのですから。

まだ覚えているのは、バージェス動物群です。ロッキー山脈で発見されたカンブリア紀の化石から想像された図を見ますと、とんでもない形をしている生物ばかりが水中を泳いでいるのです。ヘアブラシと見紛う、背中に棘が並んだハルキゲニアが海底の砂を這い回り、五つも目があるオパビニアが身をくねらせて岩を避け、巨大な鉤形の触手を持ったアノマロカリスが暗い海を遊弋して餌を探しているのです。わたしの想像というのは、それに近いと思います。わたしの頭に浮かぶのは、わたしと男が合体した奇妙な

形をした子供たちがたくさん水の中を泳いでいる、という図なのです。

　でも、どういう訳か、わたしは男と女が子供を作る行為については思いが至りません。若い同僚なんかが、「あんな男と抱き合うことを想像するだけで寒気がするわ」と嫌いな男を罵ったりしますが、わたしはそんなことは思いもしません。セックスという男と女の行為に対する想像を飛び越えて、生まれる子供の姿形しか頭に浮かばないのです。もしかすると、わたしは少し変わっているのかもしれません。


　注意深く見ればおわかりになると思いますが、わたしはハーフです。父はポーランド系スイス人です。父の父、つまり父方の祖父は教師をしていて、ナチスドイツから逃れてスイスに亡命したそうです。

　父は貿易商でした。と言えば、聞こえはいいのですが、実際は駄菓子に近い、質の悪いチョコレートやクラッカーを輸入する仕事をしていました。西洋お菓子屋さんというわけです。しかし、わたしが子供の頃は、父の商うお菓子など一個も食べさせてもらったことはありません。

　わたしたちの暮らし振りは質素でした。食べ物も服も文房具もすべて日本の物でした。インターナショナルスクールにも行けず、日本の公立小学校に通っていました。小遣いは厳しく管理され、家計も母の思う通りにはならなかったらしいです。父は、母やわたしたちと共に一生を日本で暮らす覚悟でいたというより、単に吝嗇だ

ったのです。不必要なお金は一切遣おうとしなかった。必要か不必要かを決めるのも、常に父でした。

　それが証拠に、自分が週末を過ごすための山小屋だけは群馬県に確保していました。父はその山小屋で釣りをして羽を伸ばし、夕飯は父の好みに合わせて毎日ビゴスにするように決められていました。ビゴスというのは、ザワークラウトと野菜、肉を煮こんだポーランドの郷土料理です。

　日本人の母はきっと嫌々作っていたに違いありません。父の商売が駄目になって、一家でスイスに帰った時、母は毎日ご飯を炊いては食卓に載せ、父に嫌な顔をさせていたそうですから。わたしは一人日本に残りましたのでよくは知りませんが、それはたぶんビゴスへの、いいえ吝嗇で身勝手な父に対する母の復讐だったのだと思います。

　母は昔、父の会社の事務員をしていたとわたしに言っていました。小さな会社の外国人社長と現地で雇われた女との恋。わたしはそんなことを想像して、ロマンチックな気持ちになったものです。本当のところは、母は一度結婚したもののうまくいかないので茨城の実家に戻り、それから父の家の家政婦をするようになって知り合ったという話です。

　このことは、もっと詳しく母方の祖父に聞いてみたかったのですが、もう無理でしょうね。都合のいいことに、祖父はすべてを忘れて桃源郷に遊ぶ病気になってしまいました。祖父の頭の中では、父もわたしも妹も存在せず、母もまだ生きていて中学生ぐらい

の可愛い少女に戻っているようなのです。

父の容貌は、やや小柄な白人といったところでしょう。とりたてて美しいということもなく、醜いというほどでもない。きっと、父と会った日本人はヨーロッパの街で父を探すのに苦労することでしょう。白人から見ると東洋人がほとんど同じに見えるように、東洋人からは平凡な白人にしか映らないと思います。

父の外見を説明しましょうか。赤味を帯びた白い膚をしていて、色褪せた悲しげな青い眼が印象的です。その目は、ある瞬間、とても卑しく光ることがあります。父の外見で唯一美しいのは、金褐色に輝く髪でした。それも今は白くなり、馬蹄形に禿げ上がっていることでしょう。地味なビジネススーツを着て、真冬でも白っぽいステンカラーのダスターコートを羽織っている初老の白人、それが父です。

父は日本語の日常会話を話せて、日本人のわたしの母を愛したこともあります。父はわたしが小さい頃、よく言っていたものです。

「お父さんは日本に来てすぐ帰ろうと思ったんだけど、稲妻に撃たれて体が痺れちゃったから、もう帰れなくなっちゃったんだよ。稲妻というのは、お前たちのお母さんのことだよ」

それは真実だと思います。いえ、昔は真実だったのでしょう。父も母も、二人で練り上げたロマンチックな夢を、甘いお菓子のようにわたしたち姉妹に与えていたのです。その夢は次第に痩せ細り、最後は消えてしまいました。そのことは、おいおい話してい

きたいと思います。

母については、幼い頃のわたしと今のわたしとでは、全然見方が違います。幼い頃は、母ほど美しい女の人はこの世にいないと信じ込んでいました。成長した今では、母は日本の女の人の中でも、たいしたことのない部類に入ると思っています。頭が大きくて脚が短く、顔が平べったくて体格が貧相。目も鼻もちんまりした造作で、出っ歯。性格は弱く、父に完全に従っていたのです。

父は母を支配していました。母が口答えなどしようものなら、その百倍もの言葉で母を言い負かしていました。母は頭が悪く、敗者になるべくして生まれてきたのです。わたしは母に対して言葉が過ぎますか。それは気付きませんでした。なぜ母に容赦ないのか、そのことも考えていきましょう。

わたしがぜひとも話したいのは、妹についてです。わたしには一歳違いの妹がいました。ユリコという名前です。ユリコは、何と言っていいのかわかりませんが、ひと言で言うなら怪物でした。恐ろしいほどの美貌の持ち主だったからです。どうして美貌が怪物的なのか、と不審に思われるかもしれません。醜悪よりは美貌の方がいい、それが世間の一般的な考えです。しかし、そういう方にユリコの姿をひと目見せてあげたかったです。

ユリコを見た人は、その美しさに最初とても驚きます。それから整い過ぎた容貌が退屈に思われ、やがてこれほど完璧な姿をしているユリコの存在自体が薄気味悪くなるの

です。嘘だと思うなら、今度写真をお見せしましょう。姉であるわたしでさえも、子供の時分から同じように感じていたのですから、納得なさると思います。

わたしは時々、こう考えることがあります。母は、怪物のユリコを生んだから死んでしまったのではないだろうか、と。凡庸な容姿の両親からとんでもない美形が生まれることは、恐ろしさ以外の何物でもありません。

鳶が鷹を生んだ、という諺が日本にありますが、ユリコは鷹ではありませんでした。鷹が象徴する賢さも勇気も持っていなかったからです。そして、狡くもないし、悪人でもない。ただ悪魔のように美しい容貌を持っていただけだったのです。そのことが平凡な東洋人である母を、限りなくくたびれさせたのでしょう。ええ、このわたしもそうでした。

幸か不幸か、わたしはすぐさま東洋系とわかる容貌に生まれました。そのせいか、日本では少しバタ臭く、外国ではオリエンタルな魅力を持った顔として、好まれるのではないかと密かに思っています。人間は面白いです。容貌に欠点がある方が、個性的といいますか、人間的な魅力を持てるのですから。

でも、ユリコは常に驚嘆の目で見られ、畏怖されました。それは日本にいても外国でも同じです。永遠に周囲から浮き上がる子供、それがユリコでした。同じ姉妹なのに、それも年子なのに、何と不思議なことでしょう。遺伝子はどうやって伝わったのでしょう。それとも突然変異なのでしょうか。おそらく、その体験が、わたしに幻の子供を幾

人も幾人も想像させるのではないかとも思います。

すでにご存じかもしれませんが、ユリコは二年前に死にました。殺されたのです。新宿の安アパートの一室で、半裸の死体となって発見されたのです。犯人はすぐにはわかりませんでしたが、報せを聞いた父は気を揉むでもなく、スイスから一度も帰ってきませんでした。お恥ずかしいことに、美貌のユリコは歳を取ると共に身を持ち崩し、安っぽい売春婦となっていたのです。

ユリコの死にわたしがショックを受けたかというと、そうでもないのですよ。犯人が憎いかとおっしゃるのですね。いえ、父と同様、わたしは真相などどうでもよかった。だって、ユリコは小さい頃から怪物だったのですから、死に方も変わっていて当然なのです。平凡なわたしとは違う人生を歩むに決まっています。

冷たい態度と思われるでしょうね。でも、わたしはさっき言ったではないですか。あの子は元々周囲から浮く運命の子供だったって。そういう女には陽が強く当たって、出来る影もまた濃いのです。悪運がついて回るのです。

わたしの同級生の佐藤和恵が殺されたのは、ユリコの死後一年ほど経ってからでした。その死に方はユリコとそっくりでした。渋谷区円山町のアパートの一階で、ぼろきれのような姿で捨て置かれていたのです。ユリコも和恵も、死後十日も経っていたそうですから、遺体がどんな様子だったのか想像したくもありません。

和恵は昼間、堅い会社に勤めている身でありながら、夜は売春をしていたということ

でした。そのため事件後もしばらく、あれこれと口さがない言い方をされたのでした。しかも、ユリコと和恵を殺した犯人が同じ男らしいと警察から告げられたのですから、仰天するではないですか。

　正直に言いましょう。実は、わたしにとって、和恵の死の方がユリコの時よりも大きな衝撃があったのです。和恵とは同級生でした。それに、和恵は美しくはなかったからです。美しくないのに、ユリコと同じ死に方ができるなんて。わたしは何だか許せなかったのです。

　もしかすると、和恵はわたしを介してユリコと深く知り合い、それ故に死んでしまったのではないでしょうか。ユリコの悪運が和恵にまで影響を及ぼしたのかもしれません。なぜそう思うのか、理由はわかりません。ただ、わたしがそう感じただけです。

　和恵のことはある程度知っています。私立名門とされる女子高で同級生だったのです。当時、和恵はがりがりに痩せていて、その挙措からもがさつさが知れる人でした。全然美しくありませんでしたが、勉強はまあまあできました。それも目立ちたがり屋で、皆の前で発言して頭のよさをひけらかすところがありました。気位が高く、何でも一番にならないと気が済まない質だったのです。自分の容姿がよくないことがわかっていたために、違うことで周囲からちやほやされたかったのではないでしょうか。わたしにはそういう人が発する、負のエネルギーといいますか、どす黒い思いがどういう訳か手に取るように伝わってくるのです。

そんなわたしの感受性が和恵を引き寄せたのでしょう。和恵は何かとわたしを頼り、話しかけてきたりしました。家に招待されたこともありました。

エスカレーター式の同じ大学に共に進んでから、和恵のお父さんが急死し、和恵は少し変わったのです。勉強に専念し、次第にわたしを避けるようになりました。今思うと、和恵はわたしよりユリコに興味があったのかもしれません。わたしの一歳違いの美貌の妹のことは、学校でも評判でしたから。

それにしても、いったい二人に何が起きたのでしょうか。容貌も頭脳も境遇もまったく対照的な二人が売春婦になって、同じ男に殺されて捨てられるとは。考えれば考えるほど奇妙な話ではありませんか。

ユリコと和恵の事件のせいで、わたしの生活もすっかり変わりました。見ず知らずの人たちが二人の噂話をし、わたしの生活を覗き見、わたしに無礼な質問を浴びせるのです。わたしはうんざりして、口を閉ざしてしまいました。誰にも何も話しませんでした。最近はようやく身辺も落ち着きました。わたしも新しい職場を得ましたしね。そうしたら急に、わたしはユリコと和恵のことを誰かに話したくてたまらなくなりました。だから、遮られても喋り続けるかもしれません。父もスイスにいますし、ユリコが死んで独りぼっちになってしまったから、話相手が欲しいという気持ちもあります。しかし、本当は、わたし自身がこの不思議な出来事を考えたいのかもしれません。長くなるかもしれませんが、昔の和恵の手紙なども残っていますから、包み隠さずお話しいたします。

2

わたしの話を先にいたしましょう。わたしは一年前から、東京のP区役所でアルバイトをしています。P区は東京の東端に位置しています。大きな川の向こうはすぐ千葉県です。

P区には全部で四十八の認可保育園があって、常に満員で順番待ちの状態です。わたしは、福祉部保育課というところで保育園の入園希望者の調査の仕事を手伝っております。この家庭は本当に保育園に子供を通わせなくてはならないのか、という審査のためにです。

手が足りないので、すべての家庭を調査することなど不可能なのですが、自営業者は極力調査するように、と言われています。わたしは言われたことは素直に遂行するタイプなので、絶対にしなくてはならないのだと窮屈に考えていたのですが、現実はもっと曖昧（あいまい）なのですね。こんなことがありました。

役所に入って間もない頃のことです。母親が米屋の家業を手伝っているので、自宅で保育できない、という二歳児の入園希望者の家庭を訪問したことがありました。保育課長自らが同行しました。課長はわたしに実地で仕事を教えようと思ったのだと思います。

課長はまだ四十二歳です。昼休みにキャッチボールをするために、毎日トレーニング

ウェアで出勤してきて、ごついスニーカーで床をきゅっきゅっと鳴らして歩いているような人です。体型に気を配って陽灼けを保ち、鬱陶しいくらい常に精気が漲っているのです。わたしの苦手なタイプの男なのですが、課長の後を付いて商店街を歩きながら、わたしはついいつもの癖でわたしと課長の子供を想像してしまいました。

子供は女の子で、わたしに似て色白、顔は課長のえらの張った顎と、わたしの面長な顔がうまく溶け合った、程よい丸顔です。課長のやや上を向いた鼻とわたしの茶色い目を持ち、課長の撫で肩を受け継いでいます。女の子にしては腕や脚は逞しいのですが、活発そうでなかなか可愛い、とわたしは嬉しくなりました。

すると、米屋の店先でちょうどテニススクールから帰って来た母親と鉢合わせしてしまったのです。若い母親はサンバイザーの下の顔に汗を浮かせて上気していました。自転車の籠に、ラケットと貧相な黄菊の花束が入っています。わたしたちが声をかけると、実にきまり悪げに言い訳をいたしました。「今日とは思わなかったんです。すみません。お友達との付き合いで仕方なく出かけてまして」とか何とか。しどろもどろでした。帰る道すがら、わたしは課長に言いました。

「他に待ってるお宅がありますから、今の家庭は審査の対象から外した方がいいんじゃないですか」

課長はしばらく調査票を覗き込んでいました。

「だけどね、お母さんにもテニスくらいの息抜きは必要だと思いますよ」

きっと課長は、母親が若くて幸せそうだったから気に入ったのでしょう。わたしは冷たい口調で申し立てました。

「それを言ってたら、きりがないのではないでしょうか。あの人の子供が入ったら、本当に困っている家庭が気の毒です」

「まあ、その通りなんだけどね。テニス帰りに会うなんて運が悪いと思ってねえ」

役所というのは、その場その場を運よく切り抜ければ、何とかなるところなのでしょうか。わたしはそういうやり方は好きではありません。

「例外を作るのはよくないと思います」

課長はそれ以上、何も言いませんでした。わたしは課長の弱腰に憤慨していました。

とんでもない母親はこの世にたくさんいます。自分が遊びたいがために子供を保育園に入れて平気な母親もいれば、うまく育てる自信がないので保育園で躾けてほしい、などと考える他力本願な母親もいます。学校の教育費は払っても保育費は公的援助が必要、と言い張って払わないケチな家もあります。母親たちがどうしてこんなに堕落しているのか、わたしは常日頃、嘆いてばかりいるのです。話がずれてしまいましたね。つまり、わたしは毎日やりがいのある仕事をしている、と言いたかっただけなのです。

あなたのように目立つ容姿の人がどうしてそんな地道な職業に就いているのか、と言われたことは一度ならずあります。でも、わたしはさほど美しくはありません。何度も言うように、わたしは西洋人と東洋人のハーフでも、東洋系に近い親しみやすい顔立ち

なのです。ユリコのようにモデルになれる顔も背丈もなく、今では小太りの中年女になってしまいました。職場では紺の事務服を着せられていますしね。それでも、わたしに興味を持つ人はいるようです。わたしはそれが面倒でなりません。

一週間前のことです。野中さんという人にあることを言われたのです。野中さんは五十歳くらいの清掃課の人で、普段は第一庁舎にいるのですが、時々、「出先」と呼ばれるこの別棟の保育課にわざわざ来ては課長と談笑し、その際に必ずわたしの方をちらちら窺（うかが）うのです。

課長とは草野球仲間だそうです。何でも課長がショートで、野中さんがセカンドだとか。そんなことはどうでもいいのですが、わたしはどうして関係のない部署の人が勤務時間中に遊びに来るのだろうと腹立たしく思っていました。わたしより八歳若い水沢さんという同僚の女性が、「野中さんはあなたに気があるんですよ」などとからかうので、わたしはますます嫌でたまりません。

野中さんは、いつも灰色のジャンパーを着て、煙草の吸い過ぎのような茶色い干からびた顔色をしています。視線には粘り気があります。野中さんに見られると、焼き印をじゅっじゅっと押されたようにわたしの膚に黒い焦げ目が付くみたいでとても不快になります。そして、野中さんはわたしに、こう言ったのです。

「あなたの喋る声は甲高いけど、笑い声はとても低いね。しかも、えっへへって笑うんだもの」

この後に続く言葉はきっと、あなたは表面を取り繕っているけれど、内面は野卑だ、となるのではないでしょうか。わたしはひどくうろたえ、どうして他人からこのようなことを言われなくてはならないのかと思いました。おそらく血相が変わったのでしょう。野中さんは慌てた風に課長の顔を見て、どこかに行ってしまいました。

「野中さんの言ったことは、セクシュアルハラスメントに当たるのではないでしょうか」

わたしが課長に訴えましたら、課長は困った顔をしました。わかっています。わたしに外国人の血が混じっているので、他の人より権利意識に敏感なのだと思っていることぐらいは。わたしはなおも言いました。

「職場の同僚に言うべき言葉ではないと思います」

注意しておくからあまり気にしないように。課長はそう言って、机の上の書類を整理したりして誤魔化していました。わたしは入園審査の時の課長の表情を思い浮かべ、なるべく喧嘩しないようにと、それ以上言うのをやめました。そうしないと、嫌われてしまうと考えたのです。

その日はお弁当を持ってきてなかったので、わたしは歩いて数分のところにある第一庁舎の食堂に行くことにしました。新しい庁舎には、職員のための立派な食堂があるのです。ラーメンは二百四十円、定食はたったの四百八十円で食べられます。美味しいと評判なのですが、わたしは人が集まるところが嫌いなので滅多に行きません。わたしが

盆に載せたラーメンに備え付けの胡椒(こしょう)を振りかけていますと、隣に課長が立ちました。

「そんなにかけて辛くないですか」

課長の盆には、昼定食が載っていました。アジのフライと、キャベツの煮物でした。煮物の上に鉋屑(かんなくず)のような鰹節がぱらぱらとかかっています。わたしはキャベツを眺めて、ビゴスを思い出しました。子供時代のことが脳裏に浮かびます。しんと静まり返った山小屋の食卓。不機嫌な母と音もなく一心に食べる父の顔。少しぼんやりしてしまいました。が、課長はわたしの様子に気付かず、そこに座りましょうか、とにこやかに誘いました。

仕方なしに、わたしは課長と一緒のテーブルに着きました。広い食堂は、職員や出入り業者の人たちの喋り声や食器の立てる音でざわざわしていました。でも、皆がわたしを見つめているような気がして、わたしは自然うつむいてしまいました。駄目なのです。ユリコと和恵の事件以来、誰もがすべてを知っていて、わたしを観察しているように思えていたたまれないのです。

わたしに怪物の妹がいて、違う生き物に変貌してしまった友達がいて、二人で売春していたのだ、そして無惨に殺されたのだ。あの人もどこか変に違いない、と皆が囁(ささや)き合っているみたいでたまらないのです。課長がわたしの顔を覗き込みました。

「さっきのことだけどね、野中さんは悪意で言ったんじゃないと思いますよ。親しさから言っただけでしょう。あれがセクハラだったら、男が言うことの半分はそうなるよ。

ね、そうでしょう」

課長はわたしに笑いかけました。歯が小さくて草食恐竜みたいだとわたしは課長の歯並びを眺め、白亜紀の想像図を思い浮かべていました。わたしと課長の子供は、この歯並びを持つのかもしれません。だとしたら、二人の間に生まれた子供の口許（くちもと）はやや品がないことでしょう。指も節が太く目立つから、わたしの大きめの手とミックスされたら、女の子としてはごつ過ぎます。課長とわたしの子供は、前はあんなに可愛かったのに、だんだんとそうではなくなってきました。次第に、わたしは腹が立ってきました。

「セクシュアルハラスメントというのは、ああいう人格の批判も含まれますよ」

早口に抗議すると、課長は穏やかに言い返しました。

「野中さんはあなたの人格を批判したのではないですよ。あなたの声と笑い声の違いについて、感想を言っただけです。確かにからかう口調で言ったのはよくないと思うから、謝ってもらうけど、それで許してあげてくださいよ」

「わかりました」

わたしは素直に承諾しました。野中さんは、言葉の裏に、わたしが表面は繕っていても、実は野卑だという意味を籠（こ）めていたのだと説明したかったのですが、それ以上言っても仕方がないと思いました。世の中は鋭敏な人と鈍感な人とで成り立っています。課長は後者なのですから。

課長は小さな歯でフライをかじり、固い衣をばさばさと皿の上に落としています。そ

して、アルバイトの仕事量などについて当たり障りのない質問をしました。わたしが適当に答えていたら、課長は急に声を潜めました。

「あなたの妹さんのこと聞きました。大変でしたね」

つまり、ユリコの事件のせいで、わたしはこのように他人の言動に神経質なのだ、という風に聞こえる言葉です。その手の訳知り顔をする人にはたくさん会いましたからね。わたしは何も言わずにラーメンの上の白ネギを箸でよけました。ネギは臭いので嫌いです。

「僕、ちっとも知らなくて驚きました。去年殺されたＯＬの人の事件と同じ犯人なんでしょう」

わたしは課長の顔を眺めました。目尻が下がり、好奇心が溢れてどろどろと流れだしそうです。わたしと課長の子供は下品で、さらに醜くなってきました。

「まだ審理中ですから、うかつなことは言えません」

「あなたの友達だったって聞いたけど、本当ですか」

「同級生でしたけど」

わたしと和恵は本当に友達だったのでしょうか。わたしは今度そのことを考えてみようと思いました。

「僕、あのＯＬの事件にすごく興味があるんですよ。皆が言ってるでしょう。心の闇ってね。なぜ彼女はそういう暗い衝動を持っていたんでしょうね。だって、大手建設会社

のシンクタンクで働いていたキャリアウーマンでしょう。しかもQ大卒。そんなエリートOLがどうして売春してたのかってね。何かわかったことがあるんですかね」

そうなのです。ユリコのことは、皆忘れてしまう。美しいけれど何の取り柄もない女が老けてなお客を取っていても、誰も不思議に思わないのに、和恵の売春だけは理由がわからず首を捻るのです。昼はキャリアウーマン、夜は娼婦。男の人たちは、このわくわくするような記号に飛びつくのです。わたしは好奇心を剝き出しにしている課長に、俗悪なものを感じてなりませんでした。課長はわたしの表情に気付いたのでしょう。慌てて、謝りました。

「すみません。無神経なことを言って」それから冗談めかして付け加えました。「これはセクハラじゃないから許してください」

話題は、日曜の草野球のことに移りました。一度試合を見に来ませんか、という誘いに適当にうなずき、わたしは一生懸命平気な風を装ってラーメンを食べ終えました。やっとわかったのです。野中さんはわたしに興味があるわけではない、ユリコと和恵の事件に興味があるのだということが。どこにいっても、あの事件がわたしを追いかけてきます。

せっかくやりがいのある仕事を得たと思ったのに、職場はこのような気遣いの連続で疲れます。かといって、辞める気は起きません。アルバイトとはいえ、この職場に来て一年も経つのですし、定時に終わって気が楽ですから。

大学を卒業してから、区役所に職を得る前はいろいろやっていました。コンビニでアルバイトしていたこともありますし、学習雑誌の訪問販売をしていたこともあります。結婚ですか。そんなもの、一度も考えたことありませんよ。わたしは中年女のフリーターとして誇りを持ってますから。わたしは翻訳家になろうと努力していたのです。

わたしは父の母国語であるドイツ語が、完璧とは思いませんが、かなりできます。それで、ドイツのある有名な詩人の詩集を五年もかけて訳していたのですが、持ち込んだエージェントの人にわたしの日本語が幼稚だと指摘されて、その詩集は出版されませんでした。五年間もの時間と生活費をかけたのに、と抗議しましたが、まったく聞き入れられませんでした。

エージェントが言うには、わたしには翻訳の才能がない、というのです。普通の日本人でも半年あれば訳せるし、もっといい訳ができると言うのです。文学作品を子供の読み物にした、とも。勿論（もちろん）、腹が立ちましたが、怒ったら仕事を回してはもらえそうもないし、わたしには出版社のコネもありません。しかも、わたしが訳したいものは芸術的で売れそうもない本ばかりだ、とも言われました。それで、とうとう諦めた次第です。

通訳の試験も受けたことがあります。受かりませんでしたが、受かったところで、その仕事ができたかというと正直言って疑問です。わたしは他人と接するのが苦手なのです。だから、今の区役所のアルバイトを大事にしていこうと思います。

その晩、わたしは寝る前に野中さんとわたしの子供も想像して、広告紙の裏に絵まで

描いてしまいました。子供は男の子で、干からびたような膚をしています。野中さんのお喋りそうな厚い唇を持ち、頑丈な短い脚でちょこまかよく動きます。わたしに似ているところは、大きくて真っ白な歯並びと尖(とが)った耳です。その男の子が悪魔的な風貌をしていることに気付き、わたしは愉快になりました。それから、野中さんに言われたことを考えました。

『あなたの喋る声は甲高いけど、笑い声はとても低いね。しかも、えっへっへって笑うんだもの』

野中さんの発言はショックでした。わたしは自分の笑い声を意識したことはなかったのです。わたしは一人で笑ってみました。でも、おかしいこともないのですから、自然になんか笑えません。わたしの笑い方は、いったい誰に似たのでしょうか。わたしは記憶にある父や母の笑い声を一生懸命思い出そうとしましたが駄目でした。二人ともあまり笑わなかったからです。ユリコもまた笑い声を上げることはしませんでした。ただ神秘的な表情で微笑(ほほえ)むのです。それが、自分の美貌に一番効果的だと知っていたからかもしれません。変な家族でした。不意に、ある冬の日の出来事が蘇(よみがえ)りました。

3

わたしは現在、三十九歳です。ですから、かれこれ二十六年も昔のことになりましょうか。正月休み、一家で群馬の山小屋に行った時のことです。別荘と言ってもいいのかもしれませんが、その辺の農家と変わらない、平凡な建物なので、父も母も山小屋と言い慣らしていました。

わたしは小さい頃、週末の山小屋行きが楽しみでならなかったのですが、中学生になると少々面倒になっていました。周囲の人間たちが興味深そうにわたしたち姉妹を、家族を、見比べるのが苦痛になったからです。それは主に、近所の農家の人たちでした。でも、正月休みでしたから、東京に一人残っても仕方がないと思い、父の運転する車に乗って嫌々向かったのでした。わたしが中学一年、ユリコが小学校六年の時のことです。

山小屋は、浅間山麓の、二十軒ほどの様々な形態の別荘が寄り集まった小規模な別荘村にありました。例外的に日系三世の人もいましたが、別荘の持ち主はほとんどが日本人の妻を持つ欧米人のビジネスマンでした。

きっと目に見えない掟があって、日本人は入れないようになっていたのでしょう。つまり、日本人と結婚した欧米人の男が、狭い日本社会から脱出して息を抜くための村でもあったのです。わたしたち姉妹の他にも、ハーフの子供たちはいたはずですが、成長

してしまったのか、日本に住んでいないのか、滅多に見かけたことはありませんでした。その正月も、子供たちはわたしたちだけだったのです。

大晦日、近くの山に家族でスキーに行き、帰りに温泉の露天風呂に寄ることになりました。発案者は例によって父でした。父は、外国人としての存在を珍しがられるところを楽しむ風があったのです。

露天風呂は川を利用した造りになっていて、真ん中が混浴、両側に男女別の風呂がありました。女の側だけ、竹を編んだ塀があって外から見えない造りになっていました。脱衣場で着替えていると、早速、囁きが聞こえてきました。

「ほら、あの子見て」

「お人形さんみたい」

脱衣場でも、廊下でも、湯気の向こうでも、女たちがこそこそ話しています。あからさまにユリコから視線を外そうとしないおばあさんや、驚いた顔を隠さずに肘でつつき合う若い女たち。子供などはわざわざ近寄って来て、ユリコが裸になる様をぽかんと口を開けて見ている始末です。

ユリコは、小さい頃から赤の他人にじろじろ見られることに慣れているので、平気な顔でさっさと裸になりました。まだ胸も膨らみきっていない子供の体でしたが、小さな顔だけが白く、バービー人形のように整っているのです。まるでお面を付けているみたいだ、とわたしは思いました。わたしの思惑をよそに、ユリコは人々の関心を集めなが

ら脱いだ服を丁寧に畳み、外の露天風呂に向かって狭い廊下を歩いて行ってしまいました。

「お嬢さんですか」

突然、椅子に腰掛けていた中年女が母に問いかけました。中年女はさんざん湯に浸かってきたのか、ピンク色に染まった体を暑そうに濡れたタオルで扇いでいました。母は服を脱ぐ手を止めました。

「ご主人は外人さんなんですか」

女はそう言って、ちらりとわたしの方も見ました。わたしは黙って下を向き、下着を脱ぐのが嫌だなと考えていました。わたしはユリコと違って、人々の好奇の目に晒されるのにうんざりしていたのです。わたしだけなら目立たないのに、怪物のユリコが一緒にいるせいなのですから、たまったものではありません。女はもう一度念を押しました。

「ご主人は日本の方じゃないんでしょう」

「そうですよ」

「やっぱりね。あんなに綺麗な女の子、見たことないわ」

「ありがとうございます」

母の顔に得意げな表情が現れました。

「だけど、自分に全然似ていない子供を持つって妙な気分でしょうね」

女は独り言のように、のんびりつぶやきました。母は顔を歪め、それからわたしに早

くしろと言わんばかりに軽く背中を小突きました。その顔がこわばっているのを見て、わたしは女の言ったことが図星なのだと思いました。

外はすっかり暮れて星が出ていました。外気は冷え込んでいます。白い湯気を立てている露天風呂は底が見えず、黒い池のようで不気味でした。真ん中に白いぴかぴか光るものが浮かんでいました。ユリコの体でした。

ユリコは仰向けに湯に浮かび、空を見上げているのです。その周りを、肩まで湯に浸かった子供や大人の女たちが取り囲み、黙ってユリコを見つめていました。わたしはユリコの顔を見て、とても驚きました。その晩に限って、ユリコが神々しいほど綺麗に感じられたのです。初めての経験でした。ユリコはこの世のものとは思えない麗しい人形でした。子供とも大人とも言えない体をした、美しく儚いものが、黒い湯に漂っているのです。

わたしはぬるぬるする底石に足を滑らせながら、目を離すことができませんでした。ユリコはわたしたちを見遣りましたが、何も言いません。ユリコは母のこともわたしのことも、下僕のように扱っていたのです。よせばいいのに、母親が名を呼びました。

「ユリコちゃん」

「お母さん」

ユリコの澄んだ声が響き、視線が素早くわたしと母とに集まりました。それからユリコに集中し、またわたしたちに向かってきます。見比べる視線。溢れる好奇心。素早く

下される優劣の判断。わたしは知っているのです。ユリコは、母親と姉は自分と違うということを周囲に知らしめるために、母に答えたのです。そういう妹だったのです。そうです。わたしはユリコを愛したことなど一度もありません。そして母はおそらく、さっきの女が言った「妙な気分」と常に戦っていたに違いないのです。

わたしはユリコの顔を眺めました。秀でた白いおでこに茶色い髪がへばりつき、弓形の眉に大きな目。目尻は少し下がっています。鼻筋の通った鼻は子供ながら完璧です。ぽってりした唇がめくれたお人形の顔。ハーフの中でもこれほど整った顔をした子供は稀です。

わたしなどは目が吊り上がって、鼻は父に似て鷲鼻ですし、体型は母親似でずんぐりなのです。どうしてこんなに違うのか。わたしはユリコの顔に父や母の優れたところがどう現れ出たのか不思議でならず、両親の面影を必死に探しました。しかし、どこをどう見ても、突然変異としか思えないのです。ユリコの顔は西洋人の父にも、東洋人の母にもまったく似ていない。父の美しいところも母の美しいところも遥かに超えた違う顔なのです。ユリコがわたしを見返しました。奇妙なことに、さっきは神々しいほどだった美しさが見事に消えてなくなっています。わたしは思わず叫び声を出してしまいました。母が驚いて振り向きました。

「どうしたの」

「お母さん、ユリコ、気持ち悪い顔してる」

わたしは、やっと気付いたのです。ユリコの瞳には何の光も灯っていないことに。完璧な美貌に光のない目。人形の目にも白い点が光として描いてあるではありませんか。だから人形は可愛いのに、生きているユリコの目は光のない沼なのです。ユリコが湯の中で美しく見えたのは、その目に空の星が映っていたからなのでした。

「妹に何てこと言うの」

母は湯の中でわたしの腕を強くつねりました。その痛みでまたしても悲鳴を上げました。母は憎々しげに言いました。

「そんなこと考えるあんたの方が気持ち悪い」

母は怒っていました。母はすでに美しいユリコの下僕だったのです。といっても、崇めているのではありません。母は、ただただ美貌の娘を持った運命に怯えていたのです。もし、母がユリコの気味悪さを認めていたのだとしたら、わたしは母を信用するでしょう。でも、母は違っていた。この家族の中で誰も味方はいない、と中学生のわたしは思ったのでした。

その夜、隣のジョンソンの山荘で大晦日のパーティがありました。普段は大人の集まりに出ることを禁じられているわたしたち姉妹も、別荘村にいる唯一の子供たちだということで招待を受けました。わたしとユリコと両親の四人は、雪のちらつく暗い道を隣の山荘に向かいました。歩いて数分の道のりです。派手なことが大好きなユリコは嬉し

そうに雪を蹴って、ずっとスキップしていました。

ジョンソンは、山荘を買ってまだ日が浅いアメリカ人ビジネスマンでした。茶褐色の髪に品のいい整った顔をして、ジーンズがよく似合う人でした。ジュード・ロウという俳優に似ていた気がしますが、変わり者という噂がありました。

浅間山が見えないからという理由でベッドルームの窓の前に植わっている若木をすべて斧で伐り、代わりに切った笹竹を地面に刺して喜んでいたそうです。そのことで造園業者と喧嘩までしたと聞きました。あのアメリカ人は今さえよければそれでいいと思っているんだ、と父が嘲(あざけ)っていたことを覚えています。

奥さんはマサミという名の日本人で、スチュワーデスをしていてジョンソンと知り合ったということでした。とても美しい華やかな人なのに、気さくにわたしやユリコに声をかけてくれるのです。山の中でもきちんと化粧をしてダイヤの指輪を外さない姿が、何か鎧(よろい)を着けているようで、わたしにはやや奇異に映りましたが。まあ、そんなことはどうでもいいことです。

行ってみると、妙なことに日本人妻の大半が行き場を失ったかのように狭い台所に集合しているのです。妻たちは喧嘩をしているみたいに、それぞれ持ち寄った料理の自慢をしているのでした。

別荘にたまたま客として滞在していた数人の外国人女性は優雅にリビングのソファでお喋りをし、白人の男たちは暖炉の前でウィスキーを飲みながら英語で立ち話をしてい

す。

る。見事にグループ別になっている、奇妙な光景でした。日本人妻でただ一人、マサミさんだけはジョンソンの隣で男たちの談笑の輪に加わっていました。その巻き舌の甘い発音が、時々周波の違う音のように男たちの低いざわめきに交じって聞こえてくるのです。

母はすぐさま、居場所を確保するために台所に向かいました。父は男たちに呼ばれて、暖炉の前で酒の入ったグラスを渡されています。わたしはどこに行っていいのかわからず、仕方なしに母の後に付いて、台所の主婦たちの輪に加わりました。

蒸し鶏とザーサイの変わったサラダをタッパーウェアに入れて持って来た一人が、作り方を披露し終わったところでした。次は、別荘村の世話人をしているノーマンという人の奥さんの番でした。ノーマン自身はまだ四十代で、いつもジムニーで山道を走り回っている山男でしたが、妻は乾いた白髪を束ね、化粧気のない茶色い顔をした老婆でした。

本当にこれが奥さんなのだろうか。わたしは驚いてノーマンの妻の皺んだ指や、ひねた目つきなどを観察していました。あまりにも外見が違うのに、なぜノーマンと妻が愛し合っているのか、信じられなかったのです。その頃のわたしは、容貌のかけ離れて違う男女がどうして一緒にいるのかわからなかった。それは今でも同じですが。

ノーマンの妻は山菜のアクの抜き方について、とうとうと語っています。他の妻たちは台所にある小さなテレビに映る紅白歌合戦をちらちら横目で眺め、ノーマンの妻の説

明に耳を傾けている振りをしていました。

退屈したわたしは、ユリコを探しました。ユリコは暖炉の前のジョンソンの膝に寄りかかって、甘えていました。ユリコの頰っぺたをつくマサミさんの左手のダイヤが暖炉の火に反射してぎらぎら光りました。暖炉の炎とマサミさんのダイヤモンドの光のせいで、ユリコの気味悪さもそうは目立ちません。何か光る物を目に受けてさえいれば、ユリコは綺麗な女の子なのです。そのうち、わたしは変な妄想を抱いたのです。

ユリコはわたしの妹ではなく、本当はジョンソンとマサミさんの娘なのではないか、と。美しい二人なら、美貌の子供が生まれても不思議ではありません。うまく言えませんが、それなら許せると思いました。そして、ユリコの怪物的な美貌にも少しパーソナルなものが加わりそうな気がしたのです。パーソナルなものというのは、そうですね。例えば、軽薄でお茶目な感じとか、モグラみたいな動物に似ている印象とか、そんなつまらないことですよ。

でも、不幸にもユリコは凡庸なわたしの両親の子供です。だからこそ、ユリコは整い過ぎた美貌だけを持つ怪物になったのではないだろうか、と思ったのです。ユリコが得意げにわたしの方を見返しました。怪物、こっちを見るな。わたしは気分が悪くなりました。うつむいて息を吐くと、母親がわたしの顔をじっと眺めているのです。突然、母の心の声が聞こえてきました。

『あんたはユリコに似てないわね』

わたしは思わずヒステリックに笑ってしまったのです。笑いは止まらず、台所にいた全員が驚いてわたしの方を見ました。わたしが似ていないのではなく、ユリコが似ていないのではありませんか。違いますか。しかも、その言葉はそっくり母親に返すべきものではありませんか。わたしと母は、ユリコが存在するために憎悪し合っていたのかもしれません。そのことに気付いて、わたしは笑ったのです。清掃課の野中さんが指摘したように、中学生のわたしが今と同じ低い声で笑ったかどうかは定かではありませんが。

十二時になって皆で新年を祝う乾杯をした後、わたしとユリコは先に家に帰るよう父に命じられました。母は相変わらず台所を動こうとはしませんでした。まるで、そこにしがみついていれば、この場所でも生きていけると信じ込んでいるように愚鈍な姿でした。わたしは、小学校の時、教室で飼っていたクサガメを思い出しました。クサガメはいつも半分濁った水の中で曲がった脚を踏ん張り、間抜けな顔で教室の埃臭い空気を嗅いでいるのです。大きな鼻の穴をぴくぴくさせながら。

テレビでは退屈な「ゆく年くる年」が始まっていました。わたしは広い玄関で脱ぎ捨てられたたくさんの靴の中から、泥だらけのわたしの長靴を探し出して履きました。ここでは雪が溶ければ道がぬかって靴が汚れるので、外国人も皆、日本風に靴を脱いでいました。わたしの古びた赤いゴム長は冷え切っていました。ユリコはしょげて唇を尖らせています。

「うちの別荘って、人には別荘だなんて言えない。普通の家なんだもの。ジョンソンの

家みたいに暖炉があって、素敵だったらよかったのに」

「何で」

「だってマサミさんがユリコちゃんの家にも今度呼んでねって言うんだもの」

ユリコは見栄っ張りでした。

「仕方ないじゃない。お父さんがケチなんだもの」

「ジョンソンが驚いていたわ。あたしたちが日本の学校に通ってるって聞いて。それじゃ、皆と違う顔をしているのに日本人として暮らすのかって。その通りよね、あたしなんかずっと苛められてきてるのよ。ガイジンて言われて、日本語喋れるのか、とかからかわれて」

「そんなことあたしに言ったってどうしようもない」

わたしは勢いよくドアを開け、ひと足先に外の暗がりに出ました。なぜか知りませんが、腹が立ってしようがなかったのです。寒さで頬がぴりぴり痛みました。雪はやみ、外は真っ暗です。山が近くに迫ってわたしたちを取り囲んでいるはずなのに、その姿は真っ黒な夜空に溶け込んで見えない。懐中電灯以外、何の光もないから、ユリコの目は沼みたいにどんよりしているに違いありません。そう思ったら、ユリコの顔を見ることもできません。わたしは怪物のユリコと一緒に外の暗がりを歩いていくことが怖くなりました。自然、足が速くなります。わたしは懐中電灯をしっかりと握りしめて、走りだしました。待ってよ、お姉ちゃん。ユリコがわたしを呼び止めましたが、今度は振り返

るのが恐ろしくてなりません。夜、不気味な沼を背にして歩いているような気がします。その沼からひっそりと何かが現れて、わたしの後を付けてくるみたいな。

わたしに置いて行かれると焦ったユリコが追い縋(すが)ってきました。わたしはとうとう振り向いてユリコの顔を真っ正面から眺めました。雪明かりで白い整った顔がぼんやり見えます。目を見ることだけはできない。怖い。わたしはこんなことを口走っていました。

「あんた、誰よ。あんたなんか知らない」

「何言ってるの」

「化け物」

ユリコは狂乱したように叫びました。

「ブス」

「死ね」

わたしはひとこと言い捨て、走りました。すると、ユリコがわたしのコートのフードを背後から乱暴に摑(つか)んだのです。わたしはのけぞりながらも、ユリコを力いっぱい押し倒しました。わたしより遥かに細いユリコは不意を打たれて仰向けに転び、そのまま道路脇に除雪された雪山に倒れ込んだのです。

わたしは後ろを見ずに我が家まで走り、中から鍵を掛けました。しばらく経つと、まるでアニメの昔話のように、ほとほとと心細そうにノックする音が聞こえます。でも、

わたしは知らん顔をしていました。

「お姉ちゃん、開けて。怖いよ」ユリコの泣き声。「開けて。怖い。お願いだから開けて。寒いよ」

怖いのはあんたの方だ。いい気味。わたしは自分の寝室に駆け込んで、ベッドに入ってしまいました。玄関からは壊れんばかりにドンドンとドアを叩く音が聞こえていましたが、布団を被って耳を塞いでいました。そして、ユリコなんか凍え死にしてしまえ、と何度も念じていました。本当のことです。わたしはその時、心底そう思ったのですから。

そのうち寝入ってしまい、やがてアルコールの饐えたような不快な臭いで目を覚ましました。何時頃だったのでしょうか。酔った父と母が、わたしの部屋の入り口で押し問答していました。廊下の照明が明るかったので、二人の表情はわかりませんでしたが、父がわたしを起こして難詰しようとしているのを母が止めているのです。

「妹を凍え死にさせようっていうのか」

「いいじゃない、何でもなかったんだし」

「何でそんなことをするのか知りたい」

「あの子は僻んでいるのよ」

母が声を潜めて諌めています。わたしは母の言葉を聞きながら、どうしてこんな家に生まれてしまったのだろうと涙が流れて仕方がなかったのです。

わたしがなぜ、母の言葉に反駁しなかったのかとお尋ねなのですね。それはおそらく、僻んでいたと言われれば違うとも言えず、自分でも自分の感情がよくわからなかったからだと思います。わたしはきっと、自分がユリコに対して根強い嫌悪を持っていることを認めたくなかったのでしょう。妹なのだから愛さなくてはならない、という義務感に長く縛られていたのです。

その義務感からくるプレッシャーが、露天風呂で、そしてパーティでの出来事で、一気に解放されてしまったのかもしれません。我慢できないこと、気持ち悪いものは、そのままそう口に出して言うしかないのだ、というように。自分が無理をしたら、この先生きてはいけないと思ったのです。間違っているとお考えなのでしょう。そうかもしれません。だから、わたしの経験はどなたにもわかっていただけないと思われてならないのです。

翌朝、ユリコの姿は見えませんでした。階下では、母が仏頂面でストーブに石油を注いでいました。食卓に着いていた父がわたしの姿を見て立ち上がり、コーヒーの匂いのする息で迫って来ました。

「お前はユリコに死ね、と言ったのか」

わたしが黙っていると、いきなり父の分厚い掌がわたしの頬に当たりました。ばちんとすごい音がして耳が熱くなり、打たれた頬がじんじん痛みだしました。わたしは両手

で顔を覆いました。父から打たれることは覚悟していました。父はわたしが幼い頃から、時々殴ることがあったのです。最初は体罰でも、それが感情の爆発に繋がることもあるので要注意でした。

「罪を認めなさい！」

父には謝罪という観念が乏しいのです。だから、わたしやユリコや母を叱る時は、罪を認めなさい、というのでした。「ごめんね」「いいよ」。悪いことをした時に使う謝罪と許しの言葉だと、幼稚園で習いました。でも、我が家はそれで済んだことなど一度もありません。そういう言葉自体が存在しないので、いつも大事になるのです。それにしても、ユリコが気持ち悪いからいけないのに、いったいわたしに何の罪を認めろというのでしょう。わたしの顔には憤懣が表れていたのでしょう、父はもう一度、力一杯わたしを打ちすえました。床に倒れたわたしの目の端に、母のこわばった横顔がちらと見えました。母はわたしを庇おうともせず、石油がこぼれないように注ぎ口に注意を払っている振りをしています。わたしは急いで起き上がり、二階に逃げて自室の鍵を閉めました。

午後になり、階下はやっと静まりかえりました。父が出かけたらしいので、わたしはそっと部屋から出ました。母の姿も見えません。わたしはこれ幸いと台所に入り、炊飯ジャーから直接ご飯を手摑みで食べ、冷蔵庫からオレンジジュースを出して飲み干しました。昨日の昼食の残りのビゴスが鍋に残っていました。肉の脂が白く固まっています。

わたしは鍋の中に唾を吐いてやりました。唾に混じったオレンジジュースが煮崩れたキャベツに付いたので、愉快になりました。父はビゴスのよく煮たキャベツが大好きだからです。

玄関のドアが開いたので、わたしは顔を上げました。ユリコが戻って来たのでした。昨夜と同じジャンパーを着ていましたが、見覚えのない白いモヘアの帽子を被っています。きっとマサミさんのでしょう。それは少し大きく、ユリコのおでこをほとんど覆っていました。あの帽子はマサミさんの香水がぷんぷんと匂っているに違いないと思いながら、わたしはユリコの目をもう一度確認しました。気持ちの悪い目をした美しい子供。ユリコはわたしに一切話しかけようとせず、二階に駆け上がって行きます。わたしはテレビを点けてソファに深々と座りました。元日のお笑いクイズ番組を見ていると、リュックサックを背負ったユリコが気に入りのスヌーピーの縫いぐるみを持って下りて来ました。

「あたし、ジョンソンの家に行くから。あんたのこと話したら、ジョンソンが危険だからうちに泊まりなさいってさ」

「よかったじゃない。もう二度と戻って来ないでよ」

わたしはせいせいした気分で言ってやりました。結局、正月休みの間、ユリコはずっとジョンソンの山荘に滞在していました。ジョンソンとマサミさんとは道路で一度出会いましたが、二人ともハーイとにこにこ手を挙げるのです。わたしもハーイと言ってに

やにやしてやりました。馬鹿ジョンソン、馬鹿女と心の中で罵ったのです。そして、ユリコはそれきり帰って来なければいい、馬鹿ジョンソンの子供になればいいと思っていたのです。

4

父が事業に失敗したのは、翌年のことでした。いえ、事業というほどのものでもありません。商売に失敗したのです。要するに、日本人が豊かになってもっと美味しい輸入菓子があることに気付き、父の輸入する駄菓子なんかに見向きもしなくなっただけのことです。父は会社を畳み、多額の借金返済のためにすべてを手放すことにしました。山小屋は勿論のこと、北品川にあった小さな家も車も何もかも。

父は日本での仕事を諦めて、故郷のスイスでやり直すことに決めたのでした。父の弟のカールがベルンで靴下工場を経営しているので、経理を手伝うことになったのです。それで、わたしたちも一緒にスイスに行くことになりましたが、わたしはちょうど高校受験を控えて猛烈な勉強をしている最中でした。わたしが狙っていたのは、頭の悪いユリコなんか絶対に行けそうもない偏差値の高い高校でした。そうです。和恵と一緒の女子校です。仮にその高校をQ女子高と呼びましょう。

わたしは父の運命に翻弄されるのだけはまっぴらご免でした。ますます美しくなった

ユリコと知らない国で暮らすのも、弱い母親と一緒にいるのも嫌でした。だから、日本に残ると言い張ったのです。

わたしはＰ区にある母方の祖父の家に住まわせてもらってとりあえず高校を受験し、受かったらそこから通いたいと父に頼みました。何とかユリコと一緒にスイスに行くのを阻止したいので必死でした。父は余計な金がかかる、ましてやＱ女子高は高い、と苦い顔をしましたが、別荘での出来事以来、わたしとユリコはほとんど口をきかない状態になっていましたので、それも致し方ないと判断したようです。わたしは志望校に受かれば、大学までの学費、日本での生活費は最低限保証する、と念書を書いて約束してもらいました。たとえ親子でも、父は契約しないと実行しないからです。

そして、わたしは念願のＱ女子高に受かったのです。ユリコはスイスのどこかにある日本人学校の中学に入ることになりました。わたしとユリコが仲が悪いのを知っていて、父もわたしには詳しく言いませんでしたから、よくは知りません。ユリコはきっとヨーロッパで暮らすことになるのでしょう。わたしはこれでようやくユリコから離れられたとほっとしました。わたしの人生で最高の幸せな時間でした。

わたしはＰ区の公団住宅で、一人暮らしをしていた母方の祖父と生活することになりました。祖父は当時六十六歳。背が低くて、男にしては手足が華奢（きゃしゃ）、顔も体もちまちまと全体に小造りのところは紛れもなく母の父親でした。お金がなくても何とかお洒落（しゃれ）をしようともがいているような人で、どこに行くにも背広を着て、半白の髪をべったりと

ポマードで撫で付けているのです。狭い公団の部屋は、祖父のポマードの臭いでむせかえるほどでした。

祖父とはいってもあまり会ったことがないので、わたしはちょっと不安でした。何をどう話したらいいのかわからなかったからです。でも、実際に一緒に暮らしてみたら、それはまったくの杞憂（きゆう）でした。祖父は甲高い声で一日中ぺらぺらとよく喋る人だったのです。喋るから、わたしとの会話が弾むかといえばそうでもなくて、独り言、あるいは繰り言のように、放っておけばいつまでもずっと喋り散らしているのです。口数の少ないわたしと暮らすのは、祖父は楽しかったのではないでしょうか。わたしは祖父の言葉のゴミ溜めみたいなものでした。

たぶん、祖父は、突然転がり込むことになった女の孫を迷惑に思っていたことでしょう。が、わたしの父から受け取る生活費はさぞ有り難かったに違いありません。祖父は年金生活をしていて、時折、近所の便利屋のようなことをして小遣いを稼いでいるだけでした。生活に余裕がなかったのだと思います。

祖父の仕事ですか。それまで何をしていたのかということですね。それが奇妙なのです。わたしは母から祖父は以前刑事をしていたのだ、と聞かされていました。小さい時に西瓜泥棒を捕まえるのが得意だったので、その道に入ったとか何とか。だから、わたしはさぞかし厳格で怖い人なのだろうと思っていたのです。ところが、真実は逆だったのですよ。

祖父は刑事ではありませんでした。では何者だったのか、ということをこれからお話しします。少し長くなるかもしれませんが、我慢してお聞きください。

ところで、これはあの殺された和恵から高校の時に聞いたことなのですが、本当かどうかはわたしにはわかりません。和恵という人は、よく知ったかぶりをしましたから、信用できないところもあったのです。でも時々は、こんな心に残ることも言う人だったのです。

それは、子供という存在が近代になって発見された、というものでした。中世では、子供は小さな体をした人間だと考えられていたのだそうです。だとしたら、わたしが想像図によって古生代、中生代、新生代と生物の進化の歴史を知るように、今は子供も大人に進化する一過程だと考えられているということですよね。では、大人の体を持つわたしは、すでに進化が止まった存在なのでしょうか。殺された和恵もユリコもそうだったのですか。でも、わたしには和恵やユリコは、進化し続けていた生物に思われてならないのです。ま、それはゆっくり考えていきましょう。どうもわたしは先を急ぎ過ぎるみたいです。

確かに、子供は変な存在です。だって、母親の幼稚な嘘でも、頭から信じられるのですから。きっと、子供は母親が自分の全世界だと思い込む時期があるからなのでしょう。やがて、世界がだんだんとずれてきて、半島が大陸から分離して一個の島になるように

母親から独立して大人になるのかもしれません。わたしにも、あんな母親と世界が一致していた可愛い時期があったのかと思うと、自分で自分が愛おしくなります。母はわたしとユリコに、自分の父親のことを常日頃こんな風に言っていたのです。

『おじいちゃんは刑事さんをしているから、遊びに行ってはいけないよ。忙しいし、おじいちゃんの周りには、悪いことをした人が大勢、集まっているのよ。でもね、おじいちゃんが悪いことをしたわけじゃないの。正しい人のところには、逆に悪い人が出入りするようになるのよ。例えば、罪を犯した人が、更生しましたと言ってお礼の挨拶に来たりするしね。中には質の悪い人もいて、捕まえたおじいちゃんを逆恨みして復讐することもあるんだって。子供が行ったら危険だよ』

わたしはその話を遠い世界の出来事として聞き、まるで刑事ドラマみたいだとわくわくしたことだってあったのです。わたしのおじいちゃんは刑事よ。仲の良い友達がいたならば、自慢したかったくらいです。でも、ユリコはあまり関心のなさそうな顔で、おじいちゃんはどうして刑事なんかになったの、と母に尋ねました。ユリコはたぶん、刑事のおじいちゃんをそれほどかっこいいとは思っていなかったのだと思います。ユリコの頭の中なんかわかりません。その時の母の答えはこうだったんです。

『おじいちゃんは茨城県で大きな大きな畑をいっぱい持っている地主さんの坊ちゃんでね。そこは昔から西瓜泥棒が出るんで有名な土地だったの。おじいちゃんは子供の時から泥棒を捕まえるのが得意だったからだって聞いてるよ』

何と馬鹿馬鹿しい嘘だったのでしょうか。どこからそんなほら話が生まれたのか、母が生きていたなら聞いてみたいところです。でも、母自身も祖父についての嘘を子供に吹き込んだことなどとっくに忘れていたに違いありません。吐いた嘘はすぐ忘れるようにできているのが人間なのです。そして嘘だとばれかけると、嘘を嘘で塗り固めるのです。母の抜けているところは、嘘を塗り固めるだけの想像力も気力もなかったところでしょう。保育園入園資格の審査という仕事柄、わたしにはそれがよくわかります。

わたしが祖父と暮らし始めたのはQ女子高合格と同時でした。両親とユリコがスイスに発つ少し前です。わたしは自分の布団と机と文房具、服と一緒に軽トラックに乗って、北品川から祖父の公団住宅に向かったのです。P区は東京の下町で、高いビルなど見当たらない平らかな土地でした。大きな川が幾本もP区を縦に区切っていて、その高い堤防が視界を遮っているのです。周囲の建物は低いのに堤防のせいで圧迫感がある、とても不思議な街でした。そして、高い堤防の向こうにはたくさんの水が常にゆっくりと流れているのです。わたしは堤防に登って茶色い川の水を覗き込んでは、中にどんな生物が棲んでいるのだろうとよく想像したものです。

祖父はわたしが来た日、近所のお菓子屋さんでシュークリームをふたつ買って来てくれました。ケーキ屋さんのシュークリームのようではなく、皮は固くて、中身はわたしの嫌いなカスタードでした。わたしは祖父に悪いと思って、美味しく食べる振りをしな

がら、祖父の顔や体のいったいどの部分がわたしの母の容姿に作用したのだろうという興味で、祖父の顔をじろじろと眺めていたのです。小造りという全体の骨組みは似ていても、顔はまったく似ていませんでした。

「お母さんはおじいちゃんに似てないけど、誰に似たの」

「あいつは誰にも似てないんだ。先祖の誰かだろう」

祖父は小さなケーキの箱を展開図通りに丁寧に畳んで答えました。きっと何かに使うのでしょう。包装紙や紐は皆、台所の棚に取ってあったからです。

「あたしも誰にも似てないよ」

「うちはそういう家系なんだよ」

祖母は二十年も前に川に落ちて死んだということでしたし、母は一人娘でしたから、他に係累もありません。寂しい家なのでした。でも、わたしは誰にも似ていない家系だという祖父の言葉がとても気に入ったので、この家なら永久にいてもいい、と思ったのでした。

祖父は几帳面な人で、朝は五時に起きてベランダと玄関脇の四畳半の部屋に所狭しと置いてある盆栽の手入れを始めます。盆栽は祖父の趣味だったのです。その世話に二時間以上はかかり、それから部屋の掃除をして朝ご飯になります。

祖父は起きてからずっと、早口の茨城訛り(なま)で喋りっ放しでした。わたしが顔を洗ったり、歯を磨いたりしている間も、盆栽に話しかけているのかわたしに話しかけているの

かわからない様子で、片時も口を閉じることをしないのでした。

「いい幹の具合だね。見てよ、この力強さ、この古さ。こんな松が何本も東海道に生えていたに違いないさ。いい盆栽を作って俺は幸せだよ。天才かもしれないな。天才っていうのはね、狂がなくちゃ駄目なんだよな。狂だよ、狂」

話しかけられたのかと思って振り向くと、祖父は盆栽に向かって一人で喋っているのです。しかも、その内容は毎朝ほとんど同じでした。

「狂のない人間はどんなにうまく作ったって、所詮天才じゃないの。あのね、狂のある人間の作ったものはどこか歴然と違うんだよ。何が違うって、それはさあ」

わたしはもう振り向きません。自分に話しかけられたのではないとわかっているからです。祖父は自問自答しているのです。わたしはわたしで、高校に受かって新しい生活を始めることが嬉しくて盆栽どころではなかったものですから、進学雑誌を見てはあれやこれや、憧れのQ女子高の生活というものの夢想に耽(ふけ)っていたのです。

　わたしは祖父を放っておいて、自分で焼いたトーストにバターとジャムと蜂蜜をたっぷり塗って食べ始めます。ジャムの塗り過ぎを父に注意されることもないので、解放された気分でした。わたしの父は吝嗇ですから、家族の食べ方にまで注文を付けるのです。紅茶の砂糖は二杯まで、ジャムはうっすらとひと塗り、蜂蜜は蜂蜜だけ、ジャムと重ねては意味がない。そして、礼儀にもうるさいので、食事中は話をするな、肘を突くな、姿勢を正せ、口の中に物を入れて笑うな。何だかんだと文句を言い続けるのでした。わ

たしが寝そべって朝ご飯を食べている最中も、祖父はベランダの盆栽に向かって話しかけています。

「気韻があるってことなんだよ。気韻。これが大事。辞書引いてご覧なさい。気韻て言葉見てご覧なさい。それはね、気品があるってことだけじゃないんだ。気品があってね、それが生き生きと作品に表れてるってことなの。それはできるようで、凡人には絶対できない。だからできる奴は天才。わかる奴も天才。だからわたしは天才なの。気韻があるの」

祖父は空に「気韻」とか「狂」とかの字を書きなぐって見せます。わたしは紅茶を飲み干し、黙って祖父のすることを眺めています。そこでようやく祖父はわたしに気付いて食卓を見るのです。

「おじいちゃんの分はないの」

「あるけど、冷めたよ」

わたしが祖父の分のトーストを指さしますと、祖父は嬉しそうに冷たく乾いたトーストをがりがりと入れ歯でかじります。その様子を見ていて、わたしはこの人が元刑事だなんて嘘だと思ったのです。西瓜泥棒を捕まえるのが得意だなんていうのも嘘だと。言葉でどう説明したらいいのかわかりませんが、高校生のわたしにも、祖父がどういう人間であるかはわかったのです。祖父は自分のことしか考えていない人なんです。だから、人の非を咎めて捕える、なんてことができるわけがないと思ったのです。わたしの父な

らできるかもしれませんが。

祖父は入れ歯がずれるので食べにくいらしく、トーストを紅茶にべちゃべちゃと浸して食べます。そして、溶け落ちたパンごと、紅茶を飲み干します。わたしは思い切って祖父に聞きました。

「おじいちゃん、ユリコに気韻があると思う？」

祖父はベランダ越しに黒松とやらの大きな盆栽を眺めた後に、わたしにきっぱりと言ったのです。

「ないね。ユリコちゃんは別嬪過ぎるからね。あの子は園芸。綺麗なお花だろうねえ。盆栽じゃないよ」

「お花はどんなに綺麗でも気韻がないの？」

「ないね。盆栽は気韻が勝負。だって、人間が作るんだもの。あれをご覧。あの黒松。あれが気韻があるってこと。ほら、老木が命というものを教えてくれるんだよ。不思議だよ、木は。あんなに枯れて見えたって生きてるんだからね。木は年月を経てすごくよくなるんだよ。若くて綺麗だからいいっていうのは人間だけ。歳取っても、人間が躾けて躾けてやって、なおかつ木自体がそれに逆らい、それでもこちらの意志に添ってさらに生まれてくるものがあるっていうのかな、奇蹟が感じられるようなものが気韻でもあるの。ミラクルっていうの、英語で？」

「そうじゃない」

「ドイツ語は」

「知らない」

わたしはまた始まったと思って、一応はベランダの方を見る振りをします。祖父の言っていることがほとんど理解できないし、退屈だからです。祖父が可愛がっているのは、ベランダの中央にどかんと置いてある、つまらない枯れかかった木なのです。根はでこぼこして醜く、枝は針金でぎゅうぎゅうに縛り上げられ、葉っぱはヘルメットみたいに張っていて、邪魔で仕方がありません。時代劇に出てくる木のような平凡な形をしています。でも、美しいユリコに「気韻」とやらがないのだとしたら、それはいい気味ではありませんか。わたしはそう言ってくれた祖父がとても好きになるのです。そして、祖父とわたしのこの暮らしが永遠に続けばいいと願っていたのです。

でも、祖父は祖父で、わたしがいることにメリットがあったようなのです。その理由はすぐにわかりました。祖父が、慌てふためいて盆栽をすべて押入れにしまう日があるのです。毎月第三日曜日の午前十一時。決まってひと月に一回、必ず第三日曜日に近所のおじさんがうちを訪ねて来るのです。第三日曜はカレンダーの上に赤い印が付いていて、決して忘れないようにしていました。

その日は、ひとわたり盆栽との会話が終わると、祖父は押入れの中を整理してがらくたをあちこちに移します。曇っていようが雨が降りだしそうだろうが、わたしは自分の布団を押入れから出して、ベランダに出した布団干しにかけるように言われます。押入

れを空けるためなのです。そして、ベランダにぎっしりと並んでいた盆栽の鉢があたふたと押入れの中に隠されるのです。入らない鉢は祖父が同じ公団の中の知り合いに頼み込んで、置かせてもらったりもします。わたしはしばらくの間、祖父がなぜ自慢の盆栽を隠すのか不思議でなりませんでした。

第三日曜日の訪問者は、温厚な顔をした老人でした。薄くなった白髪を丁寧に後ろに梳(す)いて、灰色のシャツに茶色のジャケットという無難な格好で現れます。眼鏡だけが真っ黒の縁で、やたら目立つのです。その老人は、祖父の家を訪問するのに手ぶらで来る非礼を詫びます。でも、手土産を持って来たことは一度もありませんでした。祖父は老人が来ると畏(かしこ)まって正座しています。そしてどういう訳か、わたしが側にいるのを嫌うのでした。その人以外でしたら、祖父はハーフの孫がいることや、わたしが優秀なQ女子高に通っていることを自慢したいものですから、わざと側に置きたがってとうとうとまくしたてるのです。祖父には保険の外交をしているおばさんや警備員のおじさんや、アパートの管理人、盆栽好きなおじいさんなど、いろんな知り合いがいて、始終うちに遊びに来ていたのです。が、その老人に限ってはわたしの同席を嫌うので不思議でなりませんでした。

その日も祖父はそわそわして、わたしに勉強があるだろうなどと言うのです。だから、わたしはお茶を出し、部屋に戻った振りをして襖(ふすま)越しに盗み聞きました。世間話が途切れ、老人が水を向けました。

「最近、生活の方はいかがですか」

「ぼちぼちやってますから、どうぞご心配なく。ほんとにこんな汚い家にわざわざ来てもらって恐縮しております。なあに、孫も来ましたし、楽しくつましくやっておりますよ。ジジイと高校生とですから、いろいろ行き違いもありますけど、嬉しい限りです」

「お孫さんなんですか。似てらっしゃらないから、どなたかなあなんて。聞いてみようかなと思ったけど、まさか、あなた、若い恋人だなんて言われたら、私も悔しいし」

老人の声が弾みます。えっへへっへ、と祖父が一緒になって笑いました。あ、わかりました。わたしの笑い方はきっとこの祖父に似たのですよ。祖父は甲高い声で喋り散らしているくせに、笑い声だけは急に低く、しかも下卑るのです。ここで祖父の声が急に潜まります。

「あの子はね、娘の子供なんですが、父親が外国の人間なんですよ」

「ほう、アメリカの方ですか」

「いやあ、それがヨーロッパの人間なんですよ。あの子もドイツ語やフランス語はそれはもうぺらぺらでございますが、教育は日本がいいっていうんでね。わたしが無理矢理日本に残しました。日本人なんだから日本語の教育して、ここで大人にしなきゃ駄目ですよ。婿はスイスの外務省の人間でね。そう、大使の次ぐらいなんですよ。まあ、そんな立派な婿を持ったところで、日本語もできやしないからつまらないったらないですよ。でも、目でわかるっていいますでしょ。以心伝心。あれは本当ですな。婿にもわたしの

考えは伝わるみたいで、こないだもスイスから時計をふたつも送ってきましたよ。あれ何だっけな。オーディマピゲとかいったな。もうひとつはパテック何とかいう高級時計ですよ。あれはいい時計ですね。気韻があります。気韻という言葉をご存じですか。こう書きます」

わたしは笑いをこらえながら、祖父の嘘話を聞いているのです。老人が気圧されたように溜息を吐きました。

「気韻ですか。初めて聞きました」

「意味は、気高さと強さを併せ持つこと、とでも言ったらいいんですかねえ」

「いい言葉ですねえ。ところでお孫さんのご家族は」

「実は、婿一家はスイス政府に呼び戻されて帰ったんです」

「へえ、それはすごいですね」

「いやいや、たいしたことないの。スイスで一番羽振りがいいのは、国連関係と銀行じゃないですか」

「だったら、ひと安心です。便利屋さん始めたって聞いたけど、そちらの方は大丈夫ですよね。もう人を騙したりしないでしょう。お孫さんのことも考えてあげてくださいよ」

「とんでもございませんよ。わたしは二度とああいう過ちを犯しませんから。見てください。この家のどこに盆栽があるんです。わたしはもう二度と盆栽に手は出しませんか

ら」
祖父が恐れ入った声で答えます。それを聞いて、わたしは祖父が昔、盆栽を使った詐欺事件かなんかを起こした人間なのだと知ったのでした。そして、この老人は保護司で、月に一回、祖父を訪ねて来ては更生したかどうか聞いて確かめる人だったのです。今になって思えば、祖父はおそらく、その当時保護観察中だったのでしょう。そんな祖父のところに、わたしみたいな真面目な女子高生が同居しているということは、保護司の信頼を高めるのにさぞかし役立ったことと思います。つまり、家族と離れて日本に残りたいわたしと、保護司の目を誤魔化したい祖父と、わたしたち二人は利害の一致した共犯関係でもあったのです。しかも、わたしは祖父と一緒にユリコの悪口が言える。本当に愉しい日々でした。

保護司さんとは、その直後、偶然出会ったことがありました。ゴールデンウィーク中、わたしが自転車でスーパーに買い物に行った帰りのことです。観光バスが古い農家の前に横付けになって、例の老人が手を振って客を送り出しているところだったのです。客たちはお年寄りばかりで、小さな盆栽の鉢を手にして満足そうでした。そこは「万寿園」という盆栽を作って販売している農園で、わたしは盆栽という看板に惹かれて眺めていたのでした。バスが去り、老人はわたしに気が付きました。

「ああ、いいところで会いましたなあ。お嬢さん、ちょっとお話聞いてもいいかしら」

わたしは自転車から降りて挨拶をしました。まるでお寺のような大きな門から中を覗

くと、立派な数寄屋造りの建物が建っていて、その横には洒落た茶室も見えます。ビニールハウスがあり、若い男が何人も働いていて、ホースで水を撒いたり土を掘り返したりしていました。農園というより有名な庭園みたいで、建物も庭も豪華だし、お金がかかっているのはわたしにだってわかります。保護司の老人も、ネクタイの上から紺色の作務衣(さむえ)を羽織り、村長さんが一日陶芸家になったような奇妙な格好をしているのです。黒い縁の眼鏡が、軽薄な鼈甲(べっこう)縁に変わっていました。

保護司はわたしの家族関係を根掘り葉掘り聞きました。祖父の話を確認したかったのでしょう。両親が本当にスイスに行ってしまったと聞いて、少し心配そうでした。

「おじいさんは毎日何してるの」

「便利屋さんの仕事が忙しいみたいです」

それは本当のことでした。どういうわけか、わたしが来てから、祖父には近所から便利屋の仕事が殺到していたのです。

「それはよかったですねえ。どんな仕事ですか」

「猫の死骸を捨てたり、留守番に行ったり、留守中の家の植木に水を遣(や)ったり、いろいろです」

留守番と言ってしまってから、わたしはまずかったかと保護司の顔を見上げました。何せ祖父は犯罪者なのですから。が、老人は何食わぬ顔で大きな農園で働く若い人たちをちらりと眺めやりました。

「あなたのおじいちゃんはね、盆栽さえやらなきゃ大丈夫ですよ。あの人は盆栽のことなんかちっともわからないのに盆栽の売り買いに手を出してね。他人の品物を盗んで売ったり、夜店で買った安物を売りつけて大金を取ったり、大変な騒ぎになったんですよ。何千万も騙されて損した人がいてね」

損をした人というのは、この保護司に関係のある人なのではないだろうか。保護司はきっと盆栽業者か、この農園を手伝っている人なのです。祖父が盆栽を盗んだのはこの農園からかもしれません。そして、ここの盆栽を勝手に売り買いする商談をまとめたりして、お金を騙し取ったのでしょう。この老人は祖父が二度と盆栽に手を出さないように保護司となって、祖父を永久に見張るつもりなのかもしれません。わたしは祖父が可哀相になりました。

農園では、太い木柱の上にひと鉢ずつ、何百鉢もの盆栽が整然と並んでいます。中には、祖父が自慢していた物にそっくりな大きな松もありましたが、わたしの目から見ても、祖父の盆栽とは比べ物にならないくらい数段立派で、高そうでした。

「あのう、おじいちゃんは盆栽のことがまったくわからないんですか？」

「素人ですね」

保護司は小馬鹿にしたように言い放ちました。温厚そうだった見かけが、意地悪な面持ちに変わっています。

「でも、おじいちゃんに騙される人がいるんですか。よくそんな大金を持っている人が

いますね」

わたしは祖父なんかに騙されてお金を出す人がいるから、盆栽狂の祖父はふらふらと悪い気を起こすのだと思ったのです。あの変てこな鉢植えに大金を出す人がいること自体が信じられません。だから、騙される方が悪いのだと思いました。が、保護司の人はそうは取らず、手で空気を掻くような仕種をしました。

「この辺りは漁業補償の金が出て大金持ちがたくさんいるんですよ。この辺、昔は海だったからね」

へえ、海だったんだ。わたしは盆栽のことなど忘れて思わず叫びました。というのは、わたしは父と母の間にあった愛情というエネルギーは、生殖の瞬間にほとんどなくなってしまったに違いないと思っていたからです。だったら、わたしという新しい生命体を海に放してくれるべきだったのです。ずっとそう思っていました。だから、わたしにとっては祖父との生活が、やっと自由になれた海そのものだったんです。ポマードと加齢臭に満ちた祖父の狭い部屋に住まうことも、祖父のとめどないお喋りを聞くことも、盆栽だらけの部屋で暮らすことも、わたしにとっては海そのものだったのです。その偶然の一致が嬉しかったので、わたしはこの土地に住もうとその時決意したのでした。

家に帰って、万寿園という農園で保護司に会った話を祖父にしました。祖父は驚いた様子で、わたしに聞き返すのです。

「俺のこと、何て言ったって」

「盆栽の素人だって」

畜生。祖父は悔しそうに叫びました。

「あいつだって何もわかりゃしないくせに。あそこの区民賞を取った真柏（しんぱく）なんて笑っちゃうよ。ハッハッハッのハッだ。金に飽かせて、いい木を集めりゃ誰だってできる。それを五千万だの何だのって吹っかけやがって。見てみろ、気韻なんかありゃしねえ」

祖父はその日一日、ベランダに出たきりで盆栽と会話していました。

後で聞いた話ですが、その保護司の老人は元は区職員で、退職してから万寿園の案内人をしており、やはりボランティアで保護司を志願しているということでした。もう亡くなりましたが。亡くなった当初は、わたしと祖父を頭の上から押さえていた重石（おもし）が外れた気がしました。でも、わたしが今、区役所でバイトできるようになったのも、保護司の息子が区会議員をやっていて、その伝（つて）だったのですから、まあ人間なんてわからないものですよね。

祖父ですか。祖父は生きていますが、寝たきりでボケ老人になってしまいました。わたしのことなんか全然わかりません。さんざんおむつを替えて世話してあげたのに、わたしを指さして、そこの婆さん、なんて言うのです。時々、母の名を呼び、宿題やらないと泥棒になるぞ、なんてことも言います。泥棒はあなただったんじゃないの、と言い返してやりたい気もなくはないですが、わたしがまだこの公団に住めるのも、祖父が生

きているお蔭ですから、そう無下にもできません。

ええ、祖父には細く長くずっとずっと生きていてほしいです。「気韻」なんて言葉は、とっくに祖父の脳味噌から消えてなくなってしまったみたいですよ。はい、わたしもさすがに疲れましたので、一昨年から「みそさざいハウス」という区の老人病院に入れました。ええ、その時も保護司さんの息子さんに世話になりました。P区は本当に福祉面では最高なんですよ。

祖父が便利屋をやっていたというのは本当です。わたしも電話番だけでなく、できる仕事は積極的に手伝っておりました。というのは、わたしの経験してこなかった人間関係が、とても面白かったんです。だって、わたしの家はほとんど人が訪ねて来たことなんてありませんでした。父は同国人との付き合いがあったようですが、その付き合いに家族を巻き込むことはなかったし、母は近所付き合いもなく、友人は一人もいなかったからです。授業参観にも来なければ、PTAなんてとんでもない、という家でしたから。

わたしが高校に入って、まだ和恵と会話を交わす前ですが、こんなことがありました。学校から帰って来ると、女物の靴が三足、狭い三和土に脱ぎ捨ててあったんです。ごく普通の黒のローヒールが二足と、もう一足は先の尖ったエナメルのハイヒールでした。エナメルの方は、祖父と仲のいい保険の外交をしている女の人の靴だとすぐわかりました。

その人はもう五十過ぎの独身のおばさんで、たいそうな遣り手で成績がいいのだと聞

いたことがあります。同じ公団に住んでいるのですが、派手な原色の服を着て赤い自転車を乗り回しているので目立つのです。きっと祖父のところに便利屋の客を連れて来たのに違いないとわたしは張り切って家に駆け込みました。そのおばさんは顧客サービスの一環として、便利屋の祖父を使ってくれていたのです。この公団の人たちは、持ちつ持たれつといいますか、お互いに助け合って暮らしていました。

　わたしは制服姿のまま台所に行ってお湯を沸かしました。茶を持って居間に行きましたら、たった四畳半の居間に、保険外交のおばさんと、四十歳くらいの女の人が二人窮屈そうに並んで、祖父と相対していました。客の二人のおばさんは体格がよくて、服装は金がかかって洒落ていました。わたしは、二人とも職業を持っている女の人だと思いました。そういう女の人は皆、いいストッキングを穿（は）いてきちんと化粧をし、そこはかとなく押し出しがいいのです。わたしは二人の女の人が洋品店か、繁華街の料理屋か、そんなところに勤めている人だろうと想像しました。

　モリハナエのものらしい蝶々が舞っている黄色の化繊のワンピースを着た人が、わたしをきつい目でちらっと見た後、「ですからね」と言いました。その人の方が化粧が濃く怖い顔でした。もう一人は地味な灰色のスーツで、暗い表情で押し黙っています。わたしは誰も咎（とが）めないので祖父の隣に膝を抱えて座り、一緒に話を聞きました。

「あたしが驚いたことって、生涯に二度だけあるんですよ。二度とも、不倫相手の奥さんの顔を見た時。ほんとにあんなに驚いたの初めて。二人とも不細工で、でぶでださく

て三流の女でした。老婆に近いんです。どうして浮気する男って、自分の奥さんがひどいのを放っておけるんでしょうね。あたし、奥さんの顔見たら、何だか急に男に対する気持ちがすーっと消えてなくなってしまって冷めちゃったんですよ。なあんだ、こんな女と一緒に暮らしている男なのかって、つまらなくなってしまって。だから、この人にもあの男の女房を見るべきだって言ったんです。あたしもその女を見たい。生涯三度目の驚きを経験できるかもしれませんしね」

　どうやら二人は仲が良く、怖い顔をした人が、もう一人のおとなしそうな人に不倫相手の配偶者の顔を見ることをぜひにと勧めているのでした。その二人を連れて来た保険のおばさんが口を挟みました。

「ま、こういう事情なんですよ。困った時は便利屋さん、てあたしがアドバイスしたのよ。ねえ、何とかしてあげてくださいよ」

　祖父は実に調子のいいことを申しておりました。

「そら、見るべきでしょう。なあに、どうせ不倫ならいつかは冷めるんだから、きっぱり後腐れなくやるべきですよ」

　わたしは高校生としては、かなり世慣れた方だったのではないでしょうか。大人たちの薄汚い話を聞いても、別段、何も感じはしませんでした。ドラマで見たようなよくある話が自分の身の回りにも押し寄せてきている。そんな感覚でしたから、わくわくして聞いていました。

うつむいていたもう一人の女の人がきっと顔を上げました。この人は鼻筋の通った綺麗な顔をしていましたが、眉が不対称なのと、目が据わっているせいで不気味な印象がありました。

「あたしはね、驚きたいとか冷めたいとか、そういうことじゃないんです。単に、あの人の奥さんをこの目で見たい。それだけなんです」

「そうそう、そうなのよね。動物園と同じよ」

二人の女からは、怒りのパワーがごーっと燃え上がっていました。怖い顔のおばさんは激しく強く、うつむいている人の方は静かで暗いのです。わたしは二人の怒りをひしひしと感じながら、どうして大人は相手を好きになるだけではなく、憎むのだろうと不思議でなりませんでした。わたしのまったく知らない感情でした。祖父はぎょっとした顔をしましたが、もっともらしくうなずいて保険のおばさんを指さしました。

「なるほど。じゃ、この人に名刺借りてね、保険の勧誘の振りして顔を見てきたらどうでしょう」

「駄目ですよ。あたしが困っちゃう。それにね、そういう普通のうちの奥さんは飛び込みで行って保険の勧誘ですって言ったって、家から出て来やしないわよ」

保険外交のおばさんがむっとした様子で吐き捨て、煙草に火を点けました。祖父はしまったという顔をしました。祖父はこのおばさんが仕事を持ってきてくれるので、機嫌を損ねたくないのでした。怖い方の女の人が「無理、無理」と厳然と首を振りました。

友人らしい彼女の方が熱心でした。

「それも考えたけど、万が一、見破られたら困るしね。奥さんがこの人の存在を知ってる可能性もありますからね。そしたら相手の男に知られて万事休すでしょう。だから一番いいのは、誰かが奥さんの写真を撮ってくることなんですよ」

「だったら、探偵の方がいいんじゃないかなあ」

祖父の腰が退(ひ)けているのがわかりました。祖父は写真に興味がないし、得意でもないのです。あら、という顔で保険外交のおばさんが祖父の膝を叩きました。

「おじさん、言ったじゃないの。探偵は高いし、後でゆすられても困るでしょう。だから、おじさんに頼んでるんじゃないですか。おじさんが自慢のお嬢ちゃん連れてって、その家の前で記念写真でも撮る振りして、女房の顔を盗み撮りしてくればいいんですよ」

「それじゃ、奥さんは出て来ないよ」

祖父は面倒臭そうに皺だらけの喉頸(のどくび)を掻いています。保険外交のおばさんが、はっとした顔でわたしを見ました。

「そうだ、お嬢ちゃん高校生よね。だったら、写真部だとか何とか嘘を言って、その家の写真を撮る許可を貰って撮ってくればいいじゃない。ついでに奥さんの写真も撮っちゃえばいいんだ」

あまりの強引さにわたしは唖然(あぜん)としましたが、祖父は何とかやりましょう、と言って

引き受けてしまいました。女たちは迷いを吹っ切った様子で、祖父に皺だらけの札で五万円を差し出しました。その金額も、保険のおばさんが決めたのでした。祖父はそのうち二万をおばさんに渡さねばなりません。祖父は三人が帰った後、困った様子で相手の住所を書いた紙を見せました。住所はP区内でバスで十五分ほどの距離でした。

「できれば、その奥さんが普段何をしてるのか下調べした方がいいんだろうけどねえ。そんなのわかんないし。ああ、俺、こんな仕事やりたくねえなあ」

祖父はうんざりした顔で近くに置いてある木瓜（ぼけ）の盆栽を眺めています。祖父はこの手の人間関係の入り組んだややこしい仕事が苦手だったのです。しかも、カメラがありませんでした。当時は、使い捨てのカメラもなかったものですから、仕方なくわたしが学校で級友からカメラを借りて来ることになりました。わたしですか。わたしはわりと面白そうな仕事だと少し楽しみでした。

そりゃ勿論、当時のわたしは高校一年でしたから、倫理的には、あの二人のおばさんが間違っていると思いましたよ。わたしは今でも審査の不正は嫌いですから。だけど、わたしはあの暗い顔のおばさんが言った『単に、あの人の奥さんをこの目で見たい。それだけなんです』という言葉に、妙に同意したのでした。わたしもあの女の人と浮気をしている男の人の奥さんの顔が見たい、そう思ったんです。

わたしなんか関係ないのに、おかしいですよね。だけど、関係の出来た人の後ろには別の関係があり、その人にも別の人間関係がある。そうすると、その関係は果てしなく

永遠に広がり、連なっていくのです。不思議ではないですか。

わたしは比較的早く授業の終わる平日を選び、撮影を実行することにしました。祖父は何となく敬遠していましたが、先にお金も貰ってしまいましたし、保険のおばさんが始終、あの件はどうしたかと電話をしてくるので、仕方なしに付いて来ました。

家は、千葉県との境を流れる川の堤防の下に建つ、小さな建て売り住宅でした。ぺらぺらの新建材で出来ているマッチ箱のような家で、隣も奥も似た家が並んでいます。不倫相手であるご主人は、電機メーカーの工場に勤めているという話でした。夜勤と称して、あの女の人と会っているのだと祖父が言っていました。女の人は、近所の段ボール会社の社長の奥さんだということです。だったら、相手の電機メーカーの人も段ボール会社の社長の顔を見たくならないのでしょうか。そんなことを考えていたら、わたしの制服の袖を祖父が引きました。その手が震えています。

「俺、できねえよ。やめよう。金はさあ、失敗したからって返そう」

「駄目だよ、おじいちゃん。やんなきゃ、保険のおばさんに怒られて仕事来なくなるよ」

「だって、失敗してチクられたら、俺は刑務所に逆戻りだ」

わたしは祖父の怯懦(きょうだ)に呆れました。本当に祖父は盆栽詐欺をやったのかと信じられない思いでした。祖父にとっての仕事というのは、快楽であり、趣味の延長でしかないのでしょう。わたしが今でも中年女フリーターとしてしっかり生き抜いているのは、こう

いう情けない祖父の姿を見たせいかもしれません。わたしは祖父を電柱の陰に追いやり、インターホンを鳴らしました。

「Q女子高写真部の者ですが、お宅の写真を撮らせていただいてもいいですか」

そこは門から玄関までの距離がほんの一メートル、貧相なツツジが門柱の脇に植わっているだけでした。玄関のドアが開いて三十代らしい主婦が小さな女の子の手を引いて出て来ました。わたしは主婦と子供の顔をまじまじと見ました。これがあの暗い顔をした綺麗なおばさんの恋敵なのだ、そして恋敵の子供なのだ、と興味を覚えながら。主婦は化粧をして、ジーンズにトレーナーという学生のような服装をしていました。そして、予想に反して色白の綺麗な人でした。女の子は小花模様の可愛いワンピースを着ています。子供の顔は狆(ちん)のようにちんまりとして、目許が母親にそっくりです。わたしは学生証を示してから、頼みました。

「すみませんが、こういう何でもないおうちを撮りたいので」

「こんな家のどこがいいのかしらねえ」

主婦は甘ったるい舌足らずな言い方をしました。わたしは内心、この妻の年齢と容姿なら、あの暗い女の人に勝てると思いました。あの怖いおばさんも生涯三度目の驚きを得ることはないでしょう。わたしは家の写真を適当に撮った後、主婦と子供にカメラを向けました。

「記念に撮ってもいいですか」

ファインダーの中には、まんまと騙された罪のない親子が映っています。顔つきも雰囲気もそっくりで二人でワンセットになりそうな可愛い親子が。でも、わたしはあの怒っているおばさんたちの方がずっと好きだと思ったのです。きっと、わたしにもその素質があるのでしょう。こういう何も知らずに生きている人の鈍さをわたしは憎むのですから。そして同時に、わたしはこの愚鈍な家族と一緒に暮らしている夫の顔が見たいと願ったのです。あの女の人に頼んで、見せてもらおうかと真剣に考えたほどです。いいえ、会いたいのではありません。見たいだけなのです。わたしが男の人を見るたびに、その人との子供を想像する癖が付いたのは、こんな出来事も原因かもしれません。わたしはおそらく、人間関係マニアなのでしょう。

このように、わたしと祖父の暮らしは、珍妙ではありましたが好き勝手ができる、実に楽しいものだったのです。わたしはいつの間にか、祖父にあれこれ指図し、自分のいいように祖父を操るようになりました。だって、祖父は犯罪者と呼ぶにはあまりにも弱い人でしたから。

祖父の願いは、ただひとつでした。盆栽の世界で遊ぶことだけだったのです。盆栽が投機の対象になったり、商売の道具になったりすることにも、もしかすると無自覚だったかもしれません。まるで欲を垂れ流すように、祖父の後ろからは盆栽に付き纏うお金というものが、だらだら跡を引いて回っているだけだったのです。そして、振り返って

は、その始末に困って呆然としているのが祖父でした。

はい、祖父はお馬鹿さんだったのです。その遺伝子は母にも流れて、ユリコにも及んでいるに違いないと思った途端、わたしは愉快でなりませんでした。わたしは違うのですから。しかも、ここにはあの小うるさい父もいないのです。裕福な家の娘ばかりが通うQ女子高では、確かに付き合いのお金に不自由しましたし、馬鹿にもされました。だけど、わたしはほんとに嬉しくてたまらなかったのです。

しかし、さすがのわたしも、たった四カ月でユリコが日本に戻って来る羽目になるとは思ってもいませんでした。スイスに行った四カ月後に、何と母が自殺してしまったからです。その間に、母からは何通か手紙を貰っていましたが、わたしは返事を出しませんでした。そうです、一通も。おっしゃる通り、わたしは母に対して冷淡でした。理由はさんざんお話ししたじゃないですか。

手許に何通か残っていますから、母からの手紙をお見せしましょう。それを読む限りでは、自殺するなんて想像もできませんでした。というか、母にそんな内面の苦しみがあるなんて、思いもよらなかったし、あの母が自殺という方法を取ってまで、この世からおさらばしたい絶望があったということも気付きませんでした。でも、わたしが一番驚いたのは、あの母に自殺する勇気があったことでしょうか。

お元気ですか。こちらは家族三人元気です。

おじいちゃんとはうまくやっていますか。おじいちゃんは私と違ってしっかりした人ですので、あなたとはウマが合うかもしれません。それから言っておくけど、おじいちゃんには、毎月約束した四万円を超える額は一切払う必要などありません。こちらを当てにされても困るので、そこは適当にやってください。あなたのお小遣いとして、あなたの口座に少し振り込んでおきますが、それはおじいちゃんに内緒です。おじいちゃんにお金をせびられたら、必ず借用書を書いてもらうようにしてください。これはお父さんからの言い付けでもあります。

ところで、高校はどうですか。あなたがあんな立派な高校に入れるとは思ってもいなかったので、私はいつも日本人に会うたびに自慢しています。ユリコも決して口には出さないけど、きっと悔しがっていると思います。ユリコのいい刺激になったと思いますので、勉強頑張ってください。あなたは頭で勝負してください。

日本はそろそろ桜が終わる頃でしょうね。ソメイヨシノは本当にきれいだったなあとつくづく思います。ベルンでは桜を見ません。どこかに咲いているのかもしれませんから、今度、日本人会の誰かに聞いてみようと思いますが、お父さんは私が日本人会や日本婦人の会に出入りするのをあまり気に入っていません。

こちらはまだ寒くて、コートが手放せない毎日です。アーレ川の風の冷たいこと。悲しくなるくらい寒いです。私のコートは、あなたも知ってる小田急のセールで買ったベージュのです。薄いから少し寒いのですが、こちらの人に「素敵」とよく褒められます。

どこで買ったのか、と聞く人もいます。でも、こちらの人は皆、きちんとした身なりをして、姿勢がよく、とても立派に見えます。

ベルンはお伽噺(とぎばなし)のようなきれいな街ですが、思ったより小さいので最初はびっくりしました。そして、いろいろな国の人が住んでいるのにも驚きました。初めの頃は物珍しくてあちこち見物に行ったのですが、最近は飽きてしまいました。あなたへの仕送りや学費に取られてしまって、買い物するお金もないし、皆で質素に暮らしています。ユリコが、あなたが日本に残ったせいだと怒ることもありますが、気にすることはありません。何度も書きますが、あなたは頭で勝負しなくちゃ。

うちは新市街の方にあります。一軒おいて隣にはカールの靴下工場があります。向かい側は間取りの小さなアパート群です。その横は空き地。お父さんは市内だと自慢しますが、私は場末なのではないかと思います。でも、そんなことをチョットでも言うと、お父さんは怒ります。どこに行ってもベルンの街は整然としていて、言葉の通じない背の高い人たちばかり。しかも、こちらの人は皆、自己主張が強いのでとても勉強になります。

この前、こんなことがありました。私が信号を守って渡っていたのに、曲がって来た車と危うくぶつかりそうになってコートの裾が車のバンパーに引っ掛かって、裏地が少し破れてしまいました。運転していた女の人が降りて来たので、謝るのかと思ったら、私に何か文句を言うのです。意味はわからなかったのですが、私のコートを何度も指さ

して怒っているところを見ると、たぶん、私が裾のひらひらするコートを着て信号を渡ったせいだと言ったのだと思います。私は面倒になって謝り、帰って来てしまいました。その夜、お父さんにひどく叱られました。絶対にこちらの落ち度を認めるな、認めた途端に負ける、というのです。コートの修理代が取れたのに、という訳です。こちらの人がほんとに謝らないところは、お父さんにそっくりです。勉強になります。

ここに来て、そろそろ三カ月経ちます。船便で出した家具がやっと全部届いてほっとしています。でも、こっちのモダンなアパートには合わないので、お父さんは不機嫌です。こちらで揃えるべきだった、日本の家具は質が悪い、と今頃になって文句を言っています。新しい家具を買うお金はどこを探したってないのに、無理を言わないでくださいと言ったら、先に相談するべきだったとまた怒るのです。お父さんはだんだん、昔に戻っているような気がします。いつも怒ってばかり。自分の国に戻って来たので、日本にいた時よりキチキチして、まごつく私が気に入らないんだと思います。最近は、ユリコと出かけてばかりいます。ユリコは楽しくやっているようです。カール叔父さんのとこの長男（叔父さんの工場で働いています）と仲良くなって、一緒に遊んでいます。

こちらは思ったよりも物価が高いので驚いています。外食なんかすると、そんなに美味しくないのに一人二千円以上は取られてしまいます。納豆は六百円もするんですよ。信じられますか。お父さんは税率の問題だと言っていましたが、ここに住んでいる人たちはきっとサラリーがいいのだと思います。

それに引き替え、お父さんの新しい仕事は、まだ軌道に乗っていないようです。工場の人たちとうまくいかないのか、それともカールの仕事がそんなに景気がよくないのか、私にはわかりませんが、お父さんは家でもぶすっとしていて、私が仕事について聞いても答えてくれません。あなたがいたら、たぶん喧嘩ばかりしていたことでしょう。来なくてよかったと思います。ユリコは私たちのことには知らん顔ですから。

この間、カール一家が遊びに来ました。私はちらし寿司を作って歓待しました。奥さんはイボンヌというフランス人。子供は二人です。カールの工場で働いている長男は二十歳で、アンリという名前。女の子はまだ高校生です。名前を聞いたけど、忘れてしまいました。女の子はイボンヌに生き写しで、色の薄い金髪に鷲鼻。太っているし、ちっともきれいじゃありません。イボンヌもカールもユリコの顔を見て驚いていました。東洋人と結婚するとこんなに美しい子が生まれるんだね、ってカールは言ったようですが、イボンヌはぶすっとして口もききませんでした。

ユリコと言えば、三人で散歩に出たら、変なことがありました。公園で会った人が皆、奇妙な目で私たちを見るのです。とうとう、一人のおばあさんが聞いてきました。ユリコはどこの国で養女にしたのか、と。こちらにはいろんな国籍の人がいて養子縁組もたくさんありますから、養女だと思ったのでしょう。私が自分の娘だと言ったら、信じられないという顔をしました。あの人たちは、私のようなみっともない東洋人がユリコみたいな美しい子を作ったことが不快なのだと思います。考えすぎだとお父さんは言いま

すが、私には何となく想像がつくのです。黄色人種が美貌の子を産む、ということが許せないのです。チョットいい気味です。本当にユリコは養女じゃなくて、私の産んだ子なんですから。

あなたの近況も報告してください。お父さんがあなたには報告する義務があると言っています。おじいちゃんによろしく。

第二章　裸子植物群

1

二〇〇〇年四月二十日付朝刊

「十九日、午後六時過ぎ、東京都渋谷区円山町のアパート『緑荘』一〇三号室で女性が死んでいるのを、管理人が見つけて一一〇番通報した。警視庁捜査一課と渋谷署が調べたところ、世田谷区北烏山に住むG建設社員、佐藤和恵さん（三九）とわかった。佐藤さんの首には絞められた跡があることから、同課は捜査本部を設置し、殺人事件として捜査を始めた。

調べでは、佐藤さんは八日午後四時頃、自宅を出たまま行方がわからなくなっていた。佐藤さんが見つかった部屋は六畳一間で、昨年八月頃から空き部屋。玄関の鍵はかかっておらず、佐藤さんは部屋の中央に仰向けに倒れていた。ハンドバッグなどは残されていたが、四万円ばかり入っていたはずの財布からは現金がなくなっていた。衣服は八日に外出した時と同じだったという。

佐藤さんは大学を卒業後、一九八四年にG建設に入社。総合研究所調査室副室長として調査研究をしていた。独身で、母親と妹の三人暮らしだった」

この記事を新聞で読んだ時、わたしにはあの和恵のことだとピンときました。勿論、

佐藤和恵なんてありふれた名前ですし、人違いということも考えられたでしょうが、わたしには和恵に絶対間違いないという確信があったのです。なぜかと言いますと、二年前ユリコが死んだ時、和恵から一度だけ電話があったからなのです。

「あたしよ、佐藤和恵。ねえ、ユリコちゃん、殺されたんだってね」

大学入学以来、音信不通だったくせに、和恵は開口一番こう聞いたのです。

「驚いたわ」

わたしが驚いたのは、ユリコの事件のことでも、和恵が突然電話してきたことでもなく、和恵が受話器の向こうで、蜂の唸りのようにぶんぶんと低く笑い続けていたからなのでした。軽い愛想笑いをしているつもりだったのかもしれません。でも、その笑い声が受話器を持つわたしの手に伝わってきました。わたしにとって、ユリコが死んだことはさほどの衝撃ではないと申し上げましたでしょう。だけど、この時だけは背筋が凍りました。

「あなた、何がおかしいの」

「べつに」和恵は投げ遣りに答えました。「じゃ、あなたは悲しいの？」

「そうでもないわよ」

「でしょう」和恵はわかっていると言わんばかりに言いました。「あんたたち、仲が悪かったものね。あんたたちが姉妹だなんて、言わなきゃ、誰も気付かなかったもんね。あたしはすぐわかったけど」

わたしは話を遮って聞き返しました。

「そんなことより、あなたは今何してるの」

「当ててみて」

「建設会社に入ったって聞いたけど」

「ユリコちゃんと同業って言ったら驚く？」

かすかに自慢する風でもありました。わたしは言葉を失いました。だって、和恵は男や売春やセックスという言葉とはまるで無縁の生活を送っていると思っていたからです。風の噂では、堅い会社に勤めて、総合職のキャリアウーマンとして頑張っているという話だったのです。黙ったわたしに、和恵はこう言って電話を切ったのです。

「だから、あたしも気を付けようと思って」

それからしばらく、わたしは電話を前にして首を傾げていたのです。もしかすると、これは和恵と偽って電話をしてきた別人なのではないかと訝しんだからなのでした。わたしの知っている和恵は、そういう謎めいた物言いをする人間ではありませんでした。和恵はいつも傲岸で断定的な言い方をする一方で、間違うことを恐れるように、おどおどと人の顔色を見ているところがあったのです。勉強のことになると威張りくさり、流行の服や美味しい店、ボーイフレンドといった話題になると自信を喪失して周囲に合わせる、そういう人でした。その落差は大きく、見ていて気の毒になるくらいでした。だから和恵が変わったのだとしたら、きっとこの世の中と渡り合う別の方法を見つけ出し

たに違いないのです。

そのことがお聞きになりたいのですね。はい、そろそろ話を和恵とユリコに戻すことにいたしましょう。すみません、関係のないわたしの話ばかりして横道に逸れて。さぞかし退屈なさったでしょうね。わたしのことなんかよりも、二人の話をお聞きになりたいんですものね。

でも、どうしてなんですか。前にも伺いましたが、あの事件の何がそれだけあなた方の興味を惹くのでしょう、わたしにはわかりかねます。犯人とされる男が密入国者の中国人だからですか。チャンといいましたっけ。チャンが冤罪だという噂があるからですか。

和恵とユリコとあの男の、三者三様の心の闇があるとおっしゃるんですか。あるわけないじゃないですか。わたしは、和恵もユリコもあの仕事を愉しんでいたと確信しています。そして、あの男もね。いいえ、殺人を愉しんだという意味ではございません。だって、あの男が殺人犯かどうかなんて、わたしは知りませんもの。知りたくもありません。

あの男がユリコや和恵と関係を持ったことは真実でしょう。しかも、二、三千円という安いお金で買ったそうじゃないですか。だとしたら、ユリコや和恵に近い何かをあの男も持っていて、その関係を愉しんでいたということではありませんか。だから、ユリコや和恵はそんな安い金で売ることを承知したのではないでしょうか。何かって、それ

はさっきも言いましたように、世間と渡り合う術じゃないですか。そんなもの、このわたしにはありませんけどね。

佐藤和恵と過ごした高校の三年間、そして大学の四年間は、わたしの家族に大きな変化がありました。わたしが高校一年の夏休み前に、母親がスイスで自殺してしまったのですから。母の手紙は先程お見せしましたよね。母のことも、順を追って話させていただきますよ。

和恵も、大学生の時に父親が急死するという目に遭っています。その頃はあまり付き合いもなくなっていましたから、よくは知らないのですが、何でも脳溢血を起こして風呂場で倒れたとか聞いています。だから、わたしと和恵は、家庭環境もクラスでの立場も、似ていなくはないのです。

クラスでの立場、と今申し上げましたが、敢えてそう言いましょう。クラスメートたちにあれほど疎外されたという経験は、わたしたち以外に誰も持ち得なかったのではないでしょうか。その意味でも、わたしたち二人が近しくなることは、当然といえば当然だったのですよ。

わたしも和恵も、高校から入学試験に合格して入学しました。ご存じのように、Q女子高は偏差値の高い難関校とされていますから、和恵もさぞかし区立中学では勉強ができたのでしょうね。わたしは運がよかったのか悪かったのか、まあ入ってしまいました。

でも、わたしはユリコから離れたい一心で受験しただけなのですから、Q女子高にもそれほどの思い入れはありませんでした。そのことはさっきお話ししましたよね。しかし、和恵は小学校の時から目標をQ女子高に定め、そのために勉強に励んできたのだと言ってました。それが、わたしと和恵の大きな違いでした。

Q学園は初等部から大学まで、エスカレーター式に進学できます。初等部は男女共学でほんの八十人ほど。中等部からはその倍の数の生徒を入れます。高校からは男女別学となって、さらにその倍の生徒を取ります。ですから、一学年百六十人の生徒のうち、高校から入学する生徒は、その半数を占めるということになります。

勿論、大学は日本国中からもっと大勢の学生を入れますが、Q大学を出た有名人は数知れませんし、Qの名前を出せば、祖父の知り合いの老人たちも感心するほどの有名な学校ですから、誰もが入れるわけではありません。だから、いつの間にか、生徒たちの心に選民意識が培養されていきます。その意識は、入学が早ければ早いほど、大きくなっていくのです。

それがわかっているからこそ、お金持ちはこぞって自分の子供を初等部から入れたがると聞きました。初等部受験が過熱気味だとか、小耳に挟んだこともありますが、わたしは子供もおりませんし、関係ない暮らしをしていましたからよくは存じません。

わたしが想像する子供がQ学園の初等部に入るところも想像するか、ですって。それは一度もありません。わたしの子供たちは、想像の海で泳いでいるだけなのです。想像

図に描かれたように真っ青な水、海底の砂や岩。そこは本物の弱肉強食の世界、動物たちは生殖することだけが目的で生きている、シンプルな世界なのです。

祖父と暮らし始めた頃、わたしは憧れのQ女子高での高校生活を夢見て、あれこれと想像を膨らませて喜んでいたと言いましたよね。クラブ活動とか、友達のこととか。わたしにも、人並みに平凡なところもあるのですよ。ところが、現実は、わたしの夢などいとも簡単に砕くものだったのです。それは何かと言いますと、生徒間の差別でした。誰とでも友達になれるわけではなく、クラブ活動にも格付けがあり、主流と傍流がはっきりしている社会だったのです。そのおおもとになっているものは、無論、選民意識でした。

この歳になると、そういうことだったのか、と改めてわかります。夜、寝床の中で和恵のことなどもあれこれ思い出し、ああそうか、と膝を打つことがしばしばです。細かくなりますが、学校生活についてお話ししましょう。

入学式の日のことです。式場となっている講堂で、わたしは唖然(あぜん)として立ち竦(すく)んでしまった生徒が大勢いたのを覚えています。高校一年の生徒がきれいにまっぷたつに分かれていたからです。内部からの生徒と外部からの生徒の差は一目瞭然でした。それは、制服のスカート丈の違いだったのです。

わたしたち外部から受験して入ってきた生徒は、規則通り、全員が膝小僧を隠すか隠

さないかの丈。ところが、半分を占める初等部、中等部組は、皆が皆、太股を剝き出しにしたミニ丈だったのです。それも今流行っているような危ういほどの短さではなく、品の良い紺のハイソックスにぴったり合う程度の、ちょうどいい丈でした。長い細い脚に栗色の髪。耳許にきらっと光る小さな金のピアス。髪を飾るアクセサリーも持ち物もセンスがよくて、彼女たちはわたしが身近で見たこともないブランド品で装っていました。その垢抜けた様子に、新入生は圧倒されてしまったのです。

今はどうか知りませんが、当時の制服は紺と緑のタータンチェックのタイトスカートに、紺のジャケットというものでした。その制服がお洒落だから、と憧れる者も多かったようなのです。わたしは服飾にまったく関心がありませんので、制服があって楽だというくらいの気持ちだったのですが、Q女子高の制服を着たい一心で猛勉強をして入って来る生徒だっていたと思います。なのに、努力してせっかく入った学校で、これほど歴然とした差を目の当たりにしては、新入生は呆然としてしまいます。

差というのは、ちょっとやそっとの時間では埋まらないものでした。美や裕福さのインフラといいますか、基盤が違うのだとしか言いようのないことだと思いました。じっくりと何代か経て貯められた豊饒さといいましょうか。長い時間をかけて遺伝子に組み込まれた美や裕福さなのです。付け焼き刃は通用しない世界でした。

だから、新入生はひと目でわかってしまうのです。長いスカート丈にショートカットにしたまっ黒な艶のない髪。いかにもガリ勉風に分厚い眼鏡を掛けた子も多くいました。

無論、高い授業料が払えるのですから、それなりに裕福な家の子供が多かったのだとは思いますが、内部生と比べると、明らかに磨き方が違う。ひと言で言うのなら、外部生はださかったのです。「ださい」。Q女子高ではこの言葉が命運を分けていました。

「でも、ださいじゃん」

こう断定された生徒は、勉強ができても、スポーツができても、もう取り返せないのです。

わたしのように最初からださければ論外ですが、どっちつかずの生徒がこの言葉のために苦労したのです。そして、高校から入った外部の生徒の大半は、どっちつかずだったのだと思います。だからこそ、皆必死にださく見えないようにしよう、内部生に溶け込もうとしたのです。

入学式が始まりました。わたしたち外部から来た生徒が緊張しているのに比べ、下から上がって来た生徒たちは聞いている振りをしながら、ガムを嚙(か)んだり、小さな声で囁き合ったり、不真面目な様子なのです。その態度は誠実さとは程遠いのですが、子猫がじゃれているようで、何とも愛らしいのでした。そして、その間、彼女たちはわたしたちの方を一瞥(いちべつ)もしないのです。

逆に外部の生徒の方は、その様子を見て、次第に緊張が高まってきていました。これからの高校生活の困難を思ったのです。だんだんと顔色が沈んで暗くなっていました。

それは、これまでやってきたことと違うルールがここにはある、という混乱の予感でした。

わたしの言ったことが、大袈裟だとお思いなのですね。それは間違っていらっしゃいます。女の子にとって、外見は他人をかなり圧倒できることなのですよ。どんなに頭がよかろうと、才能があろうと、そんなものは目に見えやしません。外見が優れている女の子には、頭脳や才能など絶対に敵(かな)いっこないのです。

ユリコより、わたしが遥かに頭がいいのはわかっています。が、悔しいことに、頭脳では人に感動を与えられないのです。恐るべき美貌の持ち主というだけで、ユリコは大きな感動を与えられる存在ではあるのです。しかし、ユリコのお蔭で、わたしもある才能に恵まれました。その才能というのは、悪意です。飛び抜けてはいるけれど、誰にも感動を与えない才能。でも、わたしは自分の才能に感動し、毎日努力して磨くのです。しかも、わたしは祖父と一緒に暮らし、便利屋までも手伝っていたのですから、ごく当たり前の家庭から高校に通ってくる生徒とは違うに決まっています。だからこそ、この苛烈な学校でも、傍観者として楽しく過ごせたのです。

2

入学式の翌日から、ちらほらとスカート丈を詰めてくる生徒を見かけました。その方

がかっこいいから、と判断したお調子者もいたでしょうし、自分も何とか内部生のように見られたい、Q女子高の一員として振る舞いたい、と外部生の中でも差を付けようと図った生徒もいました。当時のわたしは、そのことについて、かなり冷笑的でした。馬鹿だな、と内心蔑（さげす）んでいたのです。

　内部生はもっと酷（ひど）かった。彼女たちは外部生を馬鹿にした様子で、一顧だにしませんでした。彼女たちにとっては、外部生など最初から眼中になかったのです。わたしたちはしばらくの間、無視され続けたのでした。

　和恵も早速スカート丈を上げた一人でした。でも、鞄や靴などの持ち物とまったく釣り合っていなかったし、板に付いていませんでした。

　内部生たちは、学生鞄を持たずに当時はまだ珍しかったレスポとやらの軽いナイロンバッグを肩に掛けたり、アメリカ製のごついデイパックだったり、ルイ・ヴィトンと言うのですか、あの重そうなボストンバッグだったりと、大学生のように様々なスタイルで通学して来たのですよ。お揃いなのは、茶のローファーにラルフ・ローレンの紺のハイソックスを穿いていることだけ。毎日、時計を替えてくる生徒、ボーイフレンドとお揃いらしい銀の腕輪を制服の袖から見せている生徒、色とりどりの美しいピンを針のようにカーリーヘアに付けている生徒、ガラス玉かと見紛う大きなダイヤの指輪をしている生徒。今のように高校生が自由に装う時代ではなかったのに、何かしら工夫したお洒落を皆が皆、競っているのでした。

でも、和恵はいつも黒い学生鞄に黒いスリッポン。紺のハイソックスは明らかに学生用の物。赤い定期入れは子供っぽいし、髪を留めている黒いヘアピンもださかった。そして、短いスカートから突き出た細過ぎる脚を学生鞄で隠して、ぎくしゃくと廊下を歩いていたものです。

和恵もそうでしたが、外部から来て内部生を真似して装う生徒には余裕というものがありませんでした。内部生が発散する富の淫らさが決定的に欠けていたのです。富というのは、常に過剰を生むものです。だからこそ自由で淫らなのです。それは、だらだらと内部から自然にこぼれ溢れるものなのです。その淫らさは、たとえ外見が平凡でも、その生徒を特別な存在に仕立て上げることができるのです。豊かな生徒は、皆淫らで享楽的な表情をしていました。わたしはQ女子高で富の本質を学んだのだと思います。

その頃の和恵の容貌は、平凡のひと言に尽きました。髪の毛は真っ黒で多く、黒い帽子のように重苦しく頭蓋を覆っていました。短くカットして耳を出していましたが、うなじの毛が堅く、頑固な小鳥のような印象を与えていました。頭は悪くなかったのでしょう、額の広い聡明そうな顔をしていました。そして、いかにもそこそこ裕福なおうちで優等生として育ってきた自信が目に溢れていました。なのに、その目が、おどおどと周囲を窺うようになったのはいつ頃からだったでしょうか。

和恵が殺されてから、わたしはある週刊誌で和恵の近影を見たことがあります。付き合っていた男がラブホテルで撮ったとかいう、曰く付きの写真でした。和恵は痩せた裸

を晒け出し、大きな口を開けて笑っていました。わたしは昔の面影が残っているかと食い入るように見たのですが、そこに写っていたのは、和恵の淫らさだけでした。富から溢れ出たものでもなく、性の淫らさでもなく、怪物の淫らさでした。

とはいっても、当時わたしは同級生でしたが、和恵の名前も知りませんでしたし、興味もありませんでした。それくらい、外部生は何とはなしに固まっているものの、誰が誰か区別すらできないくらい萎縮し、魅力などなかったのでした。

勉強ができる、と周囲から認められ、目標に向かって努力してきた生徒にとって、それがどんなに屈辱だったか、今のわたしには実によく理解できます。和恵はその中で青春を過ごしたのです。和恵のように自己顕示欲の強い女には、辛い日々だったに違いありません。いや、どうしていいか、わからなかったのではないでしょうか。

わたしと和恵との交流ですか。はい、わたしが和恵の名前を知ることになった、ある出来事があったのです。あれは五月の雨降りの日でした。体育の授業でのことです。テニスの予定が雨なので、体育館でダンスをすることになり、わたしたちは更衣室で着替えていました。ある生徒が靴下を一本、手に掲げて叫びました。

「これ、誰の。ここに落ちてたよ」

何人かがちらっと見上げましたが、関心なさそうに目を背けました。誰もが穿いている紺色のハイソックス。赤いラルフ・ローレンのマークが入っているものです。わたし

はいつも、ダイエーで買った白いソックスしか穿きませんから関係ないと思い、自分の洗い晒したソックスを脱ぎました。それにしても、拾った生徒がなぜ叫んだのか不思議でたまりませんでした。落とし物など、その辺りに放置しておくのが、ここの遣り方だったからです。落とした人間にとって重要かどうかもわからないのだから、落ちていた場所に置いておいた方が親切というもの。それがこの学校の常識でした。誰かが拾って使ったとしても、一学年たったの百六十人しかいないのですから、じきにばれてしまいます。

在学中、わたしは学用品だけでなく、幾つもの高価な時計や指輪や定期入れなどが落ちているのを目撃しました。皆、無頓着でした。わたしと違って、なくなったってすぐに買える人たちなのです。たかが靴下一本で、呼びかけるなんて珍しいこともあるものだと思ったのです。拾った生徒が友達に示しました。

「見てよ、ここ」

笑い声が響きました。次々と別の生徒が寄って来て、輪が出来ました。

「ほんとだ。刺繍してある」

「すごい力作」

その靴下の持ち主はただの紺色のハイソックスに、赤い糸でマークを手刺繍したのでした。ラルフ・ローレンに見えるように。

拾った生徒は、落とし主の元に靴下を戻そうという殊勝な心がけなどではなく、人物

を特定するために叫んだだけだったのです。こうなると、名乗り出る者は一人もいません。外部生は全員、黙々と着替えていました。内部生も口にはしませんが、次の授業の時がさぞ楽しみだと思ったことでしょう。

女は底意地が悪いとお思いなんでしょう。でも、この競争を勝ち抜かなくてはならないのですよ。だからしっぽを摑まれてはならないのです。それが嫌なら、わたしのように最初から勝負を降りて変人になるしかないのです。Q女子高では、このような戦いが繰り広げられていたんです。

体育の授業が終わり、次は英語でした。浮き浮きとした様子で、ほとんどの生徒は急いで着替えて教室に入ったと思います。ええ、その時は内部生も外部生もないのです。苛める時は皆ひとかたまりになるのです。

その時、更衣室に残っていたのは、小柄な内部生が一人と、和恵とわたしの三人だけでした。和恵がいつになくぐずぐずしているので、わたしは靴下に刺繡したのは和恵に間違いないと思いました。すると、残っていた内部生が和恵に靴下を差し出したのです。

「これ貸してあげる」

真新しい紺のハイソックスでした。和恵は唇を嚙んで悩んでいる様子でしたが、どうしようもないと判断したのでしょう。小さな声で礼を言いました。

「ありがとう」

三人で教室に入って行くと、クラスメートは何もなかったような顔をしています。と

うとう犯人はわからずじまい。でも、楽しかった、というわけです。はい、次の愉しみ。小さな意地悪さえも、この学校では過剰で溢れ出ているものですから、次から次へと消費されて、さらに淫らになっていくのです。

窮地を逃れた和恵は澄ました顔をしていました。その日も積極的に手を挙げ、起立して教科書を読んでいました。帰国子女もいて、英語は得意な生徒が多いのに、平気で手を挙げる鈍い和恵。わたしは靴下を貸した生徒の方を見ました。その子は頬杖を突いて、眠そうに教科書を眺めています。名前は知らないのですが、前歯の目立つ可愛い子でした。なぜ助けた。わたしは不満でした。そういうことではございません。いえ、別に意地悪を肯定するとか、イジメを許容するとか、和恵が嫌いだとか、そういうことではございません。ただ、和恵に対して苛立ちを感じたのです。ドジでみっともないことを仕出かしたのに、知らん顔をしている図々しさ。鈍いのか、したたかなのか、さすがのわたしにも摑めなかったからなのです。

授業が終わった後、わたしが古典の教科書を出しているところに和恵がやって来ました。

「さっきのことだけど」

「何のこと」

わたしがとぼけたので、和恵は怒りでさっと顔を紅潮させました。わかっているくせに、と思ったのでしょう。

「あたしのうちがお金ないと思ってるんでしょう」

「べつに」

「そうじゃないのよ。だって、あんなちっぽけなマークがあるなしで、何だかんだ言われるの嫌だ、と思っただけなのよ」

わたしにはわかっていました。和恵が手ずから刺繡したのは、お金がないのではなくて、ただの合理主義だと。わたしは、この学校の富の基準に合わせようとする和恵の合理主義がどうしようもなく馬鹿馬鹿しいと思っただけなのでした。でも、和恵には器の小さなところがあったのです。それが嫌われる原因だったのだと思います。

「それだけなの」

和恵はそう言って、自分の席に戻りました。わたしは和恵の細い脚を包む真新しい靴下ばかり見ていました。富の象徴。Q女子高の印。赤いマーク。和恵はこの先、どうやっていくつもりなのだろうと思っていたのです。和恵に靴下を貸した生徒は、仲間たちと笑い合っていました。わたしと目が合うと、その生徒は恥ずかしいことをした、という風にうつむいてしまいました。

わたしはその生徒と時々話をするようになったのです。名前はミツルといいました。ミツルは中等部から入って来た生徒でした。

かように、内部生と外部生は折り合わずに学校生活を始めたのでした。内部生たちは、

クラスの中でもいつも一緒で、マニキュアを塗り合ってけらけらと笑ったり、お昼休みは外のレストランに行ったり、派手で自由でした。放課後になると、校門に男子部の高校生が迎えに来ます。大学生のボーイフレンドがいる子は、ＢＭＷやポルシェなどの外車のお迎えが来るのです。お相手の男の子たちも、彼女たちに似た雰囲気を身に付けていました。かっこよくて、裕福さに裏付けられた自信。そして淫らさ。その楽しそうな様子を横目で見ながら、勉強で抜きん出るしか対抗手段がないと思った外部生もいたはずです。そういう生徒は「しこ勉」、しこしこ勉強する方法を取りました。勉強をしない内部生に対して優越感を持つことで生き抜こうとしたのです。

　入学して一カ月後、最初の実力テストがありました。内部から来た生徒に圧倒され続けていた外部生も、勉強では負けやしないと張り切りました。「しこ勉」に走った連中は言うに及ばず、全員が不思議な熱気を孕（はら）んで勉強に励んだのです。しかも、上位十人の名が発表されると聞いては、張り切らないわけにはいきません。どだい、勉強で名を馳せてきた優等生の集まりなのですから、負け知らずだったのです。ベストテンに入ることを目標に、それまでざわついていた外部生も雪辱とばかりに、久しぶりに生気を取り戻した感がありました。

　わたしはその頃、ちょうど保険のおばさんが持ってきた不倫撮影という便利屋の仕事に夢中でしたので、テストは最初から投げておりました。だって、わたしはユリコの不在という幸せを満喫していた真っ最中でしたから、学校でのことなんかどうでもよかっ

たんです。ビリでなければいい、と勉強もまったくしませんでした。いいえ、ビリでも構わなかった。ここにいられれば、と思っていたのです。内部生たちも同様で、いつも通りのんびりやっていました。眦を決している外部生に比べ、内部生はテスト前の日曜日に、誰それの別荘に行ってノートの写しっこをする、とか騒いでいました。またしても一学年がまっぷたつに分かれたのです。

一週間後、テストの順位がプリントされて全員に配られました。ベストテンはほとんどを外部生が占めるだろうと外部生は思っていたに違いありません。確かに、十人中六人までが外部生でした。ところが不思議なことに、ベストスリーは中等部から入って来た生徒の名前だったのです。五位に初等部からの生徒。一位はミツルでした。

これには、外部生全員が衝撃を受けた模様でした。初等部からの生徒には勉強で勝っても、中等部から入って来た生徒には敵わないのがなぜかわからなかったからです。つまり、一番垢抜けていて可愛く、お金があるのは初等部からの生徒。うまく環境に溶け込んでいて、一番勉強ができるのは中等部からの生徒、なのです。最も中途半端な存在が、高校からの生徒だとは。こんなはずはない。外部生の顔には焦りが生まれていたと思います。

「あなた、テニスやらないの」

次の体育の授業の時、ミツルがわたしに声をかけました。わたしは入学後一カ月経っ

てからようやく、内部生から話しかけられたのです。
テニスの授業でしたから、テニス部の生徒が我が物顔でセンターコートを独占していました。やりたくない生徒や、陽灼けを嫌う生徒は、ベンチでだべり、その輪にも入りたくないわたしのような生徒は、金網の外で順番を待っている振りをしてさぼっていたのです。和恵ですか。和恵は端っこのコートで、外部生たちと打ち合っていました。負けず嫌いですから、必死に球を追いかけ、奇声を発していました。ベンチの生徒たちは和恵の姿を嘲笑ってもいるみたいでした。

「あまり得意じゃないのよ」

「あたしも」

ミツルは細身で頬が丸く、二本の前歯が大きいので、まるで齧歯類のような顔をしていました。髪がふわふわした茶色の巻き毛で、そばかすが散った愛らしい顔をしています。ミツルには仲間がたくさんいるのですが、仲間同士で喋っていても、時々醒めた目で周囲を見回していることがありました。そんな時、必ずわたしと目が合うのです。それはあの和恵の靴下事件以来ずっとそうでした。わたしはミツルに興味がありました。

「あなたは何が得意なの」

「何もないわ」

「あたしと同じね」

ミツルは持っていたラケットのガットに細い指で触れました。

「あなた勉強ができるのね。一番だったでしょう」

「ていうか、趣味なのよ」ミツルはさりげなく言いました。「あたし、医学部に行くつもりなの」

ミツルの目が、和恵を見つめています。和恵はショートパンツに紺色のソックスを穿いていました。

「あなた、どうしてあの人に靴下貸したの」

「何でかしらね」ミツルは首を傾げました。「あたし、イジメって好きじゃないのよ」

「あれはイジメだったの？」

わたしは平然と次の授業を受けていた和恵の顔を思い出しながら、ミツルに尋ねました。和恵にしてみれば、ミツルに靴下を借りただけで、皆のイジメから守ってもらったとは露ほどにも思っていないかもしれません。それどころか、自分の靴下だと皆にばれても、大真面目に「どこが悪いの」と食ってかかりそうな気配もありました。たかが靴下なのに、たった一個の赤いマークで値段が倍も違う。だったら、刺繍して何が悪い。和恵は正論で通していく律義さも持っていたからです。おっしゃる通り、律義さというのは、ごく普通の学校生活では美点です。でも、不思議なことに、ここでは滑稽になってしまう。

『あたしのうちがお金ないと思ってるんでしょう』

わたしに抗議した時の、和恵の憤然とした面持ちを思い返していると、ミツルは甘い

シャンプーの香りをさせて、柔らかな髪を軽く振りました。

「イジメでしょう。だって、困っている子を皆で笑おうとしたんだから」

「でも、おかしかったことは確かだわ。靴下に刺繍をしちゃって」

わたしは意地悪く言いました。ミツルがどんな反応をするか知りたかったからです。

「それはそうだけど、あの人の気持ちもわからないではないわ。それをあんな風に笑い者にするのはよくないと思う」

わたしの言葉にどう対応していいのか困ったのでしょう、ミツルは自信なさげにテニスシューズで乾いた地面を蹴りました。Q女子高一年で一番頭のいい生徒が、わたしの言葉に動揺して困った顔をしてみせる。わたしは少し愉快になり、同時にミツルが愛しく思えてきました。

「あなたが言うのはもっともだけど、あの人が困っていたかどうかはわからないわ。みんなが更衣室で笑ったのは、刺繍までする人が滑稽に見えたからでしょう。さほどの悪気はなさそうよ」

わたしだって笑っちゃったもの。そう続けようとしましたが、ミツルが真面目に反論してきたのでわたしは黙りました。

「大勢が暗黙のうちに一致して何か企むのはイジメだわ」

「じゃ、どうして下から来た人は暗黙のうちに一致して高校から入って来る生徒を苛めるの。どうして皆で無視するの。あなたもその一員じゃない」

ミツルはほっと溜息を吐きました。わたしはべつに、ミツルを悩ませようと意図したわけではありません。内部生にとっては和恵を苛めている意識などほとんどないと思っていましたから、ミツルの言ったことに違和感を感じたのです。

内部生は外部生のことなどどうでもよく、端から混じり合う気などない、苛めるほど関わりたくもないのです。でも、外部生はそれに気が付きもせずに、ただただ認めてもらいたい、自分を舐めないでもらいたい、と必死にアピールしているのですから、永遠に続く片思いをしているようなものでした。

「ほんとね。どうしてかしらね」

ミツルは指の爪で大きな前歯をこつこつと叩いて考えている様子でした。後で知ったのですが、ミツルのその癖は、相手に言っていいことなのかどうか、心の中で天秤にかけて迷っている時の表れでした。ミツルは決心したように顔を上げました。

「つまり、こういうことじゃない。環境が違うってことよ。環境が違うから、価値観も違うの」

「それはわかってるわ」

わたしはテニス部の連中が派手に打ち合う黄色いボールを、目で追いながら答えました。ラケットもウェアもシューズも自前。わたしの見たことのない高価な品。コートは彼女たちの醸し出すギラギラする情熱に汚染されていました。愉しみ。そこにあるのは完全な快楽でした。若い肉体を酷使して汗を流す楽しさ、勝負のスリル、人の視線を浴

びる愉悦、よく出来た道具を操る喜び。すべて大金と時間をかけて得られたものなのです。受験勉強をくぐり抜けてきた律義で小心な生徒たちには無縁の世界でした。だから、周りで指をくわえて見ているしかないのです。でも、それが遠く手に届かないものだとまったく気付かない鈍い生徒もいる、和恵のような。ミツルは続けました。

「ここは嫌らしいほどの階級社会なのよ。日本で一番だと思う。見栄がすべてを支配してるの。だから、主流の人たちと傍流たちとは混ざらないの」

「主流って何」

「初等部から来る人たちの中でも限られた本当のお嬢様たち。オーナー企業のオーナーの娘。就職なんか絶対しない人たち。したら、恥だと思っている」

「流行遅れだわ」

わたしは吹き出しましたが、ミツルは大真面目でした。

「わたしもそう思うけど、それが主流の価値観よ。ずれてるかもしれないけど、あまりにも強固だから、今に皆迷うようになるわ。だって、馬鹿にされ続けたら自分に自信がなくなるじゃない。そういうものよ」

「じゃ、傍流って」

「サラリーマンの子供よ」ミツルは悲しそうに言いました。「勤め人の娘は主流になれない。勉強ができようと何かの才能があろうと、絶対になれないし、関心さえも持たれない。仲間に入ろうとすると苛められるのよ。しかも、ある程度頭がよくても、ださく

てブスなら、ここではクズなの」

クズ。何という言葉でしょう。それにしても、わたしはミツルの言う上流階級でもなく、サラリーマンという身分の保障された人間の娘でもないのです。最初から傍流にも入れない生徒ですから、クズ以下のクズということになります。だったら、岸から渦巻く流れを見物しようではありませんか。わたしは新たな楽しみを密かに見付けた気がしたのでした。思えば、これがわたしの運命なのかもしれません。ユリコと姉妹に生まれたわたしの宿命。わたしが采配を振れるのは、犯罪者の祖父と一緒の時だけなのです。

「でも、たったひとつだけ主流に入る方法があるの」

ミツルはまた前歯を爪で叩きました。

「それは何」

「物凄く綺麗だったら何とかなる」

わたしがその時、何を思ったかはおわかりでしょう。勿論、ユリコのことでした。ユリコがこの学校にいたならどうなるだろうということだったのです。あの怪物的な美貌には、この学校の誰も敵いっこありません。

わたしの学年に、美人の誉れ高い生徒が二人ほどいました。二人とも内部生で、一人はチアガール部、もう一人は「女の花道」と言われるゴルフ部に属しています。チアガール部は容姿が問われ、ゴルフ部は信じられないほどのお金がかかる派手なクラブです。チアガール部の子は抜群にスタイルがよくて華があります。ゴルフ部の子はモデルに何

度もスカウトされたくらいの美人でした。でも、二人ともユリコほどには美しくありません。ユリコがQ女子高にいたなら。その仮定がまさか現実になるとは、その時のわたしは思ってもみませんでしたが。はい、そのことはまた後でお話しいたします。

ユリコのことを久々に思い出していたわたしに、ミツルが小さな声で聞きました。

「ねえ、あなたはP区に住んでるって聞いたけど、ほんと？」

「そうよ。あたしはK駅から乗ってくるの」

わたしは、最寄り駅の名を告げました。

「P区に住んでる人はこの学年に一人もいないわ。何年か前に、その隣の区から通っている子がいたって話だけど」

わたしの住んでいるところは「海」で、変な老人がたくさん住んでる素晴らしい街なのに、何と不自由なことでしょう。ここは実にせこい社会なのです。わたしはミツルにこう言いました。挑発する意味もありました。

「あたしはおじいちゃんと公団住宅に住んでるのよ。おじいちゃんは年金生活していて、便利屋をやってるの」

保護観察中だとは付け加えませんでしたが、インパクトは充分でした。ミツルはずり落ちたソックスを上げながら、自信のない声でつぶやきました。

「そういう人もいないと思う」

「部外者ってことね」

「ていうか、エイリアンみたいなもんよ。他の星から来た人。誰もあなたを笑わないし、あなたを構わないと思うわ。あなたはここで気楽に自由に暮らせるわ」

「それを聞いて安心した」

やっとミツルは大きな前歯を見せて笑いました。

「だったら、あなたにだけはほんとのことを言うわ。実は、あたしの家もP区にあるのよ。母はそれを隠すように言ったわ。だから、あたしのために港区内にマンションを借りてるのよ。でも、買ったって言えって。母が毎日来て、掃除したり洗濯したり、ご飯を作ってくれるの」

嘘だとお思いなのですね。でも、本当のことなのです。湘南辺りから通ってくる生徒は、都内の一等地にマンションを買い与えてもらっていると聞きました。そういう部屋が、生徒たちの溜まり場になっていることもあったそうです。

「どうしてそんなことをするの」

「苛められるような気がするからよ」

「それも暗黙のうちの一致ってこと？」

わたしの言い方に傷付いたのか、ミツルは情けない顔をしました。

「言っておくけど、あたしはそういうことが大嫌いなの。そして、妥協する自分も、自分の親も大嫌いよ。でも、妥協しないとこの学校では目立つから仕方がないのよ」

ミツルは間違っている。わたしはそう思いました。いいえ、妥協することが間違って

いるのではないのです。ミツルがそうまでしたいのなら、すればいいではありませんか。わたしが思ったのは、ミツルが和恵に対して言ったことです。うまく言えないのですが、油と水は混じり合わない、だから和恵と内部生が混じり合うことは決してないのに、和恵はそのことに気付かない。生徒がもし苛めるとしたら、対象は和恵の鈍さに対してであって、和恵の生まれや環境や価値観に対してではない。だから、その攻撃はイジメとは言いません。違いますか。イジメはもっと同質のところに生じるのではありませんか。

ミツルにも苛められた経験があって、それを恐れるあまり、Ｐ区に家があることを隠したり、港区にマンションを借りているのだとしたら、主流の人たちと同質のものをミツルが持っているからなのです。ミツルは内部生の中でも、主流に近いところを流れている生徒なのでしょう。

「じゃ、あなたが勉強ができるのはどうしてなの」

「さあ」ミツルは責められたように眉を顰めました。「最初は負けないようにしようと思ったのは確かよ。そのうちに勉強することが喜びになったの。他に楽しみがなかったからでしょうね。みんなみたいにお洒落したいとも思わないし、男の子にも興味がないの。クラブも入っていないし。だから、特に医者になりたいわけじゃないのよ。ただ、医学部が一番頭のいい子がいくところだって聞いたから、それだったらあたしの何かも満足するんじゃないかと思ったのね」

ミツルは正直です。わたしは面白くなってもっと聞きたくなりました。ミツルという

人間の中身をすべて知りたくなったのです。なぜなら、こんな正直な女の子に出会ったことがなかったからでした。

「何かって何」

ミツルはたじろいでわたしの顔を見つめました。ミツルの目は真っ黒で、力の無い小動物のようにつぶらに澄んでいました。

「あたしの中の悪魔みたいなものかもしれない」

悪魔。わたしの中の悪魔は、ユリコのせいで大きく強くなりました。本当ならば、悪魔がいることにだって気付かないでのんびり暮らしていたかもしれないのに、ユリコと一緒に育ったことで悪魔も大きくなってしまったのです。でも、どうしてミツルの中にも悪魔がいるのでしょう。わたしはわかりませんでした。

「それって悪意ってこと。それとも誰にも負けたくないってこと？」

ミツルはわたしの言葉にはっとした様子で、

「そうかもしれない」

混乱したみたいに青空を見上げました。

「あなたって一番気が強いのよ」

「そうなの」

ミツルは顔を赤らめました。自分を恥じているのでしょう。わたしは少しおどけて、違うことを聞きました。

「あなたの家ってサラリーマンなの？　つまり、傍流かってことだけど」

「ううん」ミツルは首を振りました。「うちは貸しビル業よ」

「お金持ちなのね」

「漁業補償でお金をたくさん貰ったから、それで父が事業に乗り出したんだって。昔は網元だったって聞いたわ。でも、あたしの小さい時に父は亡くなったの」

海に住んでいる人なのに、ミツルは陸に這い上がったのです。肺魚。空気呼吸のできる魚。わたしは思わず、ミツルの色白の細い体が、粒子の細かいねっとりした泥の中を這い回る様を想像しました。わたしは急にミツルと親しくなりたくなったので、誘ってみました。

「今度、うちに遊びに来ない」

「いいわよ」わたしの誘いにミツルは喜んでくれました。「行きたいわ。日曜日でもいいかしら。あたし、毎日医学部コースのある塾に行ってるのよ。ほんとのこと言うと、東大医学部志望なの」

陸からさらに山に登るつもりなのでしょう。わたしの内部に、ミツルをもっと観察したいという気持ちが生まれていました。だって、ミツルはこの学校の中で生まれた突然変異なのです。人並み外れた良心と優しさを持った生物。それはきっと、心の中に人より大きな悪魔がいるからなのです。ミツルの中の悪魔が、良心と優しさを育てたのです。この学校では無用なのに、あちこちの環境に適応しているうちに、その資質だけが伸び

てしまったのでしょう。

「あなたなら東大に入れるわよ」

「どうかしらね」

Ｑ大学医学部へ進学できるのは、女子部の場合、学年で四番以内までと決まっていました。ミツルがこのままの成績を維持できれば、Ｑ大医学部には問題なく行けるでしょう。しかし、ミツルはもうこの学校を捨てようとしているのです。

「でも、東大に入れたら入れたで」と、ミツルが何か言いかけた時、コートで打ち合っていたテニス部の生徒が振り向きました。

「ミツル。代わりにやらない？　あたし疲れたから」

全然テニスをやろうとしないミツルに、さりげなく気を遣ったようです。ミツルは、主流の生徒にも、その側を流れる生徒、傍流の生徒からも一目置かれていました。理由は、ミツルが飛び抜けて頭がいいということより、その含羞にあったような気がします。なぜか、ミツルはいつも自分を恥じていました。一番になって恥じ、誰かに親切にして恥じ、授業で発言してしまったと恥じ。それが端で見ていてもわかるのです。今になって思うのですが、ミツルは自分の中に人より遥かに大きな悪魔がいることを感じていたからではないでしょうか。ミツルはわたしが初めて出会った興味深い、そして魅力的な人間でした。

「主流の人が呼んでるわ」

厭味でも何でもなかったのですが、わたしはつい正直に言ってしまいました。ミツルはわたしを悲しい目で見つめました。ミツルのそんな反応にも、わたしは何も感じませんでした。もし本当にミツルが我が家を訪れてくれたら、祖父は何と言うだろうと考えていたからでした。ミツルには気韻(きいん)がある、と言うでしょうか。

わたしはミツルが去って行く後ろ姿を眺めました。小柄ながらもお尻の位置が高く、均整の取れた体つきでした。ミツルはラケットを重そうに抱え、友達と何か言葉を交わしています。陽に当たったことがないかのように手足は真っ白で華奢でしたが、ミツルのサービスは相手コートのライン際に突き刺さりました。返された球を打ち返す乾いた小気味いい音。わたしなど比べものにならないほど、テニスは上手です。足も速く、コートを機敏に走り回っているではありませんか。でも、きっと試合が終われば、夢中になって能力を見せてしまった自分を恥ずかしがるに決まっています。ミツルが、躾けられてもなお変形する盆栽や、あるがままの美しい姿を愛(め)でられる園芸でないことは確かです。祖父は何と表していいか悩むことでしょう。

リスだ。わたしは突然、閃(ひらめ)きました。木の実を拾っては地面に埋めて保存食にする賢いリス。わたしとは全然違う動物なのです。そして、わたしは木。わたしは花ではなく樹木に違いありません。それも松や杉。花のように鳥や虫が群がって受粉を助けてくれることもなく、たった一人で生きていく木なのです。わたしは風を頼って花粉を撒き散らす鈍い太古の樹木なのです。わたしはこの比喩が気に入って一人でにやにやしており

ました。

「何がおかしいの」

背中から尖った声が聞こえました。和恵が水飲み場の横に立ってわたしを見ています。さっきから観察していたのかと、わたしは少し不愉快になりました。ごつごつした幹を感じさせる和恵のことは、元々気に入っていませんでした。

「あなたのことじゃないわ。ちょっと思い出し笑いしただけ」

和恵は額に汗をかき、冴えない表情をしていました。

「あなた、あたしの方をちらちら見てミツルって子と一緒に笑っていたでしょう」

「あなたを笑ったわけじゃないわよ」

「ならいいけど。あなたにまで馬鹿にされるのかと思ったら悔しい」

和恵は憤然とした様子で言い捨てました。わたしは和恵に蔑まれていたのだと気付きました。

「何のことかさっぱりわからない。あなたを馬鹿にしたことなんかないもの」

わたしは巧妙に本音を隠しながら真面目に答えました。

「ああ頭に来る。みんなで意地悪して、子供みたいな人たちだわ」

「何かされたの」

「されたならいいのよ」

和恵は激しい勢いでラケットを地面に叩き付けました。土埃が立って、和恵の履いて

いるテニスシューズの白い紐をかすかに汚します。ベンチに座っていた数人の生徒がこちらを見ましたが、すぐ前に向き直りました。その目には何の関心も表れてはいませんでした。地味な裸子植物が二人で喋っていたところで、気にもならないのでしょう。そうです、和恵も決して、美しい形や色、蜜で鳥や虫を誘う花にはなれない地味な松や杉でした。和恵は敵意を籠めてベンチの生徒を睨(にら)んだ後、わたしに尋ねました。

「あなた、クラブどこに入るつもりなの。もう決めた？」

わたしは黙って首を振りました。クラブ活動とやらを夢見たこともあったのですが、この学校の現状を見てはどうでもよくなりました。先輩や後輩と言ったところで、ここには縦の関係だけでなく、複雑な横の繋がりが存在します。主流と傍流とその中間。それはわたしの好きな人間関係みたいに柔らかで、時として形を変える縦横自在なものではなく、固定された価値観と共にある不自由なものでした。だから、とっくに興味を失っていたのです。

「あたしはおじいちゃんがいるからいいの」

思わず出た言葉でした。祖父とその友達が先輩で、便利屋稼業がわたしの課外活動なのです。でも、和恵は訳がわからないといった風に苛立った顔をしました。

「それ、何のこと。説明してくれない？」

説明してくれない。これが和恵の口癖でした。

「まあ、どうでもいいじゃない。あなたに関係ないもの」

和恵はさっと怒りを顔に浮かべました。

「あたしが一人相撲しているってこと？」

わたしは肩を竦(すく)めました。被害妄想気味の和恵にうんざりしたからです。一方で、そこまでわかっているのなら聞くまでもないじゃない、という思いもありました。

「あたしが言いたいのはね、どうしてこの学校ってアンフェアなのかってことなのよ。勝負する前に決めるなんて狡い」

「どういうこと」

「あたしはチアガール部に入ろうと思ったのよ。入部届を出したら、一方的に駄目だって言うの。ねえ、このことどう思う。おかしいと思わない」

わたしは唖然としました。和恵は自分というものも、この学校のこともちっともわかっていない。和恵はふて腐れて腕を組み、水飲み場の蛇口からちょろちょろと洩れる水に怒鳴りました。

「栓(せん)が緩いんだよ」

自分がきちんと閉めていないくせに。おかしさをこらえ、わたしは和恵を観察しました。痩せっぽちで、ごわごわと硬い髪をした少女。特筆すべき何ものをも持たないけれども、そこそこ勉強のできる少女。同等と信じた同級生に屈辱を受け、理不尽だと怒る人。

大人になっていないわたしたちは、傷付けられるのを何かで防御し、さらには攻撃に

まで転じなくてはならないのです。やられっ放しではつまらないし、屈辱を抱えたままでは、この先、長い人生を生きていけなくなってしまうかもしれない。だから、わたしは悪意を、ミツルは頭脳を磨くのです。そして、ユリコは幸か不幸か、最初から怪物的な美貌を与えられました。でも、和恵は何もないし、磨かない。ええ、わたしは和恵に同情なんかしたことはありません。和恵はどう言ったらいいのか、つまり、この厳しい現実というものに対して、無知で無神経で無防備で無策なのです。どうして気付かないのでしょう。

わたしの言い方が厳しいとまたおっしゃるのですね。母の自殺の時と同じだ、と。でも、本当なのです。まだ未熟だったと仮定しても、和恵には乱暴で大雑把なところがありました。ミツルのように巧緻(こうち)でもなく、わたしのように冷酷でもない。何かが根本的に弱かったのですよ。何かとは何だというお尋ねですね。答えは、悪魔の不在です。和恵には、悪魔など棲んでいなかったのだと思いますよ。その意味では、ユリコも同じでした。ユリコの心にも悪魔は棲んでいない。あるがまま、なすがまま。それがわたしにはひどくつまらなかったのです。できるものなら、悪魔を植え付けてやりたいとも思ったくらいです。

そうですか。先にチアガール部についてお聞きになりたいのですね。説明いたしましょう。昔の少女マンガみたいな世界です。笑わないでくださいね。

チアガール部は、大学対抗の野球やラグビーの試合の時に大活躍するので、校外でも

有名な花形クラブでした。応援団と一緒にポンポンを持って踊るのです。Qカラーの派手な青と金色のだんだら模様のミニスカートを穿き、長い髪を振り乱して奇声を発しながら脚を上げたり跳んだりする、あれです。ファンクラブがいろんな大学にあると聞き、仰天したこともあります。疎いわたしはちっとも知りませんでしたが、同級生は憧れと嫉妬から、チアガール部の生徒がいかに男の子にもてるかという噂を始終していました。Q女子中・高のチアガール部ということだけで男子部の生徒の関心を集め、雑誌にも取り上げられるし、他の高校、大学生にも絶大な人気があるからなのでした。

これは、ここだけの話ということにしていただけますか。誰も公言しませんが、入部の際に容姿が問題となるのだそうです。美しくない生徒は入部できないクラブなのです。だから、容姿に自信がない生徒は絶対に入部しようなんて思いません。恥をかくことになるからです。内部生はその辺りをちゃんと呑み込んでいますから、クラブの方からスカウトに来るのを待つのです。

しかも、大学のチアガール部と一緒に行動しますから、先輩後輩の結束が固く、生え抜きしか重用されないのだと聞きました。一種の特権的なクラブだったのです。初等部から上がってきた生徒の中でも、とりわけ美貌に恵まれて、パフォーマンスの好きな生徒たちのクラブ。言葉に出さなくても、その辺はうすうす察しが付きそうなものですが、和恵は気にも留めなかったのでしょう。

しかも、ほとんどの部員にボーイフレンドがいるのだと聞きました。それも、Q大学

のラグビー部とか、ゴルフ部とか、かっこいいお坊ちゃんばかり。先程お話しした美人で有名なチアガール部の生徒には、医学部に通うアイスホッケー部の恋人がいるという噂でした。何でも、その恋人は芸能人が手術や入院をすることで有名なT病院の一人息子なのだとか。つまり、金持ちの男の子にもてて、目立って、いち早くミニチュア大学生になれるのがチアガール部なのでした。

和恵にどうしてそんなクラブに対する憧れがあったかと言いますと、おそらく、気分は大学生みたいなものだったからだと思います。熾烈な受験戦争に勝ち、もうこれからはどんなに成績が悪くたってQ大学に進学できるのですから気持ちは緩みます。問題は、大学生のように遊びたいと思っても、まだ身分は高校生だということでした。だから、緩んだ生徒はミニチュア大学生に憧れるのです。でも、正直に言って、わたしには和恵がそういう緩んだ気持ちと派手やかな希望を持っていることが驚きでした。

「断られたってどういうこと。誰でも入部できるわけじゃないの?」

無論、わたしにはその理由がわかっていました。それでも、わたしはそれを和恵の口から聞きたかった。

「そうなのよ。あたしは絶対におかしいと思うから聞いて。入部希望出したら、大学の先輩が直接面接するからって言われたのよ。それが待てど暮らせどなくて、さっきあいつにどういうことか説明してくれないって聞いてみたの」

和恵は忌々しそうに、コートのベンチに座っている生徒を指さしました。その生徒は

白いショートパンツから長い脚を投げ出し、目を閉じて陽灼けを楽しんでいました。太陽に顔を向け、Tシャツの袖も肩までまくって。目が細くて吊り上がり、決して美人とは言えない生徒でしたが、スタイルがいいだけでなく、チアガール部員の特徴である華やかさがあって、とにかく人目を惹く女の子でした。

「あいつがこう言うのよ。悪いけどあなたは面接に落ちたみたいよって。面接なんかしていないじゃないって抗議したら、先輩が教室まで来てこっそりあなたを見たって言うのよ。それってあんまりじゃない。勝手に選ぶって酷いじゃない。普通、面接って、話したり、何がやりたいかとか聞いて、初めて判断を下すものでしょう。だから、それはおかしいって言ったら、あいつにやにやして何も答えないの。汚いわ」

和恵の言うのは正論です。わたしは果たして先輩が見に来たかどうかも怪しいと思いましたが、一応はもっともらしくうなずきました。が、和恵の鈍さにも呆れ、わたしは話していること自体が面倒臭くなりました。

この世界は平等ではない。入学後一カ月も経っているというのに、どうしてその真実に気付かないのでしょう。和恵はQ女子高に入ってはいけなかったのです。これほど嫌らしく見栄の絡み合った複雑な世界はないのに、自分がこれまで培った努力と勤勉という価値観で通ると思っているのですから。

「はっきり言うけど、あのクラブって可愛い人しか入れないわよ」

「わかっているわ。けど、機会均等じゃないのはアンフェアじゃない。入って努力する

のではどうしていけないのかしら。それがクラブじゃないの」

和恵はつぶやきました。わたしの言葉に傷付いた様子がわかりました。そういう時のわたしは、さらに傷付けたくて仕方がなくなるのです。

「じゃ、抗議したら。ホームルームで言ってみればいいじゃない」

担任が出席を取ったり、その日の予定を確認したりする程度で、ホームルームなどあってなきがごとしでした。皆で討論したり、何かを決めたりするのはださいと思われていたのです。しかし、和恵はいとも簡単にわたしの提案に乗りました。

「そうね、そうするわ。あなたに感謝する」

ミツルだったら、こうは言わなかったでしょう。おそらく、言葉を選び、諦めるように説得したことでしょう。ちょうどその時、授業の終わりを告げるチャイムが聞こえてきました。和恵はわたしに挨拶もせずに、満足した様子で歩きだしました。

わたしは和恵が去ったのでほっとしました。それに喋っていただけで、授業が終わってくれたので得した気になりました。Q女子高では、体育や家庭科の授業はわりといい加減でした。やる気のある者とない者とがくっきり分かれたからです。成績を上げるために努力を惜しまない者と、そうでない者、と言いかえても構いません。だから、教師はやる気のある者しか構わなかったのです。

それはQ女子高の教育理念でもありました。「独立独歩と自尊心」。生徒は何でもいいから自分だけにしかないものを伸ばせ、そして自立しろ、と盛んに言われるのです。規

律は緩く、生徒の自主性に任されていました。チアガール部がミニチュア大学生になれるのも、ゴルフ部が高級カントリークラブでコンペを催すのも、内部生が外部生を差別するのも、すべては生徒の自主性に任せられた結果なのでした。

　というのは、教師のほとんどがQ学園の出身者で構成されていたからです。純粋培養された教師たちによって、学園の教育理念はさらに抽象的な意味を失い、この学校では「何でもあり」だということをわたしたちに教えてくれたのでした。素晴らしい教えだと思われませんか。だって、その理念はわたしやミツルが密かに信奉しているものなのですから。わたしが悪意、ミツルが頭脳。わたしたちは互いに美点を伸ばし、育て、この汚濁にまみれた世界から自立しようとしたのです。

3

　母の死を報せる電話がかかってきたのは、七月に入った雨の早朝でした。わたしはお弁当を作り終えて、朝食の準備をしていたところでした。パンが焼けたので、冷蔵庫から出したばかりで溶けないバターの塊を必死にパンの表面になすりつけていたのです。紅茶とジャムトースト。わたしたちの朝食はいつも同じメニューでした。

　祖父は例によって、ベランダに出て盆栽と会話している最中でした。梅雨の最中は盆栽に虫が付いたり、黴(かび)が生えたり、問題が多発するそうです。祖父は雨降りの間ずっと

気もそぞろでしたので、電話が鳴ったのも気が付きません。

「元気がないねえ。しょうがないでしょうねえ。こんなに毎日雨が降っちゃ、あんたらも腐るわね。でも、根本から腐ったら駄目だよ。気韻も腐っちゃうよ。いつまでもあると思うな気韻ちゃんってね。こんなことで負けたら、わたしも憂鬱になっちゃうからねえ」

バターがパンの熱で溶けて黄色い膜になったら、今度はストロベリージャムを塗り込まなくてはいけません。種の黒いぷつぷつが程よく散らばるように、そしてパンの耳からはみ出さないように注意深く塗り、いいタイミングでリプトンのティーバッグもカップから取り出して二回目に備えなくてはならないのですから、わたしはとても忙しいのです。

「おじいちゃんってば」

わたしは祖父に怒鳴りました。

祖父は振り返って、わたしの方を見ました。わたしは電話を指さします。

「電話出て。お母さんからだったら、学校に行ったって言って」

外は灰色に煙っていて、向かい側の公団住宅の上階も霞んで見えないほどの土砂降りでした。暗いので、朝から電灯を点けた部屋は夜でもなく、朝でもない、何となく奇妙な感じでした。わたしがなぜ母からの電話かと思ったかと言いますと、スイスとの時差は七時間だからです。こっちが朝七時の時はあっちが夜の十二時。それでもこんなに早い時間に電話がかかってくるのは滅多にないことですから、ユリコでも死んだのかもし

れない、とわくわくしたのを覚えております。祖父はやっと受話器を取りました。

「はい、そうです。ああ、どうも。お久しぶりです。その節はどうも大変お世話になりましてございます」

祖父の舌が回らなくなりました。その慌て振りを見て、わたしの学校からかもしれないと思い、わたしはそそくさとティーバッグを受け皿に置きました。紅茶はまだ薄く、わたしはしまったと思いました。祖父が憮然とした顔でわたしを呼びます。

「お父さんだよ。あんたに話があるんだってさ。何だかちんぷんかんぷんでさ。わたしにゃ一番には話せない大事な用件だとか何だとか言ってるらしいよ」

父から直接電話を受けたことは一度もありませんでした。もう学費を送らないと宣言されるのではないだろうか。わたしは身構えました。

「これから話すことにショックを受けられるかもしれませんですが、それは仕方がないことだ。我々も辛いと思いますが、皆、たえている状況なのだから、これは家族の悲劇だと思う」

前置きが勿体ぶっていて長く、伝える相手の優先順位を厳密に決めるのは父の特徴でした。しかも、日本を離れて生まれ故郷の言葉を喋っているせいか、日本語もかなり下手になっていました。わたしは苛立って遮りました。

「どうしたの、いったい」

「さっき、お母さんが死んだ」

父の声は沈鬱ながらも弾んでいて、心の混乱を物語っていました。受話器の向こうはしんと静まり返って、ユリコの声も何も聞こえません。わたしは平静に聞き返しました。

「なんで死んだの」

「自殺。さっき私が帰って来た時、お母さんは眠ってた。お母さんはもうベッドに入っていた。目を開けないし、変だと思ったけど、そういうこともあるし、最近はあまり喋らないし、私が隣に行ったら、息をしていないって気が付いたから、死んだと気が付きました。昼間たくさんの睡眠薬を飲んだらしいと医者が言っている。死んだのは七時頃だって。誰もいない時に死んだなんて、考えるのはとても辛いことだ」父は拙く（つたな）なった日本語で訥々（とつとつ）と語り、とうとう声を詰まらせました。「まさか自殺するなんて思ってもいなかった。私が悪いみたいじゃないか。当て逃げと思ったよ」

当て逃げというのは、当てつけの間違いなのでしょう。わたしは冷たく言いました。

「お父さんが悪かったんじゃないの。無理矢理スイスに連れてって」

わたしの言葉に父は怒りました。

「お前は私と仲が悪いから、責めることを言うのか。私に罪を認めろというのか」

「それもあるけど」

沈黙の後、父の怒りは徐々に静まって、悲しみが増してきた様子でした。

「ああ、十八年も一緒に暮らしたり住んだりなのに先に死ぬなんて、私には信じられない」

「確かにショックだね」

父はふと不思議そうに問いました。

「お前は母親が死んだことが悲しくはないのか」

悲しくはなかったのです。不思議なことに、わたしの中では母はとっくに失われた人だったのですね。ごく幼い時に喪失感を得てしまっていましたから、三月にスイスに行く母を見送る時も、特に悲しいとか、寂しいという感情はありませんでした。死んだと聞いて、もっと遠くに行ってしまったんだ、という思いはありましたが、悲しいという感情とは別物でした。でも、そんなことを父に言ったところでどうなるものでもありません。

「悲しいよ、勿論」

父はその言葉を聞いて何とか納得したようです。急に声から力が失せました。

「私はショックを受けているよ。ユリコもそうだ。あの子はさっき帰って来て、驚いています。今は部屋で泣いているんだろう」

「何でユリコはそんなに遅く帰って来たの」

わたしは思わず詰問していました。ユリコがいれば、もっと早く発見できたかもしれません。

「あの子はデートだった。カールの息子の友達と。私は仕事で打ち合わせで、それが長くなったので、どうしても帰ることができないだった」

父は弁解しました。父の急激な言葉の乱れから言っても、父と母が語らっていたようには思えませんでした。おそらく、母は孤独だったのでしょう。でも、わたしは何も思いませんでした。孤独にたえられない者は死んでいくしかないのです。

「葬式のことだが、ベルンでやるからお前も来なさい。でも、おじいちゃんの旅費は出す予定はないから、そのことは私から彼に説明しよう思う」

「悪いけど、わたしは期末試験があるからやめにする。わたしの代わりにおじいちゃんに行かせてあげてよ」

「お母さんと最後のお別れをしなくていいのか」

もうしたからいい、幼い頃に。

「わたしはいい。待って、おじいちゃんに代わる」

うすうす悟ったらしい祖父はこわばった表情で電話に出ました。そして、事務的なことを父と相談していました。葬式に行くことは辞退していました。わたしは冷たくなってしまったトーストをかじり、薄い紅茶を飲み干しました。昨夜の残り物で作ったお弁当をハンカチで包んでいると、祖父が台所にやって来ました。憤りと悲しみで顔が青白くなっていました。

「あいつが殺したんじゃねえか」

「あいつって」

「お前のオヤジに決まってる。葬式も行ってやりたいが行けないよ。情けねえやなあ。

一人娘の葬式にも行けないんじゃ」

「行けばいいじゃん」

「駄目だよ。俺は保護観察中だもん。あーあ、独りぼっちになっちまったよ」祖父は台所の床に座り込んでおいおい泣きだしました。「女房も娘も先に逝っちゃって、何て人生だよ」

わたしはしばらく祖父の細い肩に手を置いて揺すってやりました。手がポマード臭くなると思ったけど、全然構いませんでした。そうです。わたしは祖父には愛情らしきものを感じていたのです。祖父はわたしを自由にしてくれたからです。

「可哀相だね、おじいちゃん。でも、盆栽があるからいいじゃない」

祖父ははっと我に返りました。

「その通りだ。お前は落ち着いていて偉いよねえ。お前はほんとにしっかり者だよ。もう俺は駄目だから、お前に頼って生きていくから」

そんなこと、とっくにわかっていたことです。わたしと暮らして四カ月。祖父は家事も便利屋の仕事も、公団の中での付き合いも、すべてわたしに頼り始めていました。自分は何もかも忘れて盆栽の世話だけをしたくてたまらないのですから。

わたしは頭をくるくると巡らせて、次の算段を考えていました。これから先、わたしがスイスに呼び寄せられることがあったらどう対処するか、ということでした。あるいは、父とユリコが帰国してきて一緒に暮らそうという場合も。

でも、両方共あり得そうもないことです。父もユリコも母のいないベルンで、これまで通り暮らしていくのだと思いますし、ユリコと仲の悪いわたしを呼ぶこともないでしょう。母からの手紙でもわかるように、たぶん、ベルンでの母は、家族の中でもたった一人の東洋人として孤独だったのでしょう。わたしは行かなくてよかったとまた胸を撫で下ろしたのです。

ところが、安心するのはまだ早かったのです。なぜなら、すぐその後にユリコから電話がかかってきたからです。

「もしもし、お姉ちゃん」

久しぶりに聞くユリコの声は大人びて聞こえました。誰かに聞かれるのを恐れるように、声を押し殺していたからです。わたしは時間がないので、苛立ちました。

「そろそろ学校に行かなくちゃならない時間なんだけど、何の用」

「お母さんが死んだのに学校に行くの。お姉ちゃん、冷た過ぎない？　それにお葬式も来ないって聞いた。それほんと」

「そうよ。変かしら」

「変だよ。喪に服すんだってお父さんが言ってたから、あたしは学校もしばらく休むし、お葬式も出るわ」

「好きにすればいいじゃない。あたしは学校に行く」

「お母さんが可哀相」

ユリコは非難を籠めて言いました。わたしは是が非でも学校に行きたいというわけではなかったのです。理由がありました。わたしが焚きつけたせいで、さんざん悩んで和恵が、チアガール部の入部差別問題として、今日にもホームルームでぶちまけようとしていたからです。そんなことを言う人間はQ女子高始まって以来ではないでしょうか。こんな一大事にわたしが同席できないなんてつまらないではないですか。母の死よりもそちらが大切だとか、そういう軽重の問題ではありません。ただ、わたしがヒントを与えたことを、和恵がどう処理するのか見届けたかったのです。母の死はすでに終わったこと。わたしが学校を休んだからといって母が生き返るわけではありません。とはいえ、わたしはユリコに母の様子を尋ねていました。

「お母さん、最近変だったでしょう」

「うん。ノイローゼ気味だった」

ユリコは泣き声でした。

「お米は高いって文句言ってるのに、毎日、大量に炊いては余らすの。お父さんが嫌いなの知ってるから、嫌がらせしてるのよ。逆にビゴスなんか作らなくなったしね。あんなもん、豚に食わしちまえ、とかつぶやいてたこともあったし。外出もしないの。この間なんか、電気も点けない暗い部屋の中でじっと座ってるんだよ。あたし帰って来て誰もいないのかと思って電気点けたら、お母さんがテーブルの前に座って目を開けてたからすごく気味が悪かったわ。あたしのこと、じっと見つめて『あんたは誰と誰の子供な

の』なんて言うこともあったわ。正直言って、お母さんのことはあたしもお父さんもちょっと持て余していた」

「手紙貰ったけど、変だったからね」

「手紙あったんだ。何て書いてあったの」

ユリコは興味津々の様子でした。

「たいしたことじゃないわ。それより、何の用」

「相談があるのよ」

珍しいこともあるものだとわたしは用心深くなりました。悪い予感がしてなりませんでした。外はさらに暗く、雨はますます激しくなっています。これでは駅に着くまでにびしょ濡れになるのは間違いありません。

わたしはホームルームに間に合うように行くのは諦め、畳の上にぺたんと座り込みました。祖父は四畳半に新聞紙を敷き詰め、ベランダから盆栽を避難させています。戸を開け放しているので、ごーっという雨の音が部屋に響いていました。わたしは声を大きくして聞きました。

「雨の音、聞こえる？　すごくうるさいよ」

「聞こえない。お父さんの泣き声聞こえる？　それもうるさいよ」

「聞こえない」

わたしたちは一万キロも離れて、電話線一本で奇妙な話をしているのでした。数時間

前に母親を失った姉妹が。ユリコが言いました。

「お姉ちゃん、あたし、お母さんが死んだら、もうここにはいられないよ」

「どうして」

わたしは叫んでいました。

「だって、お父さんはきっと再婚するもの。あたしにはわかっているんだ。お父さんは工場の若い女工さんと付き合っているのよ。トルコ人の女の人。お父さんは誰にも知られていないと思い込んでいるけど、カールもアンリも皆知ってる。アンリが言うのよ。あのトルコ人の女は妊娠してるに違いないって。だから、すぐに再婚すると思う。そうしたら、あたしはここにいられない。日本に帰る」

わたしは愕然として立ち上がっていました。ユリコが帰って来る。やっと別れられたと思ったのはたった四カ月だけだった。

「どこに住むつもりなの」

「そこは駄目?」

ユリコは媚びるように言いました。わたしは、肩を雨に濡らして盆栽を部屋の中に運び込もうとしている祖父の後ろ姿を眺めながら、はっきり答えました。

「絶対に駄目」

4

土砂降りの中、バス停までの道のりを、わたしは必死の思いで歩いておりました。わずかに勾配のあるアスファルト道路の端を、雨水が水路を穿つように勢いよく流れ、うっかりその中に足を踏み入れようものなら、たちまち脹ら脛までびしょ濡れになりそうでした。

青い折畳み傘は水分を吸ってずしりと重く、傘の柄を伝った水がわたしの手首を濡らし、制服のブラウスの袖口から腕の裏側まで伸びていきます。その冷たい感触。いつも乗るバスがゆっくりと背中から追い抜いて行きました。見送ったガラス窓は乗客の吐く息で白く曇り、いかにも湿度の高い不快な車中が想像できました。

次のバスは何時でしょう。ホームルームには間に合わないのでしょうか。でも、わたしはそんなことなど、本当はどうでもよかったのです。電話でユリコが言ったことが頭の中でぐるぐる巡り、どうしようどうしよう、とそればかり考えていたからでした。

行くところのなくなったユリコが日本に帰って来たら、また姉妹で暮らさねばならないのです。わたしの家は極端に親戚の乏しい家ですから、ユリコが身を寄せるとしたら祖父のところしかあり得ない。あの狭い家で、ユリコと一緒に暮らすなんて。考えただけでも鳥肌が立ちました。朝、目を覚ますと隣の布団でユリコが寝ていて、光のない瞳

でわたしを見る、祖父とユリコと三人で紅茶にジャムトーストの朝食を食べる、なんて。

　ユリコは、祖父が安ポマード臭いと嫌い、祖父の可愛がっている盆栽を場所塞ぎだと怒り、公団での助け合う暮らしを面倒がることでしょう。そして、周囲から浮き上がるユリコはきっと、公団でも近所の商店街でも異様な関心を集めることでしょう。わたしと祖父とのうまくいっている暮らしはバランスが崩れ、祖父は犯罪者に戻ってしまうかもしれません。

　でも、何より嫌だったのは、わたしがまた怪物のユリコに目を奪われるということでした。そうです。わたしはユリコの美貌に冒(おか)されているのです。あれだけの美貌がそこに存在していることへの驚異と不安。ユリコは存在するだけで気持ちの悪い子供なのです。それは実に不思議な感情です。ユリコは誰よりも美しい。でも、誰よりも醜い。わたしの感情はユリコがいる限り、高い山の頂に登り詰めたかと思うと、次の瞬間は深い谷底に沈み、一度も安定なんかしたことがないのです。だからわたしはユリコが大嫌いなのです。不意に、わたしは自殺した母のことを思いました。

『あの人たちは、私のようなみっともない東洋人がユリコみたいな美しい子を作ったことが不快なのだと思います』

　母が死を選んだ理由は、孤独の病のせいでも、父の浮気が原因でもなく、ユリコの存在そのものだったかもしれません。ユリコが帰国すると聞いて、ついさっきまで、何でこんなに早く自殺なんかしたのだと母を恨み、浮気した父を憎み、頭の中は訳のわから

ない憤懣が渦巻いていたのですが、何だか急に母が哀れになり、初めてわたしは親近感を持ちました。涙が浮かんできました。ええ、わたしは雨の中で初めて母の死に対して泣けてきたのです。信じられないかもしれませんけど、何しろ十六歳でしたからね。わたしにもそういうセンチメンタルな気持ちも少しはあったのですよ。

その時、後ろからしゃーっと水を切る車の音が近付いて来ました。わたしは水が撥ねるのが嫌でしたから、布団屋の軒下に逃れて通り過ぎるのを待ちました。車は、うちの近所では滅多に見たことのない、政府高官が乗るようなばかでかい黒い車でした。はい、プレジデントとかそういう種類の車でした。今、Ｐ区の区長も乗っていますから、わたしでも知っています。その車がわたしの横でぴたっと停まり、するすると窓が開きました。

「乗っていかない？」ミツルが窓から降り込む雨に顔を顰めていました。驚いて逡巡するわたしにミツルは手招きします。「早く早く」

わたしは慌てて傘を閉じ、反射的に乗ってしまいました。広い車内はエアコンが効いていて寒いほどでしたが、安っぽい芳香剤が香りました。運転手でもいるのかと思ったら、意外にも、運転しているのは髪が乱れたおばさんです。おばさんが振り向いてわたしの顔を見ました。

「あんたがＰ区の公団に住んでる子？」

低く掠れて、ざらざらした耳障りな声でした。

「はい」

「ママ、失礼でしょう」

ミツルがわたしの濡れた制服をハンカチで拭いてくれながら諌めました。母親は謝りも笑いもせず、前方の信号を見つめています。これがミツルの母親か。わたしは常に人間の関係、それも遺伝子の作用が気になるものですから、ミツルにどこが似ているのだろうと母親を注意深く観察しました。パーマが伸びた手入れの悪い髪。化粧気のない茶色い膚。普段着というより、寝間着のようなグレーのジャージの上下。足元は見えませんが、きっとソックスにサンダル履きに違いありません。もしくは薄汚れたスニーカー。ほんとにこの人がミツルのお母さん？　だったら、わたしの母親よりひどい。そんな落胆があって、わたしはミツルの顔と見比べてしまいました。ミツルはわたしの視線を感じて顔を上げました。目が合いました。ミツルは観念したように首を振りました。母親がミツルとは似ても似つかない小さな歯並びを見せて笑いました。

「珍しいね。ここからあの学校に入るなんて」

ミツルの母親は、何かを捨てた人でした。何かというのは、今になってわかるのですが、おそらく評判や、社会的な名声とか言われるようなものです。わたしは入学式の時に、Q女子高の父母たちを垣間見ましたが、総体に豊かで、その豊かさを撒き散らすことに腐心している人々でした。あるいは隠すことで垂れ流す技を磨いていると言いましょうか。いずれにせよ、その場に通用している共通言語は豊かさだったのです。

でも、ミツルの母親はそんなことはとっくに諦めたのか、やめたのか、無縁でした。では、高等部からの生徒の親のように、知性を自慢する、会社員の家族にも見えません。ミツルの母親からは、豊かさとは違う、もっとわかりやすいお金とか宝石とか家とか、現世的な幸福の匂いがしました。

わたしはミツルから、母親がP区に住んでいることを隠せと命令したと聞いておりましたので、とても意外でした。もっと見栄を張って生きている人かと勘違いしていたのです。わたしの気持ちをいち早く察したミツルが反撃しました。

「あなた泣いてた？」

わたしは答えずにミツルの目を見返しました。ミツルの目は見たことのない意地悪に溢れていました。悪魔が見えた。わたしはミツルの尻尾を捕まえた気がしましたが、ミツルは、そんな自分を恥じてか、さっと顔を伏せました。

「さっき電話があって、母が死んだの」

ミツルは暗い面持ちになり、言った自分の口を捨ててしまいたいというように指で唇を捻りました。いずれ、あの癖、大きな前歯をこつこつと爪で叩く癖が出現するでしょう。わたしはミツルと戦う気でおりました。が、ミツルは全面降伏しました。

「ごめんね」

「お母さん亡くなったの？」

運転席からミツルの母親が振り向き、さほどのことではないとばかりにひしゃげた声

で言いました。戦いは母親の方に受け継がれた感がありました。母親の言い方はぞんざいで、祖父の周辺にいる人々にそっくりでした。率直であけすけで、名よりも実を取る人たちに。

「はい」

「幾つだったの」

「五十歳くらい。まだ四十八かな」

　わたしは母の正確な歳を知りませんでした。

「じゃ、あたしと同じくらいじゃない。何で死んだの」

「自殺です」

「何が原因。まさか更年期じゃないわよね」

「知りません」

「母親に自殺されちゃ、子供も立つ瀬ないよね」

　その通りでした。わたしの気分を言い当ててくれたミツルの母親に、感謝の念を抱いたほどです。

「じゃあ、忌引きでしょう。休めるのにどうして出て来るの」

　母親はウィンカーを乱暴に引き下げながら独りごちました。

「はあ。でも、母は外国で死んだから家に居ても仕方ないんです」

「だったら、こんな雨なんだから無理して出て来ることないじゃない」

母親はフロントガラスの先を指さしました。雨脚の激しさに車は皆、徐行運転をしています。母親はバックミラーでわたしの顔を眺めました。窪んだきつい目がわたしを隈なく観察しています。

「今朝は行きたかったから」

その理由は和恵の入部差別問題でした。でも、余計なことを言うわけにはいきませんので黙っていました。母親はすぐさま忌引きのことに関心をなくした様子でした。

「ねえ、あんた。もしかしてハーフ？」

「ママ。そんなことどうだっていいじゃない」ミツルがとうとう口を挟みました。案の定、こつこつと前歯を爪で叩く音がキツツキみたいに忙しなく聞こえてきました。「この人、お母さんが亡くなったばかりなんだから、関係ないこと聞かないでよ」

でも、母親はミツルの言葉など耳に入りません。

「ねえ、おじいさんと一緒に住んでるんだって」

「そうです」

傘から水が滴り、車の床を濡らしました。床には灰色の分厚いカーペットが敷いてありましたが、飲み物をこぼした跡らしい黒い染みがすでにあちこちに付いていて、どことなく薄汚い印象でした。

「おじいさんは日本人なんでしょう」

「はい」

「お母さんは日本人なの？　あんた、日本とどこのハーフ」

わたしがどうしてこれほどミツルの母親の興味を惹くのでしょう。でも、わたしは次第に、ミツルの母親の質問に心地よくなっている自分に気付きました。なぜなら、誰も聞きたいと思っているのに聞かないからです。

「スイスと日本です」

「かっこいいね」

母親は嘲笑するように言いましたが、さして悪意はなさそうでした。ミツルがわたしの耳に囁きました。

「ごめんね。うちの母親って失礼でしょう。あれでもきっと気を遣ってるのよ」

「遣ってないよ」母親が振り向きます。「その子、強そうだもの。ミツルなんかガリ勉で嫌な子でしょう。東大医学部行くなんて言っちゃってさ。この子は意地っ張り。負けたくない、馬鹿にされたくないってそればっかり。この土地嫌ってマンション借りるって言ったのもこの子。中等部の時、凄まじいイジメに遭ったもんだから武装してるのよ。さっさとやめさせればよかった」

わたしはミツルにさりげなく尋ねました。

「何で苛められたの」

「あたしが飲み屋やってるからに決まってる」

母親が答えを引き取って首都高速に入りました。先は渋滞で詰まっています。ミツル

は黙ってうつむいていましたが、学校に近付くに従って、その顔が青白く澄んでいくのをわたしは見つめていました。

校門の真ん前で、母親は車を停めました。自家用車で送ってもらった生徒は他に何人もいましたが、皆、校門を避けて外れたところで停めます。でも、ミツルの母親は立派な石の校門の前に横付けし、登校する生徒たちの好奇の目を意識的に惹くのでした。ミツルの傷を抉るようにわざわざ嫌うことをするのです。礼を言ったわたしに、母親は言いました。

「今度おじいちゃんにお店に来てって言って。安くするから。駅前の『ブルーリバー』だからさ」

わたしはよく知りませんでしたが、その店は大衆的なキャバレーチェーンか何かでした。

「そこ、盆栽ありますか」

「何で」

「おじいちゃん、女の人より盆栽が好きだから」

わたしのからかいに、母親は戸惑って首を捻りました。何か言いかけましたが、ミツルが勢いよくドアを閉めたために聞こえませんでした。折畳み傘を広げようと立ち止まったわたしに、ミツルが傘を差し掛けてくれました。都心に入ると、雨は少し小降りになっていました。

「うちの母親って変わっているでしょう、偽悪的で。あたし、ああいうの嫌いなのよ。ことさらに嫌なことを自分から言う人って、弱い人だと思わない？」

ミツルは冷静な口調で言いました。よくわかる、とわたしはうなずきました。いいえ、決してミツルの母親が嫌な人間だとか弱いとは思いませんでした。ただ、ミツルにとっての理想ではないことだけはよくわかったのです。それはわたしも同じでした。子は母を選べないのです。だから、ミツルの中等部でのイジメに対しての武装は、同時に自分の母親に対しての武装でもあったのではないでしょうか。わたしはミツルの母親に会ったことで、ミツルをもっと理解したのでした。それにしても、わたしの母親が自殺したその日にミツルの母親と出会うという出来事は、ある縁でもありました。そのこともいずれお話しします。ミツルが心配そうに聞きました。

「あなた、お母さんが自殺したって平気なの」

「平気よ。あたしはとっくに別れた気でいるから」

わたしより十五センチは背が低いミツルは傘の中からわたしを見上げました。

「わかる。あたしもママとはとっくに訣別しているの。今はああやって利用しているだけなのよ」

「知ってる」

「あなたって変な人ね」ミツルは一瞬わたしの顔を見ましたが、ミツルに手を振る友人を認め、そちらに行こうとしました。「行かなきゃ」

「ちょっと待って」

わたしはミツルの制服のブラウスを摑みました。ミツルが振り返ります。

「あなたが苛められた時、武装したって言うけどどうやってやったの」

「あたしの場合はね」ミツルはわたしと話すために、級友たちに先に行くように合図を送りました。「ノートを貸してやったのよ」

確かにテストの時、内部生たちがノートのコピーを回している場面を何度か目撃したことがあります。いったい誰がそんな奇特なことをしているのだろうと、わたしは内心不思議に思っていたのでした。高等部からの入学者たちは自分のことで精一杯だったはずです。そもそも、競争を勝ち抜いて入ってきたわけですから、競争相手を手助けすることなど考えもしないのです。

「でも、それってあなたが利用されることでしょう。苛める子たちに親切にすることはないじゃない」

ミツルは大きな前歯を爪で叩きました。

「あなたにだけ言うけど、あたしが皆に貸すノートは本当のノートじゃないのよ」

「どういうこと」

「あたしのノートはもっとちゃんとしているの。つまり、ダブルノートを作ったのよ。皆に貸す方は、ほんの少ししか大事なことを書き入れてないの。どうせ、あの子たちには見破れっこないもの」

ミツルは恥ずかしいことのように声を潜めました。でも、声の調子には愉しむ余裕すら漂っていました。

「あの子たちの図々しさには、ほんと呆れるわよ。苛めるくせに、ノートなんか借りて当然と思っているんだから。その臆面のなさに対抗するには、取引して自己主張するしかないのよ。あたしはノート貸してあげるから、あたしを苛めるのやめてって交換条件出したの。あの子たち、呑み込みは早いのよ。あたしが苛められるだけの弱い人間じゃなくて、利用価値があると知った途端、ターゲットは別の子に移っていったわ」

「あの子たちが有り難がっているノートは、あなたの本当のノートじゃないのね」

わたしはつい吹き出してしまいました。ミツルは曖昧に微笑んで肩を竦めました。

「あなたは中等部のイジメを知らないのよ。それは凄かったわ。初等部から来た子は六年間同じクラスなのよ。内輪意識が強くて固まりたいから、中等部から入って来た子の中からイジメのターゲットを探すの。一度ターゲットになったら、もう終わり。地獄の学園生活が待っている。あたしなんか一年間、誰とも口をきいてもらえなかったわ。話すのは教師と購買部のおばさんだけ。中等部からの子も一緒になって苛めるのよ。どうしてかって言えば、外部生を苛めることによって、内部生に同化できるからなの」

予鈴が鳴りました。ミツルに声をかけた級友はとっくに姿が見えません。そろそろホームルームが始まりそうです。わたしたちは教室に向かって急ぎました。でも、わたしにはどうしてもこの可愛い姿のミツルが苛められた、という理由がわかりませんでした。

「あなたはなぜターゲットになったのかしら」

「ママが授業参観に来たの」ミツルはわたしの方を見ずに冷静に言いました。「ママは保護者会でこう挨拶したの。娘が念願のQ学園の一員になれて嬉しいですってね。初等部も受けさせたけど駄目でしたから、せめて中等部から入れるのが私の夢でした、一生懸命勉強させた甲斐がありました、皆さんどうぞ仲良くしてやってくださいって。これだけ聞くとごく普通の挨拶でしょう。でも、次の日から、あたしはターゲット。朝、黒板にママの絵が描いてあった。派手な赤いスーツ着てダイヤの指輪して、ぺこぺこしてる絵。横に『Qの一員です』って、書いてあった。つまり、初等部入学だろうと中等部だろうと、うちなんかは決して一員になんかなれっこないってことなのよ」

わたしはミツルの母親の虚飾を捨て去った諦め顔を思い浮かべました。イジメで傷付いたのは、ミツルではなく、母親だったのです。ミツルの母親はきっと知らなかったのです、この小さな社会に厳しい階級が存在して揺るぎないことを。気付いた時はもう遅い。さんざん餌食になって食い尽くされるしかないのです。ミツルは健気にも頭脳で生き抜いたのに、母親の方は挽回するチャンスも与えてもらえない。ミツルの母親は二度と保護者会には顔を見せなかったことでしょう。

「よくわかったわ」

「何がわかったの」

ミツルは初めてわたしの顔を見上げました。赤い傘のせいで、ミツルの顔はほんのり

と桜色に染まり、とても幸せそうに見えました。

「あなたのママのこと」

わたしはその後、あなたは自分の母親に愛想を尽かしたのね、と言いたかったのですが、ミツルは顔を歪めました。

「ごめん。あなたのお母さん、今日亡くなったのよね」

「いいのよ。どうせいつか別れるんだから」

「クールね。かっこいい」

ミツルは嬉しそうに笑ったのでした。わたしとミツルの間に、わたしたちにしかわからない微妙な感情が生まれたことに、二人とも気が付いていました。わたしはその日からミツルに淡い恋情を持ったのです。


動作のゆっくりしたミツルより少し早く教室に入ったわたしは、真っ先に和恵を探しました。和恵はやや青白い緊張した面持ちで、黒板を睨んでいました。わたしを認めた和恵が席を立ち、例のぎくしゃくした足取りでわたしの席までやって来ました。

「おはよう。あのことだけど、今日言うつもりなの」

「ふーん、頑張って」

わたしは鞄の水滴をハンカチで拭き取りながら気のない返事をしました。内心は、ショーに間に合ったことに安堵(あんど)していたのです。

「あなたも何か言ってよ」

和恵はわたしの目を覗き込みました。黒い睫に縁取られた小さな目がこちらを見つめています。わたしは和恵の目を見返しているうちに、だんだんと和恵が嫌いになってきたのです。何て正直なお馬鹿さんなのでしょう。和恵はいずれイジメのターゲットになるでしょう。中等部ほどの子供っぽい熱心さはなくても、この学校で生き難くなることだけは確かです。でも、わたしは止めたくなかった。和恵が外れれば外れるほど、わたしとミツルは違う生き方を考えることができるからなのです。この考え方が嫌らしいとおっしゃるのですね。しかしわたしにとっての世界とは、こうしたものだったのです。

「いいわよ、応援する」

わたしは心にもないことを言いました。和恵はほっとしたように目をきらりと光らせました。

「よかった。あなた何て言う？」

「あなたの言うことは正しいって言えばいいんでしょう」

「じゃ、あたしが発言したら、手を挙げてよ」

和恵は心細そうに級友たちをひとわたり眺め回しました。真面目な外部生は席に着いて担任が来るのを待ち受け、内部生たちは後ろで固まってひそひそ話していました。

「いいわよ」

和恵は安心して席に戻りましたが、わたしは和恵を援護するつもりなんかまったくあ

りませんでした。だって、和恵が勝手にチアガール部に入ろうとして、勝手に傷付いているのですから。わたしの裏切りを知った和恵はどうするでしょう。わたしはその瞬間を楽しみにして、シャープペンシルの芯を入れ替えたりしていました。

教室の扉が開き、担任が入って来ました。担任は、「花ちゃん」と呼ばれている古典担当の教師です。四十歳近い独身女性でした。いつも紺か灰色の仕立てのよいスーツに白い襟のブラウス。首には細い真珠。濃い緑の革表紙の手帳を必ず携行して、化粧気のない真っ白な頰をしていました。無論、Q初等部から大学へと進んだ、育ちのよさを誇るQ学園の生え抜き教師です。和恵が慌てて席に走りました。わたしは和恵から目を離すことができません。

「おはようございます」花ちゃんはやや鼻にかかった声で早口に挨拶し、のんびり外を眺めました。また雨脚が強くなっていて、嵐の様相を呈していました。「夕方から晴れるって言ってたけど本当かしら」

和恵が大きな呼吸をひとつして立ち上がったのを横目で確認しました。花ちゃんが、おやという表情で和恵を見ます。やれ。言え。わたしは和恵の背中を見えない力で押してやろうと念じ続けました。とうとう、和恵が痰の絡んだ声で言いました。

「あの、皆で討議したいことがあります。クラブのことです」

どんなことかしら、という風に花ちゃんが首を傾げました。不安そうに和恵がわたしの方をちらと窺いましたが、わたしは知らん顔をして頰杖を突きました。その時、突然、

チアガール部の生徒が花ちゃんの前に走り出ました。和恵は呆然としています。生徒は花ちゃんの前で直立不動で立ち、歌を歌い始めました。

「ハッピーバースデー、ツーユー」

すぐさま合唱が続きます。音頭を取っているのは、主に内部生、それも初等部からの生徒たちでした。花ちゃんが、教壇の前で笑み崩れました。

「どうして、私の誕生日を知ってるの」

パンパンとクラッカーが鳴り響きました。拍手と歓声。クラッカーの音に撃たれたように和恵がぺたんと着席しました。何事かと様子が呑み込めなかった外部生も釣られて手を叩いています。外巻きに大きなカールを付けた髪が可愛い生徒が背中に隠し持った薔薇の花束を花ちゃんに差し出しました。

「あら、嬉しい」

「花ちゃんの四十回目のお誕生日を祝しまして、皆で乾杯したいと思います」

いつの間に用意したのでしょう。紙袋の中から缶コーラが取り出され、一本ずつ配られました。

「栓を開けてください。では、先生。おめでとうございまーす」

こんなことをしていいのか、と戸惑う生徒もいなくはなかったのでしょうが、皆、遅れてはならないとばかりに必死に楽しさを装っています。わたしはべたべたする液体が苦手なのですが、仕方なく口を付けて飲みました。鈍い気泡が舌の上で弾け、歯がぬる

ぬるしました。和恵は屈辱に顔を歪め、給食の時に嫌いなミルクを飲む子供みたいに一気に飲み干していました。

「先生、何か言ってえ」

お調子者の生徒が促しました。

「驚きました」花ちゃんは薔薇の花束を胸に抱えて満足そうでした。「でも、皆さん、ありがとう。私は今日で四十歳になります。まだ十五歳もしくは十六歳の皆さんから見たら、信じられないおばさんに見えるでしょうね。私もこの学校で学びました。高校一年の時の担任の先生が、何と今の私と同じ歳の先生でした。私は先生がすごくおばさんに見えたものだから、あなたたちも同じなんだろうと思うと切ないんですよ」

「見えないよ」と誰かが叫んで、クラス中がどっと笑いました。

「ありがとう。私は今度のクラスを持って、とても光栄です。独立独歩と自尊心。この教えは皆さんの将来に役立つと思います。皆さんは確かに恵まれています。でも、恵まれているからこそ、独立できるし自尊心も育てることができるのです。どうぞ、このクラスで伸び伸びと勉学に励んでください」

信じられないくらいつまらないスピーチでしたが、一斉に拍手と口笛が起きました。隣のクラスから何事かと教師が覗きに来たほどでした。ええ、誰も本気で感動なんかしていません。花ちゃんは生徒にからかわれ、舐められ、玩具（おもちゃ）になっているのに気が付かない　お目出度い教師なのです。でも、それがこの学校でうまくやっていく秘訣なのです。

ミツルの方を見ると、ミツルはにこにこして胸の前で両手を合わせ、花ちゃんを見つめていました。わたしの視線を感じたミツルがこちらを振り返り、笑えとばかりに顎をしゃくりました。わたしはミツルと共犯になった気がして嬉しく思いました。和恵は見るも無惨にしょげていました。偶然の出来事とはいえ、和恵の気概を封じたのは、結局、チアガール部だったのです。

その日の放課後、わたしは帰り支度をして外に出ました。朝の嵐がまるで嘘のように青空が広がり、傘が邪魔に感じられる夏の夕方でした。わたしはじきにユリコが帰国することを思い出し、憂鬱な気分で駅に向かって歩いていました。

「待って」

振り向くと、和恵がどたばたと走って来ます。和恵が紺の長靴を履いているので、後ろの生徒が肘でつつき合って笑うのが見えました。

「ねえ、今日は頭に来たわね」

というより、わたしはがっかりしていたのですが黙ってうなずきました。和恵はわたしの肩を叩きました。

「あなた、今日急いでる？」

「べつに急いではいないけど」

「実はさ、あたしも今日誕生日だったのよ」

和恵は、わたしの耳許に口を寄せました。甘酸っぱい汗の臭いがしました。

「へえ、それはおめでとう」

「うちに寄らない」

「何で」

「うちの母親が、誰かQ女子のお友達を誘っておいでって言うのよ」

小学生の誕生会のような話ですが、また母親か、と奇妙な感慨を持ったのも事実でした。だって、そうじゃないですか。自分の母親が死んだという報せを聞いた日に、ミツルの母親と会い、今度は和恵の家で和恵の母親と会うだなんて。

「だから、ちょっと来ない。誰も来ないって言えないの」

和恵はホームルームでの屈辱を思い出したのか、苦い顔をしました。和恵が入部差別問題を提起しようとしたのは、たったあれだけの言葉でも皆には充分知れ渡っていました。今頃は、チアガール部で噂になり、これから笑止な出来事として内部生の間を駆け巡り、伝説となることでしょう。本人は第二のミツルになりかねないのに、和恵はまだミツルが苛められていた事実を知らないのです。和恵の口から、そのミツルの名が出ました。

「あなた、ミツルって子と仲いいんでしょう。あの子も来ないかしら」

ミツルはおそらく塾でもあるのでしょう。さっさと下校していました。

「無理よ。彼女は帰ったわ」

わたしはにべもなく言いました。和恵は残念そうな口振りでした。

「優等生は忙しいからね」

「ていうか、あの子はあなたが嫌いなのよ」

わたしの嘘に和恵は絶句してうつむきました。

「じゃ、あなたも来なくていい」

和恵はとても気が強いのです。ミツルとわたしに拒絶されたと感じた途端、感情を剝き出しにしました。わたしも意地になって言いました。

「行く」

5

ホームが一本しかない小さな私鉄駅で降り、和恵はわたしが予想した通りの住宅街に入って行きました。大豪邸もなければ、貧弱なアパート群も見当たらない、ほどほどの大きさの似た家が建ち並んでいる、静かで平和な住宅街です。どのおうちにも、門柱に横書きの洒落た白い表札が出ていて、芝生の小さな庭が付いています。日曜日にはピアノの音を聞きながら、お父さんがその庭でゴルフの練習でもするのでしょう。そんなおうちばかりでした。和恵のお父さんはサラリーマンだと聞いていましたから、きっと三十年くらいのローンを組んで、世田谷区の外れに買ったのだと思います。

和恵はどうやら、無理矢理くっついて来ることになったわたしが気に入らないらしく、ふて腐れて歩いていました。が、歩くにつれて、あれがあたしの出た区立中学だとか、あの古い家がピアノの先生のお宅だとか、あれこれ説明を始めましたのでうざくてなりません。わたしは適当に受け流しておりました。

近くの学校からチャイムが聞こえてきました。午後五時。ああ、あの曲は何だっけ。わたしの通った小学校の下校時間に流れる曲と同じです。『家路』というのでしたっけ。懐かしさのあまりハミングしていると、和恵が端っこの家の前でわたしを手招きしました。

「今度は何よ」

わたしは不機嫌に尋ねました。

「これがあたしの家」

和恵は自慢げに言いました。ところどころ黒くなった薄汚い大谷石に囲まれた、二階建ての大きな家でした。茶色いペンキが塗られ、重い瓦が載っています。庭はこんもりと植木がたくさん植えられていました。近隣の家よりは古くて数段立派、敷地もずっと広そうでした。

わたしは和恵のお父さんが三十年ローンで手に入れたという説をひっこめました。先祖代々ここに住んでいる地主かもしれないと思ったからです。あるいは、借家かもしれない、とも。独立心の旺盛なわたしは、幼い頃からそういうことには目端がきくのです。

「立派な家だね。借家？」

和恵はわたしの質問にぎょっとした様子でしたが、胸を張りました。

「借地だけど、あたしの家よ。六歳から住んでるもの」

大谷石の塀に、風通しをよくするための菱形の窓が穿たれています。わたしはその穴から和恵の家の庭を覗いてみました。ツツジや紫陽花といったありがちの植木がもこもこと庭を覆い、地面いっぱいに小さな鉢植えが所狭しと置かれていました。

「あ、盆栽」

わたしは反射的に叫びましたが、よく見るとそれは盆栽ではなく、祖父の言うところの「せこい園芸」でした。ええ、お花屋さんの店先に並んでいるようなマリーゴールドとか忘れな草、デージーなんかの安い鉢です。

眼鏡を掛けた女の人がしゃがんで花の世話をしていました。虫を手で振り払い、枯れた葉を摘んでいます。その仕種は手慣れていて、職人のようでした。

「お母さん」

和恵の呼びかけに、母親が振り向きました。わたしは好奇心露わに母親の顔を見ました。銀縁の眼鏡。和恵と同じ黒い硬い髪はおかっぱにして、頬の横辺りで切り揃えてあります。顔の幅が狭く、目鼻立ちは和恵より整っています。

「お友達連れて来たの」

和恵の母親は、愛想笑いをしました。笑うと、眼鏡のフレームから眉が高く飛び出し

て、出っ歯が目立ちます。こんな顔をした魚がいた気がします。裸子植物の母親は魚なのでしょうか。だとしたら、父親はどうなのでしょう。わたしは父親が帰るまで居座る気になりました。

「あら、いらっしゃい」

「お邪魔します」

母親は表情を変えずにわたしに会釈した後、くるりと鉢の方に向き直りました。挨拶に親愛が籠もっていなかったことから、もしかすると、夕飯時に現れたわたしに眉を顰(ひそ)めているのかもしれません。お誕生日だと言わなかったかしら。それとも嘘？　わたしは和恵に問いただしたかったのですが、「入ってよ」と、和恵はわたしの背中を玄関の方に押しました。和恵は子供っぽくて動作が乱暴なので、わたしはむっとしました。わたしは他人に体を触られるのが嫌いなのです。

「あたしの部屋に来ない」

「いいけど」

家の中はどこも照明を点けていないために薄暗く、夕餉(ゆうげ)の匂いもしませんでした。しんとして、テレビもラジオも聞こえません。薄暗さに慣れて目を凝らすと、外側は立派で風格のある家なのに、家の中は合板だらけで安普請でした。しかし、きちんと片付いていて、廊下にも階段にも、塵(ちり)ひとつ落ちていませんでした。でも、わたしにはわかったのです。この家全体からは、倹約の臭いがぷんぷんと漂っていることを。

わたしは祖父と暮らして、倹約に倹約を重ねることを覚え込まされましたから、ピンとくるのです。そういう家は、隙がなくてぴしっとしているのですが、どこか淫靡な空気が漂っています。倹約するまめさが淫靡なのです。そして、倹約して何かに備えていること自体が本当はとても淫靡なことなのです。

例えば、わたしの祖父は、盆栽のために倹約しています。水洗トイレを三回に一回しか流さないことに決めていますし、ティッシュペーパーの箱をわたしが買おうとすると叱ります。街角や銀行などで貰うポケットティッシュで済ませろと言うのです。NHKの集金が来たら、テレビをどこかに運んで隠すくらいは平気でやりますし、新聞も取っていません。三階に一人で住む警備員のおじさんから借りる約束をしているからです。その人は夜勤なので、朝刊が来る頃はまだ帰れません。だから、早起きの祖父は警備員の部屋まで行って新聞受けから朝刊を抜いて、先に読ませてもらうことになっています。祖父は丹念に読み終えた後、必ずテレビ欄を広告紙の裏に写し取って、警備員が帰宅する前にきちんと折り畳んでまた戻すのです。夜は夜で、出勤する警備員が、祖父にその日の夕刊とスポーツ新聞などを届けてくれたりもします。そのお返しは、警備員の家のゴミ出しでした。警備員が帰る時間には、とっくにゴミの収集が終わっているからなのです。

それにしても、和恵の家は大きくて立派なのにも拘わらず、しかも、お父さんが一流企業に勤めているにも拘わらず、なぜわたしの家と同じような吝嗇の気配に満ちている

のでしょう。何が目的なのでしょうか。わたしは不思議でなりませんでした。

和恵はみしみしと軋む階段を先に上って行きました。二階はふたつ部屋があって、玄関の上の大きな部屋が和恵の部屋でした。壁際にベッドがぴたりと寄せられ、勉強机がぽつんとあるだけ。テレビもオーディオセットもない、学生寮風の簡素な部屋でした。あちこちに衣服が脱ぎ捨てられて雑然としています。ベッドの上も乱れて、皺だらけの布団が載っていました。

　本棚には教科書や参考書ががさつに入れられていて、ぽかんと一段空いている棚には体操着が押し込められています。家も庭もあんなに整然としているのに、和恵の部屋は和恵そのものの殺風景さと乱雑さに満ちていました。

　立ったまま、物珍しく眺めているわたしを差し置いて、床に鞄を投げ出した和恵は勉強机の前に座りました。机の前の壁には標語を書いた紙が貼ってあります。わたしは大きな声で標語を読みました。

『勝利は我が手に。己を信じろ』

『目指せ！　Q女子』

「受験の記念に貼ってあるの。受かったから、成功の証だと思って」

「人生に勝ったみたいに言うのね」

わたしは思わず皮肉を洩らしました。が、和恵は唇を尖らせました。

「だって努力したもの」

「あたしは標語なんて書かなかったわ」

「あなたって変わってるものね」

和恵は目の焦点を絞って、わたしの顔をじろじろ見ました。

「どこが変わってるの」

「マイペース」

和恵は切り口上で言い捨てたので、話が続きません。わたしは早くも退屈してきて、家に帰りたくなりました。母の死にショックを受けていた祖父が心配です。どうしてこんな家まで来ちゃったんだろう、と後悔の念が湧き起こりました。

猫が階段を上って来るような忍びやかな音が近付いて来て、外から母親が呼びました。

「和恵ちゃん、ちょっと」

和恵が部屋から出て行きました。二人は廊下でひそひそ話しています。わたしはドアに耳を付けて盗み聞きました。

「お夕飯どうするのよ。突然だったから、あの子の分ないわよ」

「だって、お父さんが今日は帰りが早いからお友達連れておいでって言ったじゃない」

「じゃ、あの子が学年で一番の子なの」

「違う」

「じゃ、何番」

声がいっそう低くなって聞こえなくなりました。何だ、とわたしは思いました。誕生

日なんて嘘で、和恵はミツルを父親に見せたかったのでしょう。わたしはそのダシに使われたのです。勉強のできないわたしは、この家では何の価値もなさそうです。夕食の相談が終わり、母親はまた音を忍ばせて階段を下りて行きました。誰かが寝ているので起こしたくないというように。

「ごめんね」和恵はドアを背中で閉めました。「ご飯食べていくでしょう」

わたしは悪びれずにうなずきました。相談の結果、歓迎されないわたしに何が出てくるのか興味があったからです。和恵は気詰まりな様子で参考書をぱらぱらとめくりました。参考書はページが黒ずみ、さんざん書き込みがありました。

「あなた、一人っ子なの」

わたしの問いに、和恵は手を振りました。

「妹がいるの。来年、高校受験なのよ」

「Q女子受けるの？」

和恵は肩を竦めました。

「あの子はそんな実力ないわ。可哀相なくらい頑張っているけど、頭があたしほどにはよくないのよ。たぶん、お父さんに似たのねってお母さんは言ってる。うちのお母さんは女子大出身だから、お父さんに遠慮して言ってるのよ。でも、そんなこと言ったって、お母さんだって女子大の中では凄いところを出てるのよ。あたしは幸いなことに父親に似たの。うちのお父さん、東大なのよ。あなたのお父さん、大学どこ？」

「大学なんて行ってないと思う」

わたしの答えに、和恵が唖然としたのがわかりました。

「じゃ、高卒なの？」

「知らない」

わたしは父がスイスでどういう教育を受けたのか、一切知らされていないのでした。

「一緒にいるおじいさんは？」

「高校も行ってない」

「お母さんは？」

「高校しか出てないと思う」

「じゃ、あなたが希望の星なわけね」

「どういうこと」

いったい何の希望があるというのでしょう。わたしは理解しかねて、首を傾げました。和恵は急に異星人を見るようにわたしを眺めました。それまでは、自分と同じ欲求を持っている人間だと思っていたに違いありません。和恵は、でも、他人との違いを深く考える人間ではありませんでした。

「でも、努力すればいいじゃない。努力したら必ず摑めるんじゃない」

「何を摑むの」

「成果じゃないの」和恵は戸惑った顔で壁の標語を見ました。「あたしは小学校の時か

ら、絶対にＱ女子高に入るって決めてたの。だって、かっこいいじゃない。勉強ができて、お嬢さんで、そのままＱ大に行けて。何とか学年で十番以内に入って、Ｑ大は経済学部に行くつもりよ。『優』をたくさん取って、いい会社に入るの」

「会社に入ってどうするの」

「仕事するに決まってるじゃない。かっこいいもの。女でもばりばり仕事する時代よ、これからは。うちのお母さんはね、そういうことができなかった時代に育ったから、あたしにしろって言うのよ。お母さんの世代は、いい女子大出たって就職先なんか全然なかったんだって。だから悔しくてたまらなかったって。『わたしがこうして家にいるのも、時代のせいなのよ』って言うの」

　それで、あの人は何かを押し殺したような憤懣を感じさせるのでしょうか。わたしは庭で植木の鉢をいじっている母親の後ろ姿を思い出しました。鉢の世話が自分の仕事と思っている人の背中には、祖父のような溢れ出る快楽はありませんでした。

　階下で和恵を呼ぶ母親の声がしました。和恵が部屋を出て行き、しばらくして蕎麦つゆの匂いをぷんぷんさせて、上がって来ました。塗りの剝げた出前用の盆の上に、蒸籠（せいろ）の蕎麦が二枚載っていました。

「せっかく来てくれたのでご馳走しますって。あたしたちの分しか取ってないから、ここで食べようよ」

　蕎麦がご馳走なのでしょうか。わたしは釈然としませんでしたが、何も言いませんで

した。だって、そうじゃないですか。各家庭によって、ご馳走の度合いは違います。和恵の家は、食べることに興味がないのでしょう。家の中に入った時に感じた吝嗇の気配を、再び感じました。

和恵がどこからか椅子を抱えて来ました。ピンクの座布団の載った椅子は明らかに学習机用でしたから、おそらく妹のものだったのでしょう。わたしはその椅子に腰掛けさせられ、二人並んで和恵の机の上で蕎麦を啜りました。いきなりドアが開いて、憤然とした声が聞こえました。

「あたしの椅子、どうしたの」

妹がわたしの存在に気付き、怯えたように目を伏せました。そして、机の上の蕎麦をちらっと見遣りました。自分の分はない、と非難が表れています。和恵をひと回り縮めたような顔と体をしていて、髪が長く、背中に垂らしていました。

「友達来てるんだから、ちょっと貸してよ。食べたら返す」

「塾の予習できないじゃない」

「食べ終わったら持って行くから」

「お姉ちゃんは立って食べたらいいよ」

二人はわたしのことなど目に入らないように喧嘩しています。妹が出て行った後、わたしは言いました。

「あなた、妹のこと好き?」

「あまり好きじゃない」和恵は不器用に腰のない蕎麦を箸で摘んでは落とし、落としては摘みながら答えました。「あの子、頭悪いから僻むんだもの。あたしの受験、失敗すればいいと念じていたと思う。今日のテストでも成績悪かったら、きっとこの椅子のせいにする。そういう子なのよ」

先に食べ終わった和恵は、真っ黒な蕎麦つゆまで飲み干してしまいました。わたしは何となく食欲が失せてしまい、割り箸を袋にしまったり出したりして遊んでおりました。ごたごたした和恵の部屋でお蕎麦を啜っていることが、急にみじめに感じられてなりませんでした。ご馳走になったくせにそんなことを思うなんて勝手なものです。しかし、その時のわたしの気持ちはどうにもなりませんでした。和恵の部屋は何日も掃除していないのか埃っぽくて、動物の棲む穴ぐらのように生臭かったからです。その動物の棲む穴ぐらという発想が、ユリコが今朝の電話で伝えた、わたしの母親の最期の様子を思い出させてならないのでした。

照明も点けないで暗闇で目を見開いていたというわたしの母親。その神経のか細さは、もしや、このわたしに遺伝してはいないでしょうか。ユリコに遺伝してくれれば有り難いのに。でも、ユリコはわたしと比べると単純ですし、欲望に忠実過ぎます。やはりわたしの方が母親似なのではないか、とぐずぐずと憂鬱に考え込んでいたのです。和恵がわたしの方を見て聞きました。

「きょうだいいる？」

「妹が一人」

ユリコのことを考えていたわたしは苦い顔で答えました。和恵は何か問いたげに唾を飲み込みましたが、わたしは遮って聞き返しました。

「ねえ、今日のお夕飯はお蕎麦じゃなくて本当は何だったの」

変なことを聞く、とばかりに和恵は首を傾げました。

「何でよ」

「べつに。ただの好奇心」

実は、和恵の母親はどんな料理を作るのだろうという興味がありました。紫陽花の葉っぱを擂り下ろして泥饅頭に混ぜたり、たんぽぽの茎をお浸しにしたり、ままごとでもしていそうな母親だったからです。上の空で間の抜けた家事労働をする、浮き世離れした母親に見えました。

「お蕎麦はあたしたちとお父さんだけ。お母さんと妹は残り物を食べるって言ってた。店屋物なんて、うちじゃ滅多に取らないもん。こんなちょっとの量の蕎麦に三百円なんて理不尽じゃない。馬鹿臭い。あなたが来たから特別なのよ」

わたしは次第に暗さを増していくような気がする部屋の照明器具を眺め上げました。黄ばんだ色の合板の天井の真ん中に、事務所で使っているような素っ気ない蛍光灯が点り、じーじーと羽虫の羽音みたいな微かな音を立てていました。その光は、和恵の顔の輪郭を黒い影で縁取っています。わたしは抑え切れずに聞きました。

「どうして、お蕎麦はあたしたちとお父さんだけなの」

和恵は小さな目を躍らせました。

「うちにはね、序列があるの。ほら、家族を並ばせて飼い犬を放すと誰に真っ先に行くかっていう実験があるじゃない。ああいう感じの偉い順。言葉に出さなくても自然に出来たから、皆守ってる。だから序列順にお風呂に入るし、おいしいものも食べる権利があるの。一番は勿論お父さん。二番目はあたし。お母さんは前まで二番だったんだけど、あたしが中学の時に偏差値七十超えてからは、あたしが二番目に昇格したのよ。だから、今はお父さん、あたし、お母さん、妹の順なの。下手すると、妹もお母さん抜くかもね」

「学校の偏差値の順番なの」

「ていうか、努力の順番」

「じゃ、お母さんはもう受験なんかしないんだから不利じゃない」

わたしは何だかおかしくなってしまいました。母親と娘が同列で競うなんて、滑稽ではないですか。でも、和恵は真剣でした。

「しょうがないわよ。お母さんは最初からお父さんに負けてたんだから。お父さんに勝てる人は、うちでは誰もいないのがわかっていたから、あたしは小さい時から一生懸命勉強したの。成績上げるのが趣味だったわ。お母さんを抜きたいとずっと思っていたんだもの。あのねえ、お母さんね、仕事がなかったって言ってるけど、本当はお医者さん

になりたかったらしいのよ。でも、親が許さなかったし、医大に行けるような頭がなかったって、残念がるのよ。女として育ったことがみじめだって、今でもヒステリー起こす。そういう人生こそ、理不尽じゃない。あたしはお母さんは女を理由に言い訳しているみたいに聞こえる。女でも頑張ればよかったのよ」

頑張る信仰。わたしは宗教がかっていると思いました。

「何でも頑張ればいいってことなの？」

「当たり前じゃない。努力すれば報われるのよ」

でも、あなたがどんなに努力しても報われない世界がＱ女子にはある。いいえ、この世はほとんどが努力しても報われないもので満ちている。そうではないですか。わたしはそう言いたかったし、和恵にははっきり教えてやりたかったのです。ユリコのような怪物的な美貌を持った女を目の当たりにしたら、和恵も努力が大事だなんて馬鹿なことは言いますまい。でも、和恵は決然とした表情で壁の標語を眺めています。

「それってお父さんが言うから正しいと思うの？」

「家訓みたいなものね。お母さんだってそう思ってるし、学校の先生だって言うじゃない。それは真実よ」

和恵は不思議そうにわたしの顔を見ました。小さな瞳にわたしを小馬鹿にした色が浮かびました。

「お母さんて言えば、今日はあたしに何があったか知ってる？」

潮時のようです。わたしは帰りたくなって腕時計を覗きました。七時を過ぎていました。

「花ちゃんの誕生日ぐらいしか思い付かない」

和恵は笑って答えてから、ホームルームでの屈辱的な出来事を思い出したのか、急に顔をこわばらせました。わたしは付け足しました。

「あたしの母親が死んだのよ」

驚いた和恵が椅子から立ち上がりかけました。

「お母さん、死んだの、今日？」

「そうなの。正確には昨日の日付」

「帰らなくていいの？」

「そろそろ帰る。電話貸して」

和恵は黙って階下を指さしました。照明の点いていない暗い階段をみしみし音をさせて下り、わたしは光とテレビの音がかすかに洩れているドアをノックしました。

「はい」

苛立ったような男の声が答えました。父親がいる。わたしは期待してドアを開けました。

黄色味を帯びた光の中、板壁ばかりが目立つ質素な狭い居間に、和恵の妹、母親、そしてテレビの前のソファに腰掛けた中年の男が一斉にわたしを見ました。正面の食器棚

には、スーパーで売っているような食器しかありません。ダイニングテーブルも椅子も、ソファセットも合板の安物でした。Q女子の連中が見たら、馬鹿にしそうです。

「電話貸してください」

「どうぞ」

母親が手招きします。暗い台所との境に、旧式の黒い電話がありました。電話の横に「十円」と書いた手製の小さな箱が置いてあります。二人共、素知らぬ顔をして、お金なんか要らないと言ってくれません。わたしは制服のスカートのポケットを探り、やっと見付けた十円玉を箱に入れました。十円玉は乾いた音を立てて落ちました。滅多に客など来そうもない家なのに、料金を取るというのは悪い冗談なのでしょうか。重いダイアルを回しながらわたしはそんなことを思い、目はしっかりと和恵の家族を観察しました。

テーブルの前では、椅子をわたしに奪われた妹がノートを広げて熱心に何か書いていました。母親が覗き込んでは低い声で指示しています。二人はちらとわたしに目を向けましたが、関心なさそうに再びノートに視線を落としました。和恵の父親は、下着のシャツとパジャマのズボンという寛いだ格好でクイズ番組を見ていました。たまたまその番組が点いているので目を遣っている、という感じで身が入っていない様子はひと目でわかりました。両脚を貧乏ゆすりしていたからです。年の頃は四十代後半くらいでしょうか。背は低く、赤黒い顔色をしていて頭髪が薄くなっていました。見た目は田舎臭い

小太りのおじさんでした。なあんだ。わたしはちょっとがっかりしました。わたしの父は外国人ですし、祖父と暮らしているため、日本の父親というものに興味があったのです。そして、和恵があれほどまでに尊敬を籠めて言う、この家に君臨している序列ナンバーワンの父親という人物が、どんな人間なのか知りたくてたまらなかったからなのです。なのに、こんな冴えない中年男だとは。がっかりしたちょうどその時、何度も鳴っていたコールが途切れ、わたしの家の電話が取られました。

「おじいちゃん？」

「あんた、どこほっつき歩いているのよ」答えたのは祖父でなく、保険外交のおばさんでした。「大変なのよ、おじいちゃん。夕方から血圧上がっちゃって寝込んでるの。どうしてかっていうと、あんたのお父さんと妹さんが喧嘩したらしくて、何度も電話かけてきて騒いだからなのよ。あんたのおじいちゃん、人がいいじゃない。まあまあってどちらも宥めているうちに気分が悪くなったのよ。あんたは一向に帰って来ないし、皆で心配していたところ」

「すみません。おじいちゃん、大丈夫ですか」

「大丈夫。管理人さんから電話貰ってあたしが駆け付けてきたら、やっと安心して今はぐうぐう寝てるよ。お母さん、可哀相だったけど、こんな時のために保険はあるんだから遠慮しないで入ってちょうだいよ。灯台下暗しとはよく言ったもんだわよ」

話が長くなりそうでしたから、わたしは慌てて「帰ります」と言いました。でも、世

田谷からでは東京を横断せねばなりません。長い帰路です。

「どのくらいかかる？」

「一時間半くらいかな」

「じゃ、出る前に妹さんのとこに電話してやってよ」

「ユリコのとこに。急いでいるんですか」

「そう。葬儀屋に行かなくちゃならないからって焦ってた。ぜひとも相談したいことがあるって」

「でも、ここは人の家だし」

「いいじゃない。国際電話だって料金払えばいいんだから。帰ってからじゃ間に合わない」

「わかりました」

わたしの父とユリコが喧嘩をしているというのはどういうことでしょう。遠いスイスで、何かとてつもなく悪いことが起きているのだとしか思えませんでした。わたしは和恵の母親に頼みました。

「すみませんが、スイスに国際電話をかけさせてください。緊急の用事が出来てしまったので」

「緊急の用事って」

和恵の母親は警戒するかのように、銀縁眼鏡の奥の目を細めました。

「昨夜母が死んだんですけど、妹が電話くれっていうので」

　母親は驚いた顔で父親の方を見ました。父親がさっと振り向きました。真っ正面から見た父親は、やや吊り上がった意地悪な目が印象的でした。その目には会った人間を屈服させてやろうと企む意志の光が強くあります。対象物を見極めようと考え、そして、ねじ伏せる傲慢な目でした。その目が子供のわたしをじっと見つめて値踏みしているのを感じます。わたしは視線に負けじと胸を張りました。ああ、ここにはわたしやミツルと共通の意志がある、悪意が。それもわたしたちより数段高度な、ねちっこい狡い悪意が。かっこいい。その瞬間、わたしは和恵の父親を、この家で唯一魅力的な人物だと認めたのです。父親は嗄れた猫撫で声で言いました。

「それは大変だね。でも、一〇〇番使ってかけてくれるかな。その方が料金がわかるし、お互いに助かるでしょう」

「すみません。そうします」

　初めて交換を通してかけた電話に出てきたのは、まだうろたえている父でした。

「こちらは大変だよ。テリブル。警察が来て、私を調べる言うます。私いない時にお母さんが死んだのおかしい言うけど、当たり前でしょう。お母さん、頭変なったんだから当たり前でしょう。私、関係ないよ。私、頭に来て、身の安全訴えました。ひどい話。テリブル。悲しいだけでも苦しいですのに、疑いかけられるなんてもっと苦しいです」

「お父さん、身の安全じゃなくて、身の潔白でしょう」

「結核？」

「もういいよ。で、お父さんはどうして疑われているの」

「それは言いたくないですよ。娘のあなたにもまだ言いたくないですよ。で、四時に刑事来る。私、怒っています」

「じゃ、お葬式はいつなの」

「二日後の三時から」

吐き捨てるように言った父を押し退けたのか、突然ユリコに代わりました。電話を奪われた父がドイツ語で罵っているのが聞こえてきました。

「お姉ちゃん、あたしお葬式が終わったらすぐ日本に帰ることにした。だってね、お父さんたら、酷いのよ。あのトルコ人の女の人がショックで流産しそうになったからって、うちに連れて来ちゃったのよ。まだお母さんの遺体があるのによ。だから、あたし警察に言ってやったの。お母さんが死んで一番得したのは、お父さんと女の人だって。刑事が来ることになって、いい気味」

「何でそんな馬鹿なことするの。テレビドラマみたいなこと、うちに起こるわけないじゃん」

「そうだけど、あんまりじゃない」

ユリコは泣きだしました。朝の電話の時より、二人は混乱しているようです。

「お母さんが突然死んだんで、お父さんもショック受けてるのよ。そんな女の人の一人

や二人、あなたも我慢しなさいよ。お父さんを支える人がいてよかったじゃないの」

「何言ってるの。頭おかしいんじゃないの」ユリコが怒鳴りました。「お母さんが死んだのに、どうしてそんなに冷静なの。お姉ちゃんは現場にいないからわからないんだよ。ほんとに冷たい人だよね。お母さんが自殺したのに、すぐ次の女の人が来て、何カ月か後にはあたしたちのきょうだいが生まれるなんて、あたしは絶対に嫌だからね。お母さんが死んだのだって、お父さんに女がいるからだったかもしれないじゃない。お父さんが殺したも同然よ。その女が殺したも同然でしょう。あたしはお父さんと縁切るよ」

ユリコの金切り声は一万キロの距離を越え、黒い受話器から洩れ出て和恵の家の陰気な居間に響き渡りました。

「お母さんは自分の事情で死んだのよ」わたしは鼻で笑いました。「あんたね、お父さんと縁切るって言ったって、お金なんかないでしょう。あなただって日本に帰って来たって住むところもないし、行く学校もないわよ」

わたしは必死にユリコの帰国を阻止しようとしました。でも、母の死んだ日に、妊娠している女を家に入れるなんて。父はいったいどうしたのでしょう。わたしも動転していました。ふと気付くと、居間にいる和恵の家族が、息を詰めてわたしを凝視していました。和恵の父親と目が合いました。うちの電話でそんな話題はご免だ。その目がわたしを非難しています。わたしは焦って電話を切ろうとしました。

「ともかく、この話は後で」

「駄目よ。今決めるの。だって、もうじき警察が来るし、あたしはお母さんの遺体を葬儀屋さんに運ぶのに一緒に行くんだから」

わたしは叫びました。

「日本は駄目。帰って来ないで」

「お姉ちゃんに駄目っていう権利はない。あたしは帰る」

「どこに」

「お姉ちゃんのとこがどうしても駄目ならいいよ。ジョンソンに頼んでみる」

「それならいいわ。ぜひ、頼んでみてよ」

「現金ね」

あの馬鹿ジョンソンの家だとは。ユリコにぴったりではありませんか。わたしは肩の荷を下ろして、気が抜けました。ユリコと会わなくて済むのなら、帰国しようがスイスに居残ろうがどちらでも構わないのです。わたしと祖父の平穏な暮らしは守られたのです。

「帰国する時、連絡して」

「どうせ興味ないくせに。馬鹿！」

ユリコの捨て台詞(ぜりふ)を耳の端で捉え、わたしは慌てて電話を切りました。十分以上は喋っていたような気がします。和恵の家族は目を伏せて、料金を報せる電話が鳴るのを今か今かと待っていました。電話が鳴りました。わたしが取る前に父親が意外に素早い身

ごなしで受話器を取りました。

「一万八百円。八時過ぎてからなら、割引だったのにねえ」

「すみません。今持ち合わせがないので、明日和恵さんに払います」

「そうしてください」

父親は事務的に言いました。わたしは礼を述べて居間を出ました。薄暗い廊下から階段を見上げると、背後でドアが開く気配がしました。父親がわたしを追って出て来たのです。ドアの隙間から、居間の光が細長く洩れました。が、音はまったくせず、わたしたちの会話に耳を澄まそうとしているかのように静まり返っていました。わたしより背が低い父親は、紙切れをわたしの手の中に差し入れました。電話料金のメモでした。律義さを感じさせる書体で「10800円」とあります。

「ちょっとあなたに話があるんだけど」

「何ですか」

父親の目の中の、相手を屈服させようとする光が強くなり、わたしは少しくらっとしました。父親は最初、阿る(おもね)言い方をしました。

「あなたはQ女子に入れたんだから、優秀なお嬢さんなんでしょうね」

「一応は」

「どのくらい勉強したの」

「忘れました」

父親は微笑んでみせました。

「和恵は小学校の時からずっと勉強一筋だった。幸い、勉強の好きな頭のいい子だったからここまできたけど、私はそれだけじゃつまらないと思うこともあるよ。女の子なんだから、見てくれを綺麗にしてほしいと思うし、Q女子に入ったんだから、もっとお嬢さんぽくしてほしいし、みたいなね。そうすると、あの子はまた私の期待に応えて頑張るから、ほんとに可愛いと思いますよ。でも、親だからといって、そう闇雲に娘を評価しているわけじゃないんです。どうしてこんなに素直なんだろうと娘たちが怖くなることもありますよ。あなたはうちの娘なんかと比べて余裕が感じられる。私は大企業で仕事してるから、才能のある子や本当に優秀な子はわかるつもりだ」

わたしは薄暗がりの中でぼんやりと和恵の父親の目を見ていました。この人の論理に、価値観に、征服されてなるものかという気持ちと、されるものならされてみたいという相反する思いに引き裂かれながら。他人の意のままに生きるのは嫌だ、でも、楽しいかもしれないと思いながら。他人の意志に沿って生きることは、わたしが経験したことのない唯一のものだったからです。

「あなたのお父さんは何してるの」

和恵の父親は、横目でわたしの顔を窺いました。隠そうともしない値踏みの目。父の仕事など、この人の前では無価値なのだろうとわたしは思い、嘘を吐きました。

「スイスの銀行に勤めてます」

和恵の父親の目が光りました。

「どこかな。スイス銀行？　それともスイス・ユニオンか、クレディ・スイス？」

「言わないようにと言われているんで」

全然知らないので面食らいましたが、わたしは注意深く答えました。父親はふーんとうなずきましたが、その表情に若干の尊敬が籠められてきているようでもあります。そして、卑しささえ感じられるではありませんか。驚いたことに、わたしは気分がよくなりました。そうです。お笑いになりますでしょう。詐欺師の祖父と同じようなことを、このわたしも言っていたのですから。ということは、わたしも、この父親の価値観に合わせたということになります。この人ほど、価値と無価値がはっきりしている人はいない。暴力的なほどにです。それに、つい合わせてしまうのは、心のメカニズムなのです。弱いからだけではないのかもしれません。わたしは嘘を吐いたことを後悔しました。何と言っても、当時のわたしはたったの十六歳なのですから。和恵の父親がどんな会社でどういう仕事をしているのか知りませんでしたが、社会の論理、それも非常に偏った大人の男の論理というもので子供を縛り付けることなど平気なのだと恐ろしく思ったのでした。

「あなたは和恵にクラブのことで抗議しろって焚き付けたって聞いたけど」

「焚き付けたというか、提案したというか」

わたしの小賢しい言い訳なんか、父親の前には通用しませんでした。

「あの子は真面目に頑張るタイプだから、何か言われるとその通りにする素直な子だってことはあなたもわかっているでしょう。あの子をコントロールするのは私だけだ。あなたは今後しなくていいよ」

どうやら、父親はわたしの本質を見抜いたのでしょう。いつの間にか、わたしと父親は和恵に対する影響力を巡って戦っているのでした。

「お父さんはあたしたちの学校生活も、あたしと和恵さんの関係もご存じないのに、どうしてそんなこと言うんですか」

わたしは思い切って反撃してみました。

「友情なんてあるの。あなたと和恵の間に」

「あります」

「だけど、あなたは我が家には相応しくないね。お母さんが亡くなったことは気の毒だけど、聞いていると事情も普通の家庭とは違うらしい。私がQ女子を選んだのは、あそこなら間違いのない学校だからだよ。あそこならいいお友達に恵まれると思ったからだよ。普通の家庭から健全な子供が生まれるんだから」

わたしのうちは普通ではない、とこの人は言っているのです。ということは、わたしもユリコも健全ではないということになるのでしょう。ミツルが来たなら何というのでしょうか。

「それは違うと思います。だって」

「いいから、いいから」

父親は激しく遮りました。小さな吊り目に怒りの炎が燃え上がるのをわたしは感じました。その怒りは子供に対するものではありませんでした。和恵を損なう別の勢力に対する怒りでした。

「まあ、待ちなさい。あなたのようなお嬢さんとお友達になることはいい社会勉強になるけど、和恵にはまだ早いし、あなたの家庭とも一生縁がないだろう。うちは妹もいることだし、申し訳ないがうちにはもう来ないでください」

「わかりました」

「こんなこと言っても恨まないでよ」

父親は初めて媚びるように笑いました。きっと、女子社員にはこういう顔をするんだろうなとわたしは思いました。

「恨みません」

わたしが大人からはっきりと「お前は要らない」と拒絶されたのは、これが初めてでした。衝撃かと言われればその通りですが、和恵の父親の言い方はまさに家父長の皮を被った世間だとわたしにはわかったのです。正しいとか正しくないとか、傷付いたとか傷付かないとか、そんなことはどうでもよいのです。わたしにとっては、家の中に世間というものの価値を具現化する人間がいることが驚きでした。

わたしの父は、日本ではマイノリティですから、権力はありましたが世間とは言えま

せん。祖父は弱いアウトローで、わたしの言いなりです。強いて言えば母親が世間代表だったかもしれませんが、母親の影響力は弱く、父にさえ勝てなかった。だから、和恵の父親のように世間というものの厳しさやくだらなさを強固な価値基準として表す人間を見るのは、それはそれで感動ではあったのです。なぜなら、和恵の父親は世間の価値などさほど信じていないのです。でも、生き抜く武器として意識的に持っているのだとわたしに匂わせていたからです。Q女子の内部事情なんて、和恵の父親はきっと気にも留めていないでしょう。和恵の父親が武器に使っているのは、外から見たイメージ、つまりは世間の見方そのものなのですから。それが当の和恵にとってどれほど残酷か、ということもこの父親にとっては意にも介さないことだったと思います。身勝手で強い奴。

そのくらいはまだ高校生のわたしにもじんじんと伝わるのでした。

でも、和恵や和恵の母親や妹は、父親の思惑や武器など一生気付かないで済むでしょう。それを感じ得たことだけが、わたしには和恵に対する優越感として残ったのです。わたしやミツルが磨く悪意を、この人はもっと滑りのいいもの、もっとわかりやすいものに変えて、家族を守っている。家族を守ることは自分を守ること。その意味でわたしは、和恵に強い父親がいることが羨ましく思えてなりませんでした。父親の強い意志に染まった者は、その価値基準が正しいと思って生きていけるからです。今、気付きましたが、それはもしかすると、マインドコントロールと言われるものに近かったのではないでしょうか。頑張る信仰に冒された和恵は、父親にマインドコントロールされていた

のです。

「そういうことだから、気を付けて帰りなさい」

わたしは父親に背中を押し出された気分で階段を上り始めました。父親はわたしの後ろ姿を見送ってから、居間に戻りました。ドアがぱたんと閉められて、廊下の闇が一段と濃くなりました。

「遅かったね」

部屋で待っていた和恵は不満そうにわたしに言いました。机の前に広げた雑記帳にいたずら描きをして退屈を凌いでいたらしく、バトンを持ってミニスカートで踊るチアガールの絵が描いてありました。わたしが覗き込むと、和恵は子供のように両手で絵を隠しました。

「国際電話させてもらったの」わたしは父親の字で書かれた金額のメモを見せました。

「これ、明日払うね」

和恵はちらと金額に目を遣りました。

「高いね。ねえ、あなたのお母さん、どうして死んだの」

「スイスで自殺したの」

和恵はうつむいてしばらく言葉を探している様子でしたが、決心したように顔を上げました。

「あなたには悪いけど、あたしにはちょっと羨ましい」

「なぜ。お母さんに死んでほしいの」

和恵は、うんと低い声で答えました。

「あたしはお母さんが大嫌い。最近気付いたんだけど、あの人はあたしたちの母親のくせに、お父さんの娘になりたいみたいなのよ。お父さんはあたしたち娘にしか期待してないじゃない。だから、お母さんでいるのは嫌なのよ」

和恵は自分だけがその期待に応えることができるのだ、という喜びに満ちていました。そうなのです。和恵はいい子だったのです。父親の期待に応えて生きていく健気ないい子だったのです。いいえ、いい信徒だったのです。

「だったら、娘も一人でいいよね」

「うん、妹も要らない」

わたしは思わず同意の笑いを洩らしました。が、我が家の事情は和恵の父親に指摘されるまでもなく、普通の家庭とは大きく違っていました。そのことは信徒である和恵には一生わからないだろうとわたしは思ったのでした。

「ちょっと待ちなさい」

玄関を出て、暗い住宅街を歩きだした途端、後ろからわたしの肩をやんわりと摑む人がいました。和恵の父親が追いかけてきたのでした。

「嘘吐いたね。あなたのお父さんはスイスの銀行員なんかじゃないんでしょう」

街灯の光が小さな目にぼんやりと反射していました。和恵から聞いたんだ。わたしは

何も言い返せずに立ち竦んでいました。心の中では、好奇心から和恵の家に来たことを後悔していました。こんな中年男と知り合いたくなかった、こんな男に感化されてもいいかもしれないと考えたこと自体が馬鹿だった、と思いながら。

「嘘はいけない。私は嘘を吐いたことなんか一度もないよ。嘘吐きは社会の敵だ。いいかい。学校に言われたくなかったら、もう二度と和恵に近付くんじゃないよ」

「わかりました」

わたしが住宅街の角を曲がるまで、父親がわたしの背中を睨み付けていることは間違いありませんでした。四年後に、和恵の父親は脳卒中であっけなくこの世を去ってしまいました。わたしにとって、この時の邂逅が最初で最後でした。父親が死んだ後、和恵の家は急速に崩壊していくことになるのですから、わたしは崩れる寸前の和恵の家の幸福の儚さを目撃した人間ということになるのでしょう。わたしの背中にはまだあの時の父親の視線が銃弾のように深く食い込んでいる気がしてならないのです。あの父親が代弁する社会に狙撃された痕が。

一週間経ち、父からは葬儀が恙なく終わったことや、お墓をベルンに建てたという報告の電話がありました。が、ユリコからは何の音沙汰もありません。ユリコの帰国計画は頓挫したに違いないとわたしは勝手に思い込み、浮き浮きしていました。ところが、あと数日で夏休みになろうという暑い日の夕方、思いがけない人から電話がありました。

ジョンソンの奥さんのマサミさんでした。山小屋以来ですから、三年ぶりです。

「こんにちは、お姉ちゃん？　あたくし、マサミ・ジョンソンですう。お久しぶりねえ」

語尾を長く伸ばし、サ行の発音が外国人風なのはマサミさんの特徴的な喋り方でした。わたしの腕にざわざわと鳥肌が立ちました。

「ご無沙汰してます」

「あなただけ日本に残ったなんて知らなかったわ。言ってくれれば、お役に立てたかもしれないのに水臭いわねえ。それにお母さんのこと聞いて、とてもショックだったわ。ジョンソンも悲しんでいる。ほんとにお悔やみ申し上げます」

はあ、どうも。わたしはそのようなことをもごもごと口の中で言いました。

「ユリコちゃんのことなんだけど、聞いてる？」

いきなり本題に入りました。

「何でしょう」

「ユリコちゃんね、中学高校の間だけうちで引き取ることになったのよ。部屋も空いてるし、ユリコちゃんは小さい時から好きな子だしね。それで転校先なんだけど、あなたQ女子高でしょう。ユリコちゃんも行きたいっていうから、Q女子中等部の帰国子女枠を受けてみたのよ。そしたら、受かってね。さっき合格通知が来たところなの。喜んでちょうだい。ユリコちゃん、あなたと同じ学校に入れたのよ。ジョンソンもQ女子なら

ここから近いし、いい学校だって喜んでるわ」

何ということでしょう。ユリコから逃れたい一心で猛勉強し、やっと得られた環境がまたもユリコに汚染されてしまうとは。わたしは絶望の溜息を吐きました。ユリコは愚鈍な娘なのに、あの美貌がある限り、特別待遇はずっと続くのです。それはQ学園でも同じなのでした。

「ユリコは今どこにいるんですか」

「ここに一緒にいるわ。待って、代わるから」

「もしもし、お姉ちゃん」

止める間もなく、母の死の直後とは打って変わったユリコの伸びやかな声が聞こえてきました。ジョンソン夫妻に甘やかされ、港区の豪邸で贅沢を満喫しているのでしょう。

「Q女子の中等部に転入するの？」

「そうよ、九月から。場所は同じだからよろしくね」

「いつ日本に帰って来たの」

「一週間前かな。お父さん、再婚するんだってさ」自分さえよければもうそれでいいという、怒りなど感じられないのんびりした口調でした。「おじいちゃん、元気？」

わたしは受話器を持ったまま振り返りました。祖父はけろっとして盆栽の世話に余念がありませんでした。落ち込んでいたのは数日間のことだったのです。

「元気だよ」

ふーん、とユリコは何の関心も示さずに生返事をしました。

「あたしP区なんかに行かなくてよかった。こっちで頑張るからね」

頑張る信仰の真似か。そんな気もないくせに。わたしはうんざりして電話を切ったのでした。

6

これまで話してきましたのは、すべてわたしの見てきた真実です。わたしの思い出の中で生きているユリコや和恵、そして和恵の父親の姿です。一方的な話だと今頃おっしゃられても、わたしだけが生き残って、こうして元気に区役所で働いているのですから仕ようのないことです。祖父はご承知の通り、アルツハイマーになり、時間も場所も定かではない桃源郷で遊んでおりますしね。自分が盆栽に夢中だったことなど、ちっとも覚えてやしません。あれほど愛した真柏や五葉松は、売ってしまったり、とっくに枯れてゴミ箱に捨てられてしまいました。

盆栽で思い出したのですが、和恵の父親の話でひとつだけし忘れていたことがあります。母が自殺したその日に、わたしが和恵の家に寄って和恵の父親に追い払われたことはお話ししましたよね。そこで国際電話料金の一万八百円を支払わなくてはならない羽目に陥ったことも。

持ち合わせがなかったわたしは、後で払うと約束したのですが、実はとても困り切っていたのです。当時のわたしの小遣いはたったの三千円。それでノートや本を買ったりしていましたから、余裕などありませんでした。父からの仕送りは学費の他に毎月四万と決まっていましたし、それは共同生活者の祖父に全部手渡していたのです。祖父はその中から盆栽を買ったり世話をする費用をこっそり捻出していたのかもしれませんが。とにもかくにも、国際電話がそれほど高いと思ってもいなかったわたしは、どうやって支払おうかと頭を抱えて帰宅したのでした。

　スイスからたまにかかってくる電話は当然のことながら父持ちでしたし、始終、電話で話し合うような家族でもなかったからです。父にお金を送ってくれと頼んだとしても、送金されるまで時間がかかります。わたしは、祖父から借りるしかないと思いました。が、血圧の上がった祖父は鼾（いびき）をかいて寝入っていました。付き添っていた保険外交のおばさんが話を聞いてわたしを詰る（なじ）のです。

「一万八百円も払うの？　あんた、何でコレクトコールにしなかったの」

「だって、おばさんがその家からかけなさいって言ったんじゃない。その時、教えてくれればいいのに。あたし、コレクトコールなんて知らないもの」

「まあ、そうだけど」おばさんはわたしの顔に当たらないように、煙草の煙を横に吐きました。「それにしても、ちょっと高いよ。一〇〇番の通話料金を聞いたのは誰なのさ」

「そこのお父さん」

「まさか嘘吐いてんじゃないでしょうね。あんたが高校生だからって騙したんじゃないの。騙さないまでも、普通だったら母親亡くした可哀相な子なんだから、香典と思ってそんなのいいですって言うわよ。あたしなら絶対にそう言うね。それは気持ちの問題よ。人間として当然だよ」

お金に細かい保険外交のおばさんが、自分で言うほど奇特なことをしてくれるとは思えませんでしたが、わたしの胸に一点の疑念が湧いたのは事実です。和恵の父親がわたしに嘘を吐いたのでは、と。しかし、証拠はありません。わたしはポケットの中に突っ込んであった料金のメモを眺めました。おばさんが太い指でメモを引ったくりました。だんだん腹が立ってきたのでしょう。

「こんな金額まで書いて子供に渡すなんて嫌らしい。こっちは母親が突然死んで、おじいちゃんが寝込んだくらいの悲劇なのに。あんたなんか、死に目にも会えなかったんだから。ねえ、そのオヤジ、どんな仕事してるの。どうせあんたの学校って金持ちしかいないんだから、いい家なんでしょう」

「よく知らない。大企業って言ってたし、家も立派だった」

「金持ちのケチか」

「そうも見えなかったけど」

わたしは和恵の家にそこはかとなく漂っていた倹約の雰囲気を思い出して、首を傾げました。

「たいした収入もない安サラリーマンのくせして、見栄張って生きてんのさ。でなきゃ、人情知らない奴だね」

そう断定したおばさんは、借金でも申し込まれたら困ると思ったらしく、そそくさと帰って行きました。帰る気配を感じた祖父が寝返りを打ってつぶやきました。

「寂しいなあ。みんな、俺を置いていかないでくれよ」

確かに、母はわたしとユリコを置いて、一人でさっさと消えてしまったのでした。ユリコは日本に帰って来るし、わたしは電話料金を払わなくてはならない。問題だけ残して自分だけおさらばするなんて、狡いじゃん。わたしは遣り場のない怒りを感じて、メモを壁に投げ付けました。

翌朝、教室で和恵に会うと、早速請求されました。

「お父さんから言われてるの。電話代貰うのを忘れないようにって」

「ごめん。明日必ず」

和恵の目にわたしの誠実さを疑う光がぽつんと灯ったのを覚えております。父親とそっくりでした。でも、わたしの目にも同じ光があったと思います。本当なんでしょうね、と。しかし、借金は借金。払わなくてはなりません。窮地に陥ったわたしは、その日早目に家に帰り、祖父の盆栽の中でわたしが持てる大きさの鉢を選びました。冬になったら綺麗な赤い実を付けるんだよ、その色がよくってよお、と祖父が自慢していた南天でした。土の上を緑の苔がびっしりと覆って、くすんだ青い釉薬(うわぐすり)のかかった鉢に植えられ

ています。

祖父が放心したように大相撲に見入っているのをいいことに、わたしはそっと鉢を運び出しました。自転車の籠に入れ、急いで万寿園に向かいました。

夕暮れの万寿園の入り口でちょうど客を送り出していた保護司のおじさんは、わたしが鉢を持って来たのを見て驚きました。

「すみませんが、これ買ってくれませんか」

おじさんは嫌な顔をしました。

「おじいさんに頼まれたの？」

わたしが首を横に振ると、おじさんはにやっと笑いました。おじさんは祖父に復讐したいんだとわたしは感じました。

「だったら高く買ってあげよう。五千円でどう」

がっかりしたわたしは指を二本出しました。

「二万円じゃ駄目ですか。おじいちゃんはいい南天だって」

「お嬢ちゃん。これ、そんな価値はないよ」

「だったら、いいです。他の人に買ってもらいますから」

保護司のおじさんは、じゃ一万円にしてあげてもいいよ、とすぐ折れました。もしかすると、この鉢はもっと価値があるのかもしれません。考える振りをしていましたら、保護司のおじさんが、「重いだろう」と猫撫で声を出し、鉢を持ったわたしの手の上か

ら自分の両手を被せました。よく磨いた革のように硬い皮膚が、奇妙に温かいのです。あまりの気持ち悪さに、わたしは思わず鉢を取り落としてしまいました。鉢は土に埋め込まれた庭石に当たって見事に割れ、南天の枝は折れて四方に飛び散りました。万寿園の下働きの若い人が驚いてこちらを見遣りました。おじさんは取り乱したように屈み込み、割れた鉢を集めながらおずおずとわたしの顔を見上げたのです。

　結局、あの鉢は割れたにも拘わらず三万円で売れました。電話料金の残金は、突然の出費に備えて貯金することにしました。何しろQ女子高では、文化祭でも誕生会でも出資を強いられることが多く、それを何とも思っていない生徒ばかりだったからです。自衛のための貯金です。祖父ですか。ええ、その日はまったく気付きませんでした。翌日、祖父は母のことなどすっかり忘れたように元気になりましたが、朝、普段通りベランダで盆栽の世話をしている時、ひーっという悲鳴を上げました。

「南天君、どこ行っちゃったんだよー」

　わたしは素知らぬ顔をして弁当を詰めていました。祖父は狭い部屋中を駆け回って南天の鉢を探しています。押入れを開け、四畳半の天袋を覗き、下駄箱の中まで見ています。

「あんないい木はどこを探したっていないのに、どこ行っちまったんだよ。出て来てちょうだいよ、南天君。ごめん、わたしが悪かった。あんたを蔑(ないがし)ろにしたわけじゃないの。わたしのねえ、娘が死んじゃったもんだから切なくてねえ。それでわたし挫(くじ)けてたの。

ごめんね、ごめんね。だから、出て来てちょうだいよ。ご機嫌直してちょうだいよ」

祖父は狂おしく探し回りましたが、やがてくたびれたのでしょう。がっくりと肩を落としてあらぬ方を眺めました。

「あいつがあの世に連れてったのかなあ」

祖父の頭の中には、詐欺で他人を騙しても、わたしや保険外交のおばさんや警備員のおじさんという身近な人を疑う発想は微塵もありませんでした。理不尽な出来事として始末したのでしょう。わたしは安心して学校に行ったのでした。和恵の家への訪問は、こんな事件まで引き起こしていたのです。

それにしても思うのですが、母の突然の自殺は、わたしたち家族をさらにばらばらにしてしまいました。わたしは祖父と、ユリコはジョンソン夫妻と、父はスイスにずっと残って、例のトルコ人の女の人と新しい家庭を持ったのですから。父にとって日本という国は、母の死と共に記憶から消えてなくなったのです。後で知って驚いたのですが、トルコ人の女の人は、わたしとたった二歳しか違わないのだそうです。子供も、男の子ばかり三人産まれたと聞いています。一番上の男の子は二十四歳になって、スペインのサッカーチームに入っているという噂も耳に入りましたが、会ったことはありませんし、サッカーに興味のないわたしには違う世界のことでもあります。

でも、わたしの想像図の中では、わたしもユリコもわたしの腹違いの弟たちも真っ青

な塩辛い水の中を元気に泳いでいるのです。わたしの好きなカンブリア紀のバージェス動物群で言うなら、美しい顔をしたユリコは王様ですので、他の動物を食べる動物でなければなりません。だから、アノマロカリスでありましょう。ええ、あのロブスターのような頑丈な脚を持った節足動物の祖先です。そして、中東の血が入って眉の濃い顔をしているに違いない弟たちは、堆積物の中に生きる虫だったり、遊弋（ゆうよく）しているクラゲたちなのです。わたしですか。わたしはきっと、七対の棘（とげ）で海底を這うヘアブラシのような姿をしたハルキゲニアです。ハルキゲニアは腐食動物なんですか。知りませんでした。死体を食べて生きているということですね。誰かの屍（しかばね）の上で、その思い出を汚しながら生きていくわたしは、ハルキゲニアそのものです。

　わたしとミツルのことですか。ミツルは計画通りに東大医学部に現役合格しました。でも、ミツルはその後の人生を思ってもいなかった方向に進ませてしまいました。元気にしているようですが、今は刑務所の中におります。検閲だらけの年賀状など来ますが、返事を書いたことは一度もありません。その話をお聞きになりたいのですか。じゃ、この次に必ずいたしましょう。

　それはそうと、先日、驚くべきことがあったのです。誰にもお話しする気はなかったのですが、この物語を続けていく以上、披露するのは仕方がないことでしょう。一審の初公判の一週間ほど前のことでした。ちなみに、このふたつの事件は、「連続

アパート殺人事件」という名が付けられております。最初は「エリートOL殺人事件」などと、和恵の事件が強調されてマスコミも大騒ぎしたのですが、ユリコの事件がチャンの仕業（しわざ）じゃないかと言われるようになってから、こう変わったのです。殺されたのはユリコが先ですが、中年娼婦が一人殺されたって、事件に名前など付きませんもの。

季節外れの台風が東京を直撃するという予報が入り、生温（なまぬる）い風がごうごうと音を立てて吹き荒れる不穏な日でした。区役所の窓から、葉っぱがちぎれそうなほど風に揺れているプラタナスの木や、駐輪場の自転車がドミノの駒のように倒れるのが見えました。気が立つと言いましょうか、何とはなしに攻撃的な荒々しい気分になる日でした。

　わたしはいつも通り、保育園の審査受付係の窓口に座っていましたが、入園希望者は来ないし、気もそぞろでした。台風の来る前に何とか家に辿り着きたいとそればかり考えていたからです。すると、目の前に年配の女の人が立ちました。地味な灰色のテーラードスーツを着て、銀縁の老眼鏡を掛けています。年の頃は五十代半ばといったところでしょうか。髪は半白で引（ひ）っ詰（つ）め、ドイツ人女性のような堅実な印象でした。この窓口は子連れの若い母親でしか賑わわないので、孫の入園相談にでも来たのかと、わたしは仕方なく気のない声をかけました。

「ご用を承りますよ」

女はぷっと吹き出しました。その歯並びに見覚えがあるような気がしました。

「あたくしがおわかりにならないの。お姉ちゃん」

顔を見ても名前が思い浮かびません。化粧気のまったくない褐色の膚をしていて、口紅ひとつ付けていないのです。化粧気のない年配の女の人は、魚の顔のように見分けが付かないものではありませんか。

「あたくし、マサミ。マサミ・ジョンソンですよ」

わたしはびっくりして声を上げました。マサミさんがこのような地味で質素な女になるとは思ってもいなかったからです。わたしの思い出の中のマサミさんは永久に、場違いな格好をしている派手な女でした。山道で光るダイヤモンド。スキー場での真っ赤な口紅。ユリコが被らされていた、もこもこの白いモヘアの帽子。小さな子が怖がりそうな、豹の顔がプリントされたブランドのTシャツ。これ見よがしの巻き舌の英語。耳障りなサ行の発音。それでもわたしは保育園のことで来たのかと思い込んでいました。書類を取り出すことで戸惑いを隠しながら言いました。

「こちらにお住まいだったなんて知らなかったです」

「住んでなんかいませんよ」マサミさんは真面目な顔で答えました。「今は横浜なんですよ。あたくし再婚しましたから」

マサミさんがジョンソンと離婚したのも知りませんでした。わたしの頭の中では、マサミさんもジョンソンも二度と会いたくない人たちだったのです。

「知りませんでした。いつ離婚したんですか」

「二十年も前よ」マサミさんは純銀らしい名刺入れから洒落た名刺を取り出して、わた

しにくれました。「今はこういうことをしてますのよ」

名刺には、個人英会話教師派遣業と書いてありました。名前もマサミ・ジョンソンから「マサミ・バサミ」となっています。

「イラン人の貿易商と再婚しましてね。あたくしはこれまでの人脈で英語の個人レッスンをコーディネイトしてますの。なかなか楽しいお仕事よ」

わたしは名刺に見入っている振りをして、ずっと考えていました。何のために、この人が二十六年ぶりにわたしのところまで出向いて来たのだろう、それもこんな天気の日に、と。不思議でなりませんでした。なのに、マサミさんは懐かしそうににこにこして、わたしの顔を眺めているのです。

「ほんとお久しぶりね、お姉ちゃん。最後にお話ししたのは、ユリコちゃんの中学のことでお電話した時かしら。かれこれ二十年以上も前のことね」

「はあ、そうですね」

「お元気でした？」

「お蔭さまで」

何がお蔭さまで、でしょう。わたしは世間的な挨拶を返しながら苦々しく思っていました。どうしてこんなところにマサミさんが現れたのか不思議でした。わざわざ個人レッスンの営業に来たわけでもないでしょうに。訝しさを隠せなくなった時、マサミさんが吐き捨てるように言ったのでした。

「あたくしと別れた後ね、ジョンソンは落ちぶれてしまったんですよ。飛ぶ鳥落とす証券マンからしがない英語教師ですもの。ユリコちゃんも殺されちゃったしねえ」

マサミさんの口調には、尋常ではない感情が籠もっていました。憎しみ。怪訝な顔をしたわたしに、マサミさんはこう言ったのです。

「ご存じなかったの、お姉ちゃん。あたくしとジョンソンが離婚したのは、ユリコちゃんのせいなのよ」

わたしは、別荘の暖炉の前で、まだ小学生のユリコを膝に寄りかからせて甘やかしていたジョンソンの顔を思い浮かべました。生真面目な表情で山道を歩いていても、声もかけられないほど端麗で厳正に見えたジョンソン。色褪せたブルージーンズと乱れた茶褐色の髪。しかし、ジョンソンの整った容貌も、ユリコの前では不完全でした。急にジョンソンとユリコの血が混ざった子供の顔かたちが想像されてきて、わたしはその妖しさに頭の芯が痺れました。ユリコは死者になってしまったというのに、わたしはまだユリコに支配されている。そのことが不快でなりません。ぼんやりしているわたしに、マサミさんは底意地の悪さを覗かせました。

「ほんとに知らなかったようね。あたくしは、あんなに可愛がって面倒を見ていたユリコちゃんに裏切られたのよ。あたくしもショックを受けてしばらく精神科に通ったほどよ。せっかくQ女子に入れたんだから、同級生に負けないように毎日豪華なお弁当も作ってあげたし、仕送りが少ないようだから、お小遣いを融通してあげたりしてね。あの

子が入っていたチアガール部の部費なんか高かったわよ。返してくれるのなら、返してほしいくらいよ」

わたしに請求するつもりなのでしょうか。わたしは慌てて頭を下げ、顔を見ないようにしました。

「ほんとに申し訳ありません」

「あなたに言っても仕方ないことですよ。あなたはユリコちゃんと仲が悪かったんだから。まあ、あの子の本性を見抜いていた分、あなたは賢かったんでしょう」

マサミさんはわたしに先見の明があると言わんばかりに褒め称えると、大ぶりのバッグの中からノートを取り出し、わたしの前に置きました。表紙に少女じみた白い百合のシールが貼られています。シールは剝がれかけて、薄汚れていました。

「これは何ですか」

「ユリコちゃんの日記というか手記よ。最後まで書いてたみたいでね。悪いけど、気味が悪かったわ。今日伺ったのは、これを返しに来たの。あなたが持っていらっしゃるのが一番いいでしょうから。どういう訳かジョンソンが持っていたんですよ。つい先日、日本語が読めないからってジョンソンがあたくしに送って来たのよ。ユリコちゃんが殺されたんで、寝覚めが悪いと思ったんでしょうけど、自分のことも書いてあるとは思わなかったのかしらね」

マサミさんは唇の両端を下げて小馬鹿にしたように言いました。地味で堅実だった印

象が、たちまち胡散臭いものに変わりました。

「お読みになったんですか」

「いいえ、全然」マサミさんは激しく首を振りました。「あたくし、他人の手記になんか興味ありませんもの。それに汚らわしいことがいっぱい書いてあるんですもの」

言うことが矛盾しているのに、マサミさんは気付きませんでした。

「じゃ、お預かりします」

「ほっとしたわ。あたくしが警察に届けるっていうのも変ですしね。もうじき裁判も始まるって言いますから気にしてましたの。じゃ、お預けしましたよ。お元気でね」

マサミさんは陽に灼けた手をわたしに向かってひらひらと振りました。そして、ちらと窓外に目を遣りました。台風の来る前に帰りたい、一刻も早くこんな縁のない土地から去りたい、ユリコに縁のある女とは話していたくない、そういう余裕のない顔をしていました。

「クレーム？」マサミさんの姿がまだ見えているのに、課長が後ろからわたしの手許を覗き込みました。「それとも何か困ったことでも」

「いいえ、違います。何でもないですから」

「そうかい。あの人、保育園とは関係なさそうだから」

わたしはとっさにユリコの手記を両手で隠しました。「連続アパート殺人事件」の公判が始まれば、わたしはまた好奇の目に晒されるのでしょう。課長もわたしが何か知っ

ているのではないかと期待しているのです。

「ならいいけどさ」

「あの、課長。今日は早引きしていいですか。すみませんけど、おじいちゃんが心配なので」

課長は何も言わずにうなずいて、窓際の自席に戻って行きました。異様な湿度のため、スニーカーの床を擦(こす)る音も今日は冴えませんでした。課長の許可を貰ったわたしは、自転車の車輪ごと持ち上げられそうな強風に必死に抗(あらが)い、急いで家に向かいました。そろそろ北風の吹く季節だというのに、湿気で膚がべたべたします。でも、この気持ち悪さは天気のせいではありません。あの劣等生のユリコが手記を残していたことが何とも不快なのでした。

小学生の時、ユリコは作文が苦手で、いつもわたしに頼んでいたくらいです。しかも、好奇心というものが欠如しているので、周囲が目に入らないのです。観察眼のない頭の悪い女が手記を書くということは、さぞかし自分勝手で自画自賛に満ちていることでしょう。ユリコに文章が書けるわけがない。絶対におかしいです。文章が苦手な女が手記など書けるものでしょうか。ユリコを騙(かた)って誰かが書いているのではないでしょうか。いったい誰なのでしょう。ああ、それにしてもこの中には何が書いてあるのでしょうか。わたしは一刻も早く、ユリコの手記を読みたくてたまりませんでした。

はい。これがユリコの手記です。正直に申し上げますが、お見せしたくはなかったです。予想通り、とても自堕落でくだらなく、恥ずかしい内容だったからです。しかも、自分のことだけでなく、わたしや母のことも嘘ばかり書いています。よくもこんないい加減なことが書けたものだと呆れました。ユリコの字に似ていますが、誰かが筆跡を真似て書いたとしか思えません。

お読みになっても、絶対に信じないでください。ほんとに全部嘘です。この手記の内容を信じないとお約束してくださるのなら、お見せします。誤字や脱字も多く、内容も意味不明のところがたくさんありましたが、わたしが直しておきました。

第三章　生まれついての娼婦――〈ユリコの手記〉

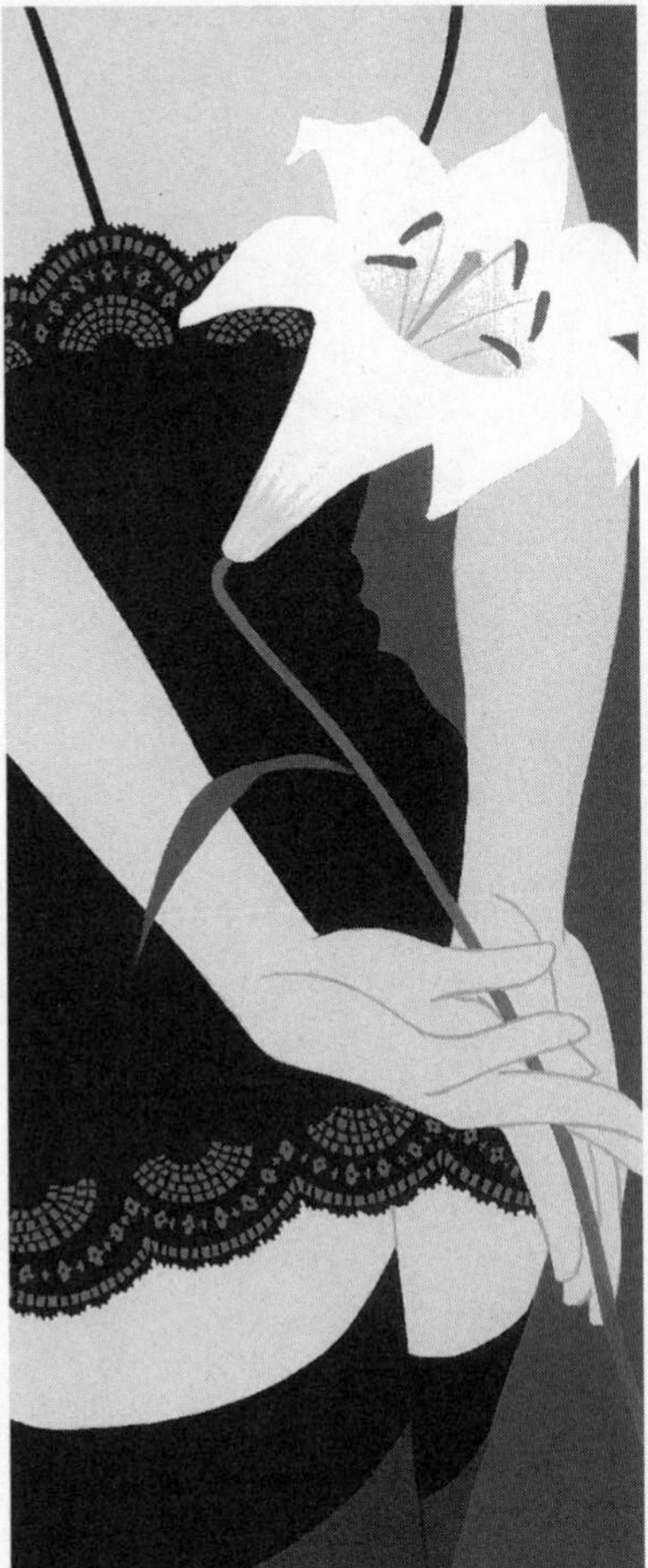

1

九月二九日

午後一時、まだ寝ていたのに電話が鳴った。客かと思って愛想よく出たら姉からだった。私からかけることはないが、姉からは週に二、三度はかかってくる。よほど暇に違いない。「忙しいからまた今度ね」と素っ気なく切ってしまったが、姉は追い縋(すが)るように「だったら、夜、電話するから」と言った。用事があるわけではないのだ。姉は私の部屋に男の気配がないか探るために電話してくる。それが証拠に、必ず最後にこう聞く。

「ねえ、今一人なの？　誰かいる気配がする」

一回だけ、ジョンソンが部屋に来てて、あれをしている最中に姉から電話がかかってきたことがあった。姉は留守電にたらたらとメッセージを吹き込んでいた。

『ユリコ、あたしです。今日はいいこと思いついたのよ。あのね、あなたとあたし、一緒に暮らしたらどうかしら。あなたの仕事とあたしの仕事と、一緒に住むことでうまくいくんじゃないかしら。だって、あたしは翻訳家だから、辞書と格闘して一日中家にいるでしょう。それでも、あたしの仕事は朝から夕方までには終わる。あなたは夜の仕事だから、あたしが仕事している間寝ていて、あたしが寝ているうちに帰って来ればいいじゃない。だったら、そんなに顔を合わせなくて済むし、家賃の倹約にもなるし、お米

だって一度にたくさん炊けば美味しいわよ。ねえ、いいアイデアじゃない。部屋はどっちがいいか、あなたの意見も聞きたいんだけどね』

ジョンソンは動きを止めて、電話に聞き入った。

「あれ、オネエチャン？」

「そうよ。懐かしいでしょ」

私は笑いをこらえて答えた。

「ボクらを結び付けてくれたオンジンだね」

ジョンソンは流暢な日本語で言って、ぷっと吹き出した。私たちはあれを中断してベッドの上で笑い転げた。

「恩人だなんて、自分で気付いてないのよ」

「彼女は翻訳家になったの？」

私は首を横に振った。姉は嘘吐きだ。複雑な性格の、醜い姉。ジョンソンは私の拒否する気配を察して口を噤んだ。そして、私の感覚を呼び戻すために、首筋に唇を這わせた。私は首を横に曲げてキスを受けながら、ジョンソンの逞しい肩に広がる褐色の雀斑を眺めている。体全体が厚ぼったくなって、美しかった髪はほとんどなくなった。ジョンソンはもう五十一歳だ。

初めて会った頃、私はまだほんの子供だったけど、この男が私を好きだということがわかった。ジョンソンは日本語ができなかったし、私も英語なんか知らなかったけど、

お互いに何を言いたいかすぐに通じ合ったのだった。

ハヤクオオキクナッテテ。

ナルカラマッテテ。

私は姉に苛められるたびにジョンソンの別荘に駆け込んだものだ。ジョンソンは、大事な仕事の電話中でも、来客と歓談していても、私の訪問を喜んで顔を輝かせた。姉でさえも、私たちにとっては功労者だ。意地悪をして、私をジョンソンの元に送り込んでくれたのだから。迷惑なのはむしろ、元エールフランスのスッチー、マサミの親切だった。ジョンソンの妻。マサミは自分より五歳年下のジョンソンに夢中で、ジョンソンの財産や社会的地位に囚われており、ジョンソンに捨てられることを死ぬほど恐れていた。だから、ジョンソンがユリコを可愛がるのなら、私もそうしなくちゃいけない、と思い込んでいた。甘いお菓子や縫いぐるみのお土産。私はマサミの化粧台に載っているレブロンのマニキュアの方が断然欲しかったのに。しかし、私はマサミの前では子供っぽく振る舞っていた。その方がいいとわかっていたのだ。

姉と大喧嘩した翌日、ジョンソンの別荘に泊まってもいいと父から許された時は嬉しかった。二人で調子に乗り、かなり際どいこともした。マサミのグラスに睡眠薬を入れて、マサミが鼾(いびき)をかいて寝ている横で、ジョンソンとひと晩抱き合って寝たこともあるし、マサミがキッチンで肉を焼いている時、背後からすっぽりとジョンソンに抱かれながらテレビを見たりした。ジョンソンの手は、ジーンズの上からだったが、私のあそこ

に置かれていたのだ。そして、私が固くなった男のものに触れさせられたのも、あの時が初めてだった。私はジョンソンが私の初めての男になるのだ、とはっきり確信したものだった。

日本の男の子は相手にならないと最初から思っていた。彼らはハーフの女の子など最初から諦めて近付いて来ない。そのくせ、集団になると手酷いいたずらをする。電車の中で男子高校生の群れに出会ったりしたら最悪だった。髪を引っ張られるくらいは我慢しなくてはならない。取り囲まれてスカートをめくられたこともある。私は幼いなりに学習したのだ。私にとってのサバイバルとは、男とどう渡り合うか、なのだと。

「そろそろ行かなきゃ授業に遅れる」

ジョンソンは苦い顔をして、私の狭いベッドからはみ出そうな大きな体をふたつに曲げて起き上がった。ジョンソンは小田急線の急行に乗って一時間以上かかる小さな町の駅前で、英会話のクラスを持っている。近所の主婦ばかり十二人も詰め込んだクラスだそうだ。

「五十一歳の英会話教師なんて人気がないんだ。みんな若くてハンサムな男がいいんだよ。なぜなら、日本で英会話を習うのは若い女の子ばっかりだからさ。ボクがあんな田舎でやってるのも、そこまで行かなきゃ生徒がいないせいだ」

マサミとの離婚訴訟で、ジョンソンは名誉も信用も財産も、それまで持っていたものを何もかも失ったのだった。外資の証券会社を馘首（かくしゅ）され、莫大な慰謝料で身ぐるみ剝が

れ、アメリカ東部の名門の親戚たちからは総スカンを食らい、私との交際を禁じられた。マサミが法廷で私とのことを洗いざらいぶちまけたからだ。

『夫は裏切り者どころか、犯罪者です。責任を持って預かっている十五歳の少女に手を出したのですから。私の目を盗んで、二人は私の家で抱き合っていたのです。長い間、どうして気付かなかったかとおっしゃるのですか。だって、私はその子のことを気にかけ、とても可愛がっていたのですから、そんな想像なんかできるわけがありません。私は夫にも、その子にも裏切られたのです。今の私の心境がおわかりいただけますか』

その後、マサミはどうやってその場を押さえたか、私とジョンソンがどんな下品な行為をしていたかを微に入り細をうがって報告したのだ。マサミの発言の子細さは、聞いていた裁判官や弁護士まで赤面させたほどだという。私が当時のことを思い出していると、着替えを済ませたジョンソンが私の頰に優しくキスした。私たちはふざけて挨拶した。

「じゃあね。ダーリン」

「ハニー。またね」

私も店に出勤する時間になった。私はシャワーでジョンソンの汗や体液を流しながら、私とジョンソンの不思議な運命について考えている。あんなに望んだのに、ジョンソンは私の最初の男にはならなかった。その理由は、私には人より淫蕩な血が流れているからなのだ。私の最初の男は、父の弟カールだった。

2

今になって気が付いたのだが、少女時代の私は、大人の男の興味を惹く何かが過剰に備わっていたのだとしか思えない。ロリータ・コンプレックスと言われるものを喚起する魔力を強く持っていたのだ。が、残酷なことに、私が大人になるにつれてその魔力は失われていった。それでも、二十代はまだよかった。人並み外れた美貌という武器があったのだから。三十六歳の私は、歳の割にはまあまあ美しいだけの安っぽいホステスで、時には娼婦になる。そう、私はすべての意味で醜くなった。

あらゆる年齢の男が驚嘆や崇拝の眼差しで私を眺め、何とか口をきこうとして必死になったり、知り合うきっかけはないか、と頭を巡らす様子を見る喜び。私の滑らかな皮膚や艶のある髪や膨らみかけている胸をうっとりと眺めては、その様を誰かに観察されてはいないだろうかと慌てて周囲を窺う男たちの弱みを見る優越。少女の私には、男が求める神性のようなものが備わっていたのだ。美少女。その魔力が失われてどんどん平凡になっていくこと、それが私の成長だったのだ。

だが、私の淫蕩な血は男を求めてやまない。平凡になっても、醜くなっても、歳を取っても、生きている限り、永久に男を求め続けなくてはならないのが私の運命。男が私を見て驚嘆しなくても、欲しがらなくても、軽蔑しても、私はたくさんの男と交わらな

くてはならない。いや、交わりたいのだ。それが、誰も持ち得なかった神性への罰なのだ。だとしたら、私の魔力というのは、罪に近いものだったのだろうか。

叔父のカールは、息子アンリを連れて、ベルンの空港に私たちを迎えに来ていた。気温はまだ零下の三月初めのことだった。カールは黒いコート、アンリは黄色いダウンジャケットを着て、柔らかそうな薄い口髭を生やしていた。カールは金髪で痩せている私の父とは、全然似ていなかった。黒髪で厳つい体。しかもアーモンド型の上がり目をしており、髪の黒さと相俟って東洋人のようにも見えた。カールは父と抱き合って再会を喜んでから、母の手を握った。

「ようこそ。歓迎しますよ。妻が早く家に遊びに来てほしいと言ってます」

母は曖昧にうなずいて、カールの手から素早く自分の手を抜き去った。カールは困惑した表情を隠せないまま私に向き直り、顔を見てわずかに後退った。その時、私にはわかったのだ。カールはジョンソンと同じだ、と。

ジョンソンと私が出会ったのは、私が十二歳で、ジョンソンは二十七歳の時だった。だから、「ハヤクオオキクナッテ」というジョンソンの心の声は伝わってきても、すぐに応えることはできなかったが、カールと会った私は十五歳になろうとしていた。カールの眼差しの奥にある淫らさをちゃんと理解したし、応えてもいいと思ったのだった。

私は真っ先に年齢の近いアンリと仲良くなった。二十歳のアンリは、私をいろいろな

場所に連れ歩いた。映画館、カフェ、仲間の溜まり場。友達に、「その子は誰」と聞かれると、「従妹さ。手を出すなよ」と答えるのだ。そのうち、私はアンリと出かけるのが面倒臭くなってきた。アンリは年齢より幼稚で、東洋人とのハーフの美しい私をただ見せびらかしたいだけなのだから。

私は不思議なことに気付いた。私が歳の近いアンリや学生に魅力を感じないのと同様、彼らにも私は、大人の男たちに対するような神通力を持つことができないのだった。彼らにとって、私は神性などまったくない、一人の女の子に過ぎない。ちやほやされても、男の目に現れる大きな衝撃を得ることはできないのだ。それがつまらなくて、私は何とかカールと二人きりになる方法を考えた。

ある日の午後、私は約束の時間を間違えた振りをして、学校の帰りにアンリの家に寄った。その時間なら、アンリはまだ工場にいるのを知っていた。叔母のイボンヌはパン屋のパート、アンリの妹は高校に行っているから不在だということも。そして父の話から、昼過ぎに自宅でカールが税理士と打ち合わせをすることも承知の上だった。訪ねて来た私を見て、カールは驚いた顔をした。

「アンリは三時過ぎなくては戻らない」

「あら、じゃ時間を間違えたんだわ。どうしよう」

「入って待つかい。コーヒーでも淹れてあげよう」

その声が震えているのを、私は聞き逃さなかった。

「でも、お邪魔じゃないですか」

「いいんだ。ちょうど終わった」

カールは私を居間に請じ入れた。会計事務所から来た税理士が立ち上がったところだった。布製の質素なソファに腰掛けていると、カールがコーヒーと叔母の焼いたクッキーを持って来た。叔母のクッキーはやたら甘いだけで美味しくなかった。

「学校は慣れたようだね」

「ええ、叔父さん」

「言葉も不自由なさそうだ」

「アンリに教わったの」

工場にいる時はいつもジーンズを穿いて作業しているカールは、その日、白いシャツに灰色のズボンを穿き、黒いベルトをしていた。ビジネスマンのような装いは似合わなかったが、四十五歳のカールの体は緩んでいない。カールは私の向かい側に座り、制服のミニスカートから伸びた私の脚に目を遣ったり、顔を眺めたりしてそわそわしていた。気詰まりで退屈だった。私はカールをどうにかしようと考えた自分が愚かしく思えてきた。腕時計を眺めた途端、カールが掠れ声で言った。

「自分がアンリみたいに若かったらと思うよ」

「どうして」

「ユリコが魅力的だから。今まで会ったことがない」

「日本人の血が入っているから？」

「ああ。初めて会った時にショックを受けた」

「私、叔父さん好きだわ」

「いけないことだよ」

「何がいけないの」

カールはまるで高校生のように赤くなった。私は立ち上がって、ジョンソンとよくしたみたいに、カールの膝の上に座って肩に手を回した。固くなったあれがお尻に当たった。ジョンソンと同じ。あんな固くて長い物が本当に私の中に入るのだろうか。きっと痛いだろう。「あっ」。想像した途端に思わず声が洩れた。それが合図だった。カールはいきなり私の唇を忙しなく吸った。震える手でもどかしく外される制服のブラウスのボタンやスカートのホック。靴もソックスもその辺りに投げ捨てられた。

私を下着姿にしたカールは、抱き上げて寝室に連れて行った。私はカール夫妻の頑丈な樫のベッドで処女を失ったのだ。その行為は予想よりも遥かに痛みを伴ったが、私は初めてにしては容易に快楽を得、自分はこのことが好きでたまらなくなるだろうと確信したのだった。

「ああ、こんな子供を。それも姪と間違いを犯すなんて」

カールは私を突き飛ばすようにして身を離すと、苦しげにつぶやいて両手で顔を覆った。何が悪いのだろう、こんな素敵なことなのに。私は悔恨に暮れるカールが急に現実

に戻ってしまったようで物足りなくなった。でも、カールも同様に失望していたのだ。私は、カールの眼差しの中にあった畏れや憧れが、私を抱いた後に消滅したのを感じた。私を抱いた男たちは、皆が皆、何かを失ったような虚ろな表情をすることに気付いたのは、この時だった。だとしたら、私は永遠に新しい男を求めていなくてはならない。今、私が娼婦という仕事をしているのもそのせいなのだ。

カールとはその後も何度か、家族の目を盗んで会った。何度目かの時、カールは学校帰りの私をルノーに乗せ、後ろも見ずに走りだした。行く先は山の麓にあるカールの友人の山荘だった。季節外れで誰も使っていない家は薄暗く、水も湯も出なかった。私たちは、絨毯を汚さないために敷いた新聞紙の上でワインを飲み、パン屑を気にしながらサラミ・サンドイッチを食べた。そして、裸にされた私は、白い覆いの掛かったダブルベッドでいろんなポーズを取らされた。カールが一眼レフのカメラで撮影したのだ。カールがやっと私を抱き寄せた時、私の心は体同様、冷え切っていた。

「寒いわ、叔父さん」

「我慢しなさい」

カールは、姪である私の体をいたぶり続けた。神性など、寝てしまえばあっという間に消え去る。性の相手でしかなくなった私は、私を崇めたはずの男たちに時々こういう目に遭わされた。

性の前では血の繋がりなど、あってないのだと私は思った。しかし、私たちは血縁な

のだ。私たちの関係を絶対に知られたくない人物が、カールの兄であり、私の父である以上、禁忌からは逃れられない。カールは私を抱いた後、必ず怯えた。

「兄貴がこのことを知ったら、俺は殺されるだろう」

男たちは、男同士で作ったルールに生きている。そのルールの中では、女はそれぞれの男に属する物でしかない。娘は父に、妻は夫に。女の欲望の存在など、男たちにとっては厄介ではあるものの、どうでもいいことなのだ。欲望の主体は常に男にあるのだから。手出ししたり、手出しされるのを防いだり。さしずめ私は、一族の男に手出しされた女。男たちのルールでは、あってはならない禁忌。だからこそ、カールは怯えたのだ。私は、誰の所有物にもなりたくないと思った。なぜなら、私の欲望は男たちが守れるほど、ささやかではないからだ。

しかし、その日のカールは普段と少し違っていた。父の悪口を言ったのだ。

「兄貴は触れ込みと違うよ。経理なんか明るくないんだ。そのことを指摘すると、怒鳴る。それに、あいつの女房に対する態度も許せない。まるで家政婦のように扱っているじゃないか」

母の方から家政婦でいることを望んでいる、と言ったところで、カールには理解できないだろう。母はスイスに来てから、日本人であることに拘(こだわ)るようになっていった。毎日、高価な日本食を作り、誰も食べないから余らせては冷凍庫に保存する。冷凍庫の中には、ひじきの煮物や肉じゃがやきんぴらなどが入ったタッパーが所狭しと並んでいた。

私はそれらが母の鬱屈（うっくつ）を表していると感じられて、薄気味悪かった。

「叔父さんはお父さんが嫌いなの？」

「大嫌いだよ。ここだけの話だが、あいつはトルコ人の女と出来ているんだ。俺にはわかってる。あいつは黒い髪と黒い瞳が好きなのさ」

その女性はドイツから出稼ぎに来ている工場労働者で、父に夢中なことを隠そうともせずにいつも熱く見つめているのだという。

「お母さんが知ったらどうするかしら」

カールは悲痛な顔をした。自分たちのことも母に知られたら大変なことになる、と悩んでいるのは明白だった。私とカール、父とトルコ人女性。母に隠すべきことが多過ぎた。誰もが皆、母には話しかけなくなったし、誘わなくなっていた。母に知られたくない秘密があるだけでなく、母が言葉を覚えようとせず、いつまでも自分の殻から出て来ないせいもあった。

「あの人には絶対に知られたくないね」

「私は知られてもいい」

カールは驚愕して私の顔を見た。私は目を背けて、山荘の暗い天井を眺めた。

母は私を憎んでいた。私という、自分に似ても似つかない子供を産んだことに戸惑い、整理できないままに生きている。それは私が成長してからの方が強くなった。そして、スイスに引っ越したことで決定的になった。家族の中で母だけが東洋人だからだ。従っ

て、母の思いは西洋人に近い私より日本に置いてきた姉の方に向かったのだ。母は始終こう言って気にかけていた。

「あの子が心配だわ。私に捨てられたと思っているんじゃないかしら」

姉は捨てられていない。私こそが母に捨てられた子供だった。誰にも似ていなくて、存在自体を疎まれた子供。私を求めるのは男たちだけだ。男に欲されることによって、初めて存在する意味を持てた私。だから、私は永遠に男を欲する。宿題よりも何よりも、先にするのは男との逢い引き。それは男たちが私が今ここに生きていることを証明してくれるからだ。


ある夜、私たちは遅く帰った。アパートの前だと車を見られる恐れがある、とカールは私を裏通りで降ろした。私は暗い道を一人でとぼとぼ歩いて家に帰り着いた。玄関の鍵を開けてアパートの部屋に入ると、まだ十時過ぎなのに真っ暗なので不審に思った。キッチンを覗いても料理した気配がない。母が日本の総菜を作らない日はなかった。変だと思って、寝室のドアをかすかに開けて中を見たが、薄暗くした部屋で母が寝ている様子だったので私は声をかけずにそっとドアを閉めた。

三十分後、父が帰って来た時、私はお風呂でカールにさんざん触られた体を洗っていた。バスルームのドアが激しくノックされ、私はカールとの情事がばれたのかと慌てたのだが、そうではなかった。父は母の様子がおかしいと私に言いに来たのだった。胸騒

ぎがした。私は寝室に駆けつけながら、母はとっくに死んだんだと心の中で思っていた。日本では、父の顔色を窺って姉の味方なんか一度もしたことがなかったのに、スイスでは姉のことを気にかける母。私は母のこういう弱さを軽蔑していた。また、母の怠惰が嫌だった。

こんなことがあった。私のクラスメートが数人遊びに来た時、母はキッチンからなかなか現れなかった。紹介するからと私が手を引っ張ると、母は私の手を振り切って背を向けた。

「私のことはお手伝いだと言いなさい。あなたとあまりにも似ていないから、説明するのが面倒臭い」

面倒臭い。これが母の口癖だった。ドイツ語を覚えるのは面倒臭い、新しいことをするのは面倒臭い。馴染めないベルンで戸惑った母は、急速に人格を崩壊させていった。でも、母が死のうと思ったきっかけなんてわからない。いつでも死にたいと思っている人物の背中をひょいと押すのは、些細な出来事なのだ。上手に出来なかった混ぜご飯とか、納豆の値段の高さとか。あるいはトルコ人の女性のこととか、カールと私の情事とか。私はそれが何かなんて知りたいとも思わなかった。それほどまでに、母に対する好奇心は綺麗さっぱり失せていたのだ。

でも、これだけは確かだ。父もカールも、母の死に安堵した一面があること。そして、母が自分たちの罪を知って死んだのではないかという恐怖や自責の念と戦いながら、こ

れからの人生を生きるのだということ。

しかし、私が生まれたのは、大人たちの勝手な所業の産物でしかない。スイス人の父が日本人の母と作った奇蹟の子供。私の責任じゃないのに、背負っていくのは私。そのことで手一杯の私は、さらに母の死の責任など絶対に負いたくはなかった。

だから、父がトルコ人女性を家に入れた時、私はむしろほっとして日本への帰国を主張したのだった。私を嫌う姉とは会わなければいいのだ。それに日本では、香港勤務を終えたジョンソンが、私の帰りを待っている。ジョンソンの家に何とか入れないだろうか。処女でなくなった私は、ジョンソンとあれをしてみたくてたまらなかった。私はきっとニンフォマニアなのだろう。

3

ニンフォマニアの私にとって、娼婦は天職でもあるし、絶対に向いていない職業でもある。私は相手がどんなに粗暴な男でも、醜くても、あの瞬間だけは好きになることができるし、あらゆる恥ずかしい要求にも応えられる。むしろ、相手が変態であればあるほど、好きになれるかもしれない。相手に応えられるという自分の能力を存分に実感できるからだ。

これは私の美点だが、大いなる欠陥でもある。私は男を拒絶できない、ヴァギナのよ

うに。その意味で、私は女そのものなのだ。私を求める男を拒絶することは、私が私でいられなくなることだ。

しかし、いちいち気をやっていれば身が保たない。心と体が大きく引き裂かれているのに娼婦を続けるのだとしたら、いずれ破滅がやってくるのは間違いなかった。破滅がどんなものか想像したことは何度もある。心臓麻痺で倒れるか、悪い病を得て苦しむか、そして男に殺されるか、この三つだ。怖くないはずはない。でも、やめられないのだから、私という人間は女である自分に滅ぼされるのだろう。

その日を意識して、私はこのノートを書こうと決意した。日記でもなければ、手記でもない私だけの記録。ここに書いた内容はひとつも創作した箇所はない。創作だけは、私の能力にないのだ。誰が読むのか知らないが、いつも机の上に出しておこうと思う、「ジョンソンへ」とメモを添えて。私の部屋の鍵を持っているのは、ジョンソンしかいないのだから。

ジョンソンは月に四、五回、部屋に通って来る。私が金を取らない唯一の相手。これほど長く継続した関係もジョンソンだけだ。ジョンソンを愛しているのかと聞かれれば、そうだとも言えるし、そうではないとも言えるし、私にはわからない。ただ、ジョンソンが私の何かを支えていることは確かだ。もしかしたら、父という存在への渇望？そうかもしれない。ジョンソンは私を愛することをやめないからだ、父親のごとく。だが、私の本当の父親は、私を愛さなかった。いや、愛することを中断した。

父に帰国したいと告げた時を思い出す。母が死んで一週間ほど経った深夜のことだった。キッチンの蛇口から始終、水がぽたぽた落ちる音が聞こえていた。母が死んだ途端に蛇口が緩んだのか、あるいは元々緩かった栓を母が強い力で締め上げていたのか、急に水が滴り落ちるようになっていた。私は母が「私はここにいる」と主張しているみたいで怖くてならなかったものだ。しかも、いくら頼んでも多忙を理由に配管工は来なかった。私も父も、水音がするたびにぎょっとして台所を振り返った。

「お前が日本に帰りたいのは私のせいか」

父は私の目を見ないで聞いた。父はトルコ人の女性（なぜかウルスラというドイツ風の名だった）を家に入れたことに負い目を持っていたに違いない。が、一方で、警察に通報までした私に怒っていた。怒りを感じた時点で、父は心の中で私と母を捨て去り、ウルスラを選び取ったことになる。

私が警察に連絡したのは、単なる感情的反応に過ぎない。母の亡骸（なきがら）があるのに、妊娠させた女を連れて来るという神経。でも、私が父を疑ったことは一度とてない。父は犯罪に手を染めるほど、強くはないのだ。犯罪を犯すだけのはみ出た大きな欲望も持たない。そんな父が母の崩壊していく様を間近で見ていれば、たえられずに逃げ出すのは当たり前だった。そして逃げた先の女が困っているとなると、背負い込まざるを得なかったのだろう。父は小心だった。

「お父さんのせいというより、私の考えよ」

「どういうことだ」

父は困惑して目を上げた。薄いブルーの瞳が弱り切っていた。

「ここにいたくない」

「ウルスラがいるからか」

父は声を潜めた。ウルスラは隣の客用ベッドルームで眠っていた。切迫流産しそうで、絶対安静を命じられていたのだった。ウルスラはブレーメンから一人で働きに来ている労働者だし、父は長期入院させられる金を持っていなかった。

「ウルスラのせいじゃないわ」

ウルスラは父以上に母の死に怯え、苦しんでいた。自分が原因で母が自殺したと思っていたのだ。私とたったの三歳違い。話してみれば、子供のような素直さと単純さを併せ持っていた。私が、ウルスラに対しては怒っていない、母の死とあなたの存在とは無関係だ、と告げただけで驚喜したほどなのだから。私の返事に父は安心したように息を吐いた。が、視線はまだ疑いを秘めていた。

「それならいいけど、お前は私が罪深いから許せないのかと思ったよ」

罪深いのは私も同じだった。だが、私はカールとの不倫と母の死とで急激に大人になっていた。

「許すとか許さないとかの問題じゃないの。私は日本に帰りたいの」

「どうして」

ジョンソンに会いたいから、という理由だけではなかったように思う。私は母を愛していた。母がいないのなら、スイスに残っても仕方がないのだった。

不思議なことに、外見は西洋人の父の血をより多く受け継いだくせに、私は母親の性格を有していた。他人をすべて受け容れ、他人を鏡にして自分の存在を知るというところが。そして、スイス人の父からはまったくと言っていいほど美しさを貰わなかった姉は、父の性格に近いものを持っていた。自分本位。意地悪な観察眼。分厚い防御壁。そして姉は母にそっくりの外見をしている。この皮肉。家族の仲が良ければ笑い話で済むのに、我が家では互いの憎しみをかき立てる原因だった。

私は幼い時から、姉の視線に晒され続けてきた。遊びでも勉強でも、姉はいつも私を見張り、することなすことすべてに口出しし、私を支配しようとした。私たち姉妹は、容貌が異なるだけでなく、その性格も激しく違っていたのだ。いや、外見が隔たっているからこそ、性格も異なって作られたのだ。

今でも父の山小屋での事件は、私の心に黒い染みのような憎しみをもたらしていた。私は真っ暗な冬の山道を五分以上も歩いてジョンソンの別荘に戻ったのだから。姉が同じ目に遭わされたのなら、私を呪い殺しかねない。さすがの父も怒り、姉を打（ぶ）った。姉が私を心底憎んでいるのだと、あの日に思い知らされた。

「お母さんが死んだのなら、ここにいても意味がないもの」

「なるほど。じゃ、日本人として生きることを選んだんだね」父は痛ましそうに口籠もった。「お前の顔では苦労するかもしれないよ」

「だって、私は日本人だもの」

この時、私の運命は決まったも同然だった。あの湿気の多い国で日本人として暮らす。ガイジンガイジンと子供たちに指さされたり、ハーフの人は綺麗だけどすぐ老けるわね、などと陰で言われ、男子高校生にいたずらされたりしながら。だから、私も姉のように防御の壁を厚くする必要があった。自分ではできない私は、その壁がジョンソンであるべきだと考えた。

「どこに行くんだ。おじいちゃんと一緒に暮らすのか」

祖父は姉に奪われた。姉はいったん手に入れたものは決して他人に渡さない。両腕で囲って、祖父と自分の住まいに私を入れてはくれないだろう。

「ジョンソンさんのところで下宿させてくれるって」

「あのアメリカ人か」父は苦々しい顔をした。「悪くはないが、金がかかる」

「下宿代は要らないそうよ。だから、お願い」

私の請願に、父は首を縦に振らなかった。

「お姉ちゃんには許したのに」

父は諦めた風に肩を竦めた。

「あの子は私に懐かなかった」

それは二人が似通っているからだ。私たちは黙り込んだ。沈黙の最中、ぽたっと蛇口から水が落ちた。父はその音にたえかねたかのように叫んだ。

「わかった。帰りなさい」

「お父さんはウルスラと楽しく暮らすといいわ」

捨て台詞のつもりで言ったのではなかったが、父は悲しげな顔をした。

翌朝、私は学校をさぼってジョンソンの会社に電話をかけた。父の許可は得られたものの、実はジョンソンと話していなかったのだ。ジョンソンは私からの電話に喜んだ。

「ユリコ、懐かしいね。東京勤務になったから会えると思ったのに、入れ違いでスイスに帰ったというのでがっかりしてたんだよ。皆さん、元気かな」

「母が自殺したの。父は新しい女の人と暮らすと言っている。私は日本に帰りたいんだけど帰る場所がないの。日本に残った姉は一緒に住みたくないって言ってるし。困ったわ」

決して同情を引こうとしたのではない。私はジョンソンを誘おうとしていた。たった十五歳の少女が三十歳の男を誘惑したのだ。ジョンソンは息を呑み、それからこういう提案をした。

「だったら、家に来るといい。別荘の時と同じさ。お姉ちゃんに苛められた子はうちに避難してくれればいいんだ。いつまででもいていいよ」

私は胸を撫で下ろしながらも、マサミのことを聞いた。赤ん坊でも産まれていたら、居辛いかもしれない。

「でも、マサミさんは何て言うかしら」

「マサミも歓迎するよ。それは約束する。マサミは可愛いユリコが大好きなんだ。ところで学校はどうするの」

「まだ決まってないの」

「だったら、マサミに探させるよ。ユリコ、一緒に暮らそう」

ジョンソンの囁きは、誘惑に応えた男のものだった。私はほっとしてソファに横になった。不意に視線を感じて目を上げると、ウルスラが私を見つめていた。ウィンク。言葉は通じないが、私の電話の調子からウルスラは本能的に何かを感じ取ったのだった。私はうなずいて笑った。あなたと同じよ。これからは私も男の世話になって生きていく。ウルスラは微笑むと素早い身ごなしで寝室に消えた。蛇口の水音はその日を境にぷっつりとしなくなった。きっとウルスラが力任せに締めたのだろう。父がいない時、ウルスラは飛ぶように歩く。絶対安静だなんて嘘のように。

私はタンスの引出しを開けた。父から来たクリスマスカードが束ねて入っていた。一番上に去年のクリスマスカード。晩婚だったアンリがようやく結婚式を挙げた時に一族で撮った写真をカードに仕立てたものだった。父とウルスラと三人の息子。カールとイ

ボンヌ、アンリとその妻と娘二人。アンリの妹はイギリスに行ったので写っていない。

私はカールの姿を凝視する。ベルンを出てから、一度も会っていない私の最初の男。カールはでっぷりと肥え、豊かな黒髪が真っ白になっていた。六十六歳。私はこの老人と本当に寝たのだろうか。

帰国する前日の午後、父が工場にいるのを見計らって、カールがこっそり会いにやって来た。カールは縫いぐるみや人形の転がる私の部屋で、私の唇を長く吸った。

「ユリコと会えなくなるのは悲しいよ。私のために残ってくれないのか」

カールの目には焦りがあった。そして安堵も。私の帰国も母の死同様、後悔の念と等分の解放感をカールに与えているに違いなかった。

「私も悲しいけど駄目なの」

「ねえ、今できないかな」

カールはジーンズのベルトを外しかけている。

「ウルスラがいるわ」

「いいよ。聞こえやしない」

カールは、ベッドの上の、まだ片付け切れていない縫いぐるみを床に払い落として、狭いベッドに私を押し倒した。体重をかけられると身動きができない。ノックの音と同時に声がした。

「ウルスラよ」

慌てて立ち上がり服装を直すカールを待たずに、私はドアを大きく開けた。ウルスラがにやにや笑っている。カールは乱れた髪を手で押さえて、誤魔化すために窓から外を眺めた。通りの向こう側にはカールの靴下工場がある。

「なあに、ウルスラ」

「ユリコ、縫いぐるみの要らないのがあったら、私にちょうだい」

「いいわ、あげる。好きなの持っていって」

「ありがとう」

ウルスラは床に散らばったコアラやテディベアを拾い上げ、不思議そうにカールを見遣った。

「社長。どうしたんですか」

「ユリコに別れの挨拶に来たんだよ」

そう、とウルスラは私の目を見ながらウィンクした。私とウルスラは共犯だった。ウルスラが出て行った後、カールは諦めた様子でジーンズの尻ポケットから封筒を取り出した。開けると、私の裸の写真と金が少々入っていた。

「綺麗だろ。記念にと思って。金は餞別だから受け取って」

「ありがとう。カールはこの写真をどこにしまっているの」

「工場の机の裏に貼り付けた」カールはそう言って、真剣な顔をした。「金を貯めて日

本に行くよ」

だが、カールは一度も日本に来たことはない。私も滅多に思い出さない。最初の男は最初の客でもあったのだ。私は写真をまだ持っていた。友人の別荘でカールが撮った物だ。私は寒さに凍り付いた表情で、「裸のマハ」のようなポーズを取らされてレンズを見ている。シーツの上に横たわった青白い膚の私。広い額。ふっくらした唇。見開かれた瞳には、今の私にはないものがある。男に対する恐れと憧れ。どうしてこんな目に遭わされるのかという不安。今の私は、恐れも憧れも、不安もない。

私は化粧をするために鏡の前に座った。映っているのは、三十五歳を過ぎてから急激に老けた私。目尻の皺や口許のたるみはファウンデーションを何度塗っても隠せなくなっていたし、丸みを帯びてずんぐりした体型は父の母親にそっくりだった。年齢を重ねてやっと、私は自分の中にある西洋人の血を意識する。

最初はモデル、次に美しい外人ホステスしかいないクラブに長く勤めた。高級コールガールと呼ばれたこともある。そして高級クラブ。いずれも普通のサラリーマンは入れない店だ。胸を大きく開けたドレスを着るのに躊躇(ためら)うようになった時から、私はもっと安いクラブに転落し、さらに人妻と熟女専門の店にと移らざるを得なかった。しかも、安い金で身を売ることに精を出した。収入が減ったからだけではない。ついさっき、私は男に欲されることにのみ、存在する意味を見出せると書いた。だとすると、私は転落

したのではなくて、この世に生きている意味を、もっともっと求めるようになったのだろう。私は鏡を覗き込みながら、輪郭の少しぼやけた目許に黒いアイラインを太く引いた。商売用の派手な顔を作るために。

4

姉は夜また電話をすると言っていた。その前に部屋を出たい。辛気臭い声を聞くのはご免だ。

『ユリコ、今何してるの』

姉こそ何をしているのだろう。怪しげな仕事を次々と替える姉は、理想の職業があって、それを目指してでもいるというのか。まさか、娼婦ではあるまい。私は鏡の前で笑いをこらえた。できるものならやってごらん。素晴らしさと同じだけの虚しさを抱える職業。これがあなたにできるか。私は十五歳から娼婦なんだよ。私は男なしじゃやっていけないのに、最大の敵も男なのだ。男に壊され、女である自分自身に滅ぼされる女。お姉ちゃんは十五歳の時、しこしこ勉強するだけの中学生だったじゃないか。

不意に疑問が浮かんだ。もしかすると、姉は処女かもしれない。娼婦の妹と処女の姉。いくら何でも出来過ぎだった。が、私は好奇心を抑え切れなくなり、電話のプッシュボタンを押していた。

「もしもし、もしもし。誰。ユリコ？　もしもし。ね、誰」

コールが一度鳴っただけですぐに電話は取られた。もしもしもしもし。滅多に鳴らない電話をかけてきたのは誰か、と姉が必死に相手を知ろうとしている。姉の孤独がびりびりと伝わってきて、私は受話器を取り落としていた。受話器は姉の声を響かせながら、転がった。姉が処女だろうと、同性愛者だろうと、もう私の知ったことではない。

私は受話器を戻し、店に何を着ていこうかと考え始めた。1LDKの部屋。押入れを改造したクローゼットに、たいした服はない。六本木の外国人ホステスばかりの店に勤めていた時は、豪華な衣装をたくさん持っていた。一着百万近いヴァレンチノやシャネルのドレス。数百万以上の着物。取っ替え引っ替え美しい服を纏って、ガラス玉のように無造作にダイヤモンドを付け、歩くこともできない華奢な金のサンダルを履く。足の指に口づけしたがる客のために、私はいつも素足で店に出た。歩くことなど、ほとんどなかった。マンションから店までタクシー。帰りは客の車に乗せられてホテルへ。ホテルからタクシー。私の筋肉は男と寝るためだけにあった。

だが、転落と同時に、私の服はその辺で売っている安物になった。絹から化繊、カシミヤの代わりに混紡のウール。そして、不摂生によって、いくら手入れをしても落ちない贅肉をあちこちに付けた脚は、バーゲンで買ったストッキングにくるまれている。

一番変わったのは客層だった。最初の店では芸能人や作家、青年実業家と自称する怪しげな連中、一流企業の社長クラス、外国人のＶＩＰ。次の店では、企業の金を自由に

使えるビジネスマンが主だった客。そして次のランクでは安月給のサラリーマンたち。現在、私の相手は、その手の女が好きな変わり者か、金のない男だけとなった。「その手」とはゲテモノを指す。この世には、荒みきった美や隆盛の残滓だけを好む者もいるのだ。

　怪物的な美貌を持ち、怪物的に淫蕩な私は、今や本物の怪物になろうとしている。年齢と共に凄惨さを加味して。何度も書くが、侘しいとは思わない。これが美少女だった私の真の姿なのだ。さぞかし、姉も私の落魄を楽しんでいることだろう。だから、それを確かめるために始終電話をかけてくるのかもしれない。

　ジョンソンとの話を書いておかねばならない。

　成田空港で私を出迎えたのは、緊張した面持ちのジョンソンと、対照的に陽気なマサミだった。ジョンソンは平日ということもあってダークスーツに真っ白なシャツ、レジメンタルタイを締め、神経質そうに人さし指を唇に当てて細かく叩いていた。私の初めて見る姿だった。マサミは陽灼けした膚を引き立てるためか、白い麻のドレスにゴールドのアクセサリーを満艦飾に付けていた。耳、首、腕、指。が、目尻の真っ黒なアイラインは太過ぎて、マサミの表情を曖昧なものにしていた。笑っているのか、怒っているのか。真面目なのか、おどけているのか。だからマサミが化粧をした時は、私はマサミの言葉ではなく、マサミの目許を窺って判断するようになった。その時のマサミは大袈

裟に喜んでみせた。

「ユリコちゃん、久しぶりね。まあ、あなた、大きくなってえ」

オオキクナッテ。

オオキクナッタ。

私はジョンソンと目を合わせた。十五歳の私は、小学生の頃より身長が二十センチ以上は伸びていた。百七十センチ、五十キロ。そして、もう処女ではない。ジョンソンは軽く私を抱擁した。その体はかすかに震えていた。

「また会えて嬉しいよ」

「ジョンソンさん、ありがとうございます」

ジョンソンは「マークと呼んで」と言ったが、私にはジョンソンの方がしっくりした。馬鹿ジョンソン。姉が意地悪く呼び捨てるたびごとに、私は「いいジョンソン」と口の中で返していたのだ。それは私なりの弁護だったのだ。

「お姉ちゃんは来てないのかしら」

マサミは不審な顔で空港を見回した。来るわけがなかった。知らせていないのだから。

「知らせる暇がなかったんです。それにおじいちゃんが具合悪くなったって」

「そうそう」マサミは私の答えを聞いてなかった。嬉しそうに私の腕を摑む。「午後から編入試験があるのよ。急いで帰らなくちゃ。あなた、Q学園中等部の帰国子女枠を受けるのよ。通うのにも便利だし、Qならあたくしも鼻が高いわ。試験に間に合ってよか

ったこと」

Q学園と言えば、姉と同じ。私はそんなところに行きたくなかった。だが、見栄っ張りのマサミは私をそこに捻じ込もうとしているのだ。私は助けを求めるようにジョンソンを見上げたが、ジョンソンは首を振った。

ソノクライハ、ガマンシナサイ。

『我慢しなさい』。叔父のカールが私を撮影している時に吐いた台詞と同じだった。私は唇を噛み締め、マサミに手を取られてマサミの運転してきた大型ベンツの後部座席に押し込められた。並んで座ったベージュの革シートで、私はジョンソンの太股が、ジーンズを穿いた私の太股に当たるのを感じた。そこだけ熱くなる。別荘での出来事。ジョンソンと私だけの秘密。愉しみを再発見した私の目は躍っていたはずだ。私はいとも簡単に次の喜びを見出していたからだ。人生は思うようにならないが、心の中は自由なのだ、と。

途中でジョンソンは車から降りて会社に戻った。私はマサミに連れられて、港区にあるQ学園の中等部校舎に向かった。古い石造りの建物が正面にあり、両翼に近代的な校舎が広がっていた。高等部は右側のウイングだという。私は思わず姉の姿を探していた。三月に別れたのだから、四カ月以上会っていなかった。もし、私がQ学園に入ることになったら、姉はきっと落胆し、かつ激しく怒ることだろう。私と別れたいがために猛勉強してQ女子高に合格したのだから。私は姉の魂胆などとっくに見抜いていた。苦笑す

ると、マサミが感にたえたように言った。

「ユリコちゃん、スマイル、スマイル。あなたのスマイルってほんとに綺麗。そうやって笑っていたら、絶対合格よ。ペーパーテストなんて形だけになっちゃうわよ。だって、あなたのことずっと見ていたいもの。あたくしの入社試験も凄い倍率だったけど、笑顔の素敵な子から採られたわ」

スチュワーデスと、帰国子女の試験が同じだとは思えなかったが、面倒臭くなった私はいつも微笑んでいることにした。だが、受かったとしても、私までがQ学園に通うことになったら、父はおそらく費用を工面できないだろう。だとしたら、学費の大半はジョンソンが負担することになる。私は、これは娼婦の仕事に近いと考えた。娼婦は体を金で売る。行き場をなくした中学生の私は、ジョンソンに私自身を売る、生活費と学費とで。同じことではないだろうか。

帰国子女枠を受ける受験生は十人近くいた。皆、海外赴任していたビジネスマンの子供だった。ハーフは私一人。試験の出来は最悪だった。私は勉強熱心じゃないし、英語もドイツ語も日常会話程度で語彙などほとんどないに等しい。この分では、姉と同窓になりそうもなかった。ジョンソンは無駄な出費をしなくてもいいだろう。私は気が楽になった。

最後に面接があった。やっと私の順番がきて二階の教室に入った時、私はひどくくた

びれて、微笑するのをとっくに忘れていた。無理もなかった。丸一日飛行機に乗って、到着した途端に休む間もなく、編入試験を受けさせられている。ベルンの冷涼な空気に比べ、東京の七月は蒸し暑かった。ただでさえ時差ボケで眠気が襲ってくるのを振り払いながら、私は席に着いて欠伸(あくび)を我慢した。

正面には面接官の教師が三人並んでいた。両脇が年配の女性で、一人は外国人女性だった。真ん中は三十代後半の男性教師。三人は、私の書類に目を通し、なかなか顔を上げなかった。私は退屈してあちこち見回した。窓から青い水を湛(たた)えた五十メートルプールが見えた。黒い水着を着た水泳部らしき生徒たちが黙々と平泳ぎで往復している。今、この瞬間、泳げたら嬉しいのに。私は暑さと疲労とで気が遠くなりかけた。

必死にこらえて、黒板の横の広い水槽に目を遣った。ガラスの内側に一匹のカタツムリがへばりついていた。カタツムリのぬめりを帯びた軌跡がガラスに付いて外光に反射する。水槽の底には乾いた木片や砂が敷いてあった。干し椎茸みたいなドーム型の甲羅をした大きなリクガメがのっそり現れた。カメは意外な速さで首を伸ばし、カタツムリを一瞬のうちに食べてしまった。途中で切れた軌跡。カメの口の中で砕ける殻。私は気分が悪くなった。

「大丈夫ですか」

女性教師の呼びかけに気付いた私は、慌てて席から立ち上がってしまった。教師は労(いたわ)るように優しく言った。

「座っていいんですよ」

「すみません。疲れていて」

真ん中の男性教師が私を凝視した。整髪料で後ろに撫で付けているために顔の半分が額に見える。メタルフレームの小さな眼鏡が、顔によく似合っていた。白いポロシャツの上に紺のブレザーを羽織り、左手の薬指に結婚指輪をしていた。私は微笑するのも忘れて、教師のポロシャツのボタンの辺りにぽつりと付いた、小さなインクの染みを見つめていた。

「あなた、このカメの種類知ってますか」

「リクガメですか」

「そうです。珍しいでしょう。マダガスカル産なんですよ」

真ん中の教師が笑いかけた。私がうなずくと、面接はそれで終わりだった。後でわかったことだが、真ん中の教師は生物を教えている木島という男だった。試験の成績が悪かったにも拘わらず、私は学年主任の木島に気に入られてQ学園に入学できたのだった、リクガメを知っていただけで。いや、違う。木島は私自身を気に入ったのだ。リクガメは単なる口実に過ぎない。

その夜、私は疲労で熱を出した。私のために用意された部屋は、西麻布の税務署裏にあるジョンソンの邸宅の二階の端っこだった。カーテンもベッドカバーもクッションも、部屋の布製品はリバティプリントで統一されていた。マサミの趣味なのだろう。インテ

リアに何の興味も持たない私はうるさく思ったが、それどころではなかった。私はベッドに入ると同時に深く眠った。夜中に人の気配で目を覚ました。Tシャツにパジャマのズボンという格好のジョンソンが私の枕元に立っていた。ジョンソンは低い声で聞いた。

「ユリコ、具合は」

「疲れただけです」

ジョンソンは長身を屈めて、私の耳許で囁いた。

「早く元気になって。やっと捕まえたんだから」

ツカマエル。私はリクガメに食べられたカタツムリを思い出し、身震いした。口の中で砕ける殻。私は水槽に入れられたカタツムリでもあるのだ。男に食べ尽くされる女。この運命を享受しない限り、幸福にはなれないだろう。またしても、心の中の自由、という言葉が脳裏に浮かんだ。私は十五歳にして、一気に老女になったのだった。

翌朝、Q学園中等部から合格の報せが届いた。マサミは喜んでジョンソンの会社に電話をかけた後、上機嫌で振り向いた。

「合格したことお姉ちゃんにも教えてあげなきゃ」

私は素直に祖父の家の電話番号をマサミに告げた。いずれ姉には会わなくてはならなかった。日本に残されたたった二人の姉妹なのだから。そうは思っても、姉が私を嫌う以上に、私も姉が嫌いだった。似ていない二人。コインの表と裏。姉は私が想像した通りの反応をした。

「万が一学校で私に会っても、絶対に声をかけないでよ。あんたはちやほやされていい気になってるでしょうけど、私は必死に生きているんだからね」

必死なのは私とて同じだった。が、姉に説明したところで仕方がない。私は言葉を呑んだ。

「ふん、運のいい奴」

「おじいちゃんに会いたいんだけど」

「おじいちゃんは会いたくないってさ。あんたのこと大嫌いなんだもの。あんたは気韻がないって言ってた。狂がないって。園芸だって」

「キインって何」

「馬鹿。あんたってＩＱ50くらいしかないんじゃないの」

姉との会話はこれでお終いだった。学校で会っても姉は知らん顔していたし、私は高校三年で退学したからＱ学園との縁も切れた。姉ともしばらく会う機会がなかった。なのに、最近は姉からの電話が多い。いったい姉に何が起きたのかと訝しく思う。

何の縁もない他人の家に預けられる子供。いや、私は自分から進んで預かってもらった子供だったわけだが、その子供がどんな目に遭うか、姉は考えたことがないのだろう。姉は血縁である祖父と暮らしているのだから。小さい時に数回会っただけだが、私はどこか地に足が着いていないようなふわふわした祖父が好きだった。その祖父を姉に取られた以上、私はたった一人きりで生きていかねばならなくなった。

ハーフの私は、元々どこにも誰にも所属できない不安感を心の中に持っていた。両親が愛し合ってさえいれば、その懐に抱かれて安心したのかもしれないが、両親には子供の不安感を解消するだけの愛情が不足していた。だから、私はさっさと両親に見切りを付けた姉が羨ましかったのだ。私の新しい家族は、時々山小屋に行った時に顔を合わせただけのジョンソン夫妻。ジョンソンが私を欲しているだけの繋がり。この危うさの中で生きる私の気持ちが姉に理解できるはずはない。

5

一〇月三日

昨夜、店で若い客にしつこく同じ質問をされた。鳶職仲間とやって来た客はまだ二十代で、ニッカーボッカーを穿いた両脚を大きく広げて座り、周囲を眺めては熟女専門の店に好奇心だけで入ったことを激しく後悔している風だった。

「あんた、どうしてそんな顔してるの」

「どこか変かしら」

「変だよ。整形に失敗した顔みたいだ」

客はそう言って、自分の言葉に笑った。

「私は生まれつきこうよ。生まれつき失敗してるの」

客は口籠もり、横を向いた。私の容貌に、客は落ち着かないものを感じるのだろうか。それとも、私の内部で崩壊し始めている私の核とでもいうようなものが、とろとろと流れ出して、すでに私の全身を覆っているのかもしれない。私はいつの間にか、綺麗にマニキュアした左手の中指の爪を噛んでいた。小学校四年まで、私は爪を噛む癖があったのだ。母にいくら注意されても直らなかった癖。歯にマニキュアの滓(かす)が付いた。私は指で歯に付いた滓を摘み取り、しげしげと眺めた。不気味なものを見た、という怯えた顔で客が凝視しているのに気付き、私はこの店も長くはないなと思った。さらなる「転落」が私を待っている。

私は幼児の頃からいつも、母の目を覗き込んでいた。私は誰に似たの、という不安を解消するためだった。母とは顔が違う。髪の色も質も違う。膚の色合いが違う。体型も違う。そっくりなのは、目の色だけだった。私は茶がかった母の目を見ていると安心した。だが、ある日、母は似ているのは目だけではない、と言った。

「だって、あなたの指はおばあちゃんにそっくりだもの」

母は私の手を取って優しく撫でてくれた。母の指は短くて爪が小さく、子供のようなちんまりした手だった。私とはちっとも似ていない。でも、会ったこともないし、話にもほとんど出ないけれども、母の母親に似ているというのなら、その血は確実に私にも流れていることになる。嬉しくなった私は、指を大事にしようとその日から爪を噛むの

をやめたのだった。そして、祖母に会いたいとねだった。

「おばあちゃんと会いたいわ。おじいちゃんと一緒にいるんでしょう」

「もういないのよ」

「どこに行ったら会えるの」

「おばあちゃんは天国」

私はがっかりして尋ねた。

「どうして天国に行っちゃったの」

「あのねえ。おばあちゃんは下町の方を流れている大きな川に落っこちちゃったのよ。そして溺れて死んじゃったの」

「どうして落っこちちゃったの」

「さあ、どうしてかしらねえ」

母は遠くを見る目をして、話を打ち切りたがった。知っているのに教えてくれないのだと私は感じた。口を噤んだ大人からは、決して真実を知ることはできない。子供の私は落胆し、川が大嫌いになった。それは今でもそうだ。ボートに乗るのも怖いし、橋を渡らなくてはならない時は下を見ないようにして小走りになる。

「あんたはその川の橋のたもとから拾って来たんだって」

話を横で聞いていた姉が口を出した。そんな嘘を言うもんじゃない、と母が姉を叱るのを横目で見ながら、私は蒼白になった。本当はそうだったのかもしれない、と思うと

足元が揺れて、暗い地の底に落ちる気がした。その夜、帰宅した父親に私はこっそり尋ねた。

「お父さん、私は本当にお母さんの子なの」

父は血相を変えて怒鳴った。父はすぐ怒るのだった。

「誰がそんなことを言った」

私が姉に橋のたもとから拾って来たと言われたことを告げたら、父はすぐさま姉を呼び付けた。

「妹に作り話を言うなんて。恥を知りなさい。罪深いと認めなさい」

姉は小さな声でごめんなさい、と父親に謝り、私の方をちらと振り返って舌を出した。後で、私と姉は大喧嘩をした。姉が私を二段ベッドの下段に突き飛ばした。いつでもいい方を取る姉は下段だった。私は姉の掛け布団の上にごろんと仰向けに転がって、壁に頭をぶつけた。

「告げ口屋。あんたなんて大嫌い」

私は急いで起き上がった。

「お姉ちゃんの意地悪。嘘吐き」

「嘘じゃないもん、ほんとだもん。あんたはお母さんに全然似てないもん」

「お姉ちゃんだってお父さんに似てないじゃない。お姉ちゃんの方が橋のたもとから拾われたんだよ」

今度は姉の顔が蒼白になる番だった。姉は悔しそうにしばらくうつむいて黙っていたが、顔を上げて私にこう言った。

「何も知らないみたいだから、あたしが本当のことを教えてあげる。みんな可哀相に思って言わないだけなんだから。あたしは、あんたがお風呂屋さんの脱衣籠に入れられて橋の下で泣いているところをおじいちゃんとおばあちゃんが見付けて拾って来たって聞いているわ。これはほんとよ。その脱衣籠にはたった三枚のおしめと汚れたベビー服が入っていて、手紙が付いていたんだって。手紙には『この子の名前はユリコ。誰か拾った方は育ててください　生みの母親より』って書いてあったの。おじいちゃんとおばあちゃんはそれを読んで、うちのお母さんにあげることに決めたんだって。お母さんは、あたし一人しかいないから、もう一人妹がいてもいいと思ったそうよ」

「ダツイカゴって何」

「馬鹿じゃないの。あんたは」姉は軽蔑したように笑った。姉は私より言葉をよく知っていた。「脱いだ洋服を入れる大きな籠よ。スキーの帰りに温泉に寄ると、たくさんあるじゃない。あれよ」

私は愕然として泣きだした。姉の嘘の具体性に負けたのだった。創作は姉の得意技だったのに、私はまんまと騙されてしまった。

「ユリコってその時から付いていた名前だったの」

「そうよ」

姉は勝ち誇って答えた。

「でも、お父さんはリリーが好きだから、ユリコにしたって私に言ったことがある」

姉は一瞬たじろいだ顔をしたが、すぐに反撃に出た。

「嘘よ。辻褄(つじつま)を合わせたのよ。あんたも知ってるでしょう。お父さんが理屈っぽいってことは」

私は力なく二段ベッドの梯子を上り、布団に潜り込んで泣いた。それでも腑に落ちないことがある。私はベッドから下を覗き込んで姉に聞いた。

「じゃ、お姉ちゃんの本当のお父さんはどこにいるの。全然似てないじゃない」

姉からの返事はなかった。姉はその答えを、今でも必死に創作しているに違いない。

実は、帰国してから、たった一度だけ祖父に会いに行ったことがある。八月の異様に暑い日だった。真っ青な空の裾には白い入道雲がもくもくと湧き、その下半分はいずれ来る夕立を告げるかのように黒みを帯びていた。私は住所を書いた紙を握り、マサミに教えてもらった通り、電車に乗った。祖父の住む公団住宅は、JRの高架線駅からバスで二十分くらいのところにあるという。バス停で降りた私は、目の前に広がる堤防を見て困ったことになったと思った。祖母の死んだ川だ、と直感したのだった。私とそっくりの指をした人が死んで流された川なのだ。私は怯えて、祖父の家に行こうか行くまいか、考え込んでいた。

堤防に、若い女が立って川を見下ろしていた。姉だ。後ろ姿だけでわかった。見覚えのあるノースリーブのブラウスを着ていた。私の視線を感じたのか、姉が振り向いた。私は物陰に隠れて、覗き見た。たった五カ月会わなかっただけなのに、姉は前にも増して母そっくりに見えた。丸い顔と小さな口許。少し出気味の歯。私はどういう訳か腹立たしかった。母に似ている姉が羨ましかったのだ。姉は私が化け物だと幼い頃から苛めてきたが、私には美しい外見などどうでもよかった。それより、姉のように母に似ていて、血が繋がっていることを目で確認できる方が重要だった。その日、祖父に会いに来たのも、もしかすると姉妹喧嘩の原因になった拾い子の話を確かめたいと思ったからかもしれない。

私は姉に見付からないように祖父の家に向かった。何棟も並んだ薄茶色の高層住宅群とその周りの低い家並み。子供たちは遊具のない公園で遊び、老人は日陰のベンチでお喋りしている。その雰囲気は、私の住んでいたベルンの下町に似ていた。でも、私が歩いて行くと、子供たちは皆驚いた顔で囁き合った。ガイジンガイジン。ベンチに座っている老女に祖父のことを尋ねた。

「日本語喋るんだね、よかった」怖々(こわごわ)と耳を傾けた老女はほっとしたように言って、目の前の公団の端っこの部屋を指さした。「あの盆栽のたくさんある家だよ」

見上げたベランダには所狭しと鉢植えが置いてあった。物干し竿には姉のものらしい白いTシャツと祖父のパジャマが干してある。私は姉の帰る前に祖父に会いたい、と階

段を駆け上った。

「ごめんください」

「開いてるよ。どうぞ」

ステテコ一枚で寝転がっていたらしい祖父は私の顔を見て慌てて起き上がり、ズボンを穿こうとして蹴躓(けつまず)いた。小さな家の中は、まるで植物園のように盆栽の鉢に覆われていた。祖父は想像していたよりも小柄な老人で、舌なめずりする癖はこ狡(ずる)そうにも見えた。

「どちらさんで」

「おじいちゃん、ユリコです」

「ユリコちゃんかあ」祖父は意外な顔をした。「いやあ、すっかり大人になっちゃって誰かわからなかった。いつ帰って来たの」

「二週間前。お姉ちゃんから聞いてないの」

祖父は首を横に振った。祖父の目から、見る見る涙が溢れ出た。

「お母さん、可哀相だったねえ。だけど、あれでしょ。やっぱ水が合わないっていうか、外国に行ったのがまずかったんでしょう。あんたのお父さんも再婚するっていうし、娘も立つ瀬ないよね」

私は父を責められている気がして黙った。そう言われてしまえば父が哀れにも思え、しかも、叔父のカールと関係した自分も哀れに思えた。私の中の淫蕩な血は、いずれ私

を滅ぼす。そんな予感がして、私は沈黙した。

「入んなさいよ。あの子ももうじき帰って来ると思うから」

祖父は壁に掛かった古い時計を眺めた。

「お姉ちゃんとは学校で会うからいいです」

「Q学園に入ったの、ユリコちゃんも？　へえ、それは凄い。優秀な姉妹だね」

祖父は私を請じ入れながら、口の中で何度も、凄いね凄いね、と繰り返していた。麦茶を出してくれた祖父の顔を私はまじまじと見つめた。

「別嬪さんだね。こりゃ、姿のいい五葉の松だ」

「おじいちゃん、キインて何。キインがないから、おじいちゃんは私のこと嫌いだって本当？」

はて、と祖父は首を傾げた。その様子から、私は姉の得意の創作に違いないと気付き、このままドアに鍵を掛けて姉を閉め出したくなった。が、部屋の中はきちんと片付いて、居間の隅に姉の机が置いてあった。もう私の入る余地はない、と諦めた。

「おじいちゃん、聞きたいことがあるの」

「何だろ」

祖父は落ち着かない様子でそわそわした。きっと、他人に面と向かって尋ねられるのが苦手な人なのだと私は思った。

「あのね、私は橋のたもとから拾われたって嘘でしょう」

「嘘、嘘」祖父は歯の抜けた顔であははと笑った。「何だ、ユリコちゃん。子供っぽいねえ。そんなこと言ってどうするの。こんなに立派になったのに」

「じゃ、おばあちゃんはどうして死んじゃったの」

祖父はさっと顔色を変えた。気弱な目になる。

「おばあちゃんか。あの日は今日みたいにすごく暑い日でさ。この辺もまだ埋め立ててなかったんだ。おばあちゃんは暑いから急に泳ぎたくなったって言って、皆が止めたのにざぶざぶ水の中に入って行ったってさ。なあに、魔でも差したんだろう」

私はQ学園の編入試験を受けた時のことを思い出した。面接のために座っていた教室から見えたプール。何もかも忘れて泳ぎたくなった瞬間。きっと、おばあちゃんも同じ気持ちだったのかもしれない。人生は自分の思うようにならない、心の中にしか自由はない。私は立ち上がった。

「わかった。じゃ、もういいです」

「ちょっと待ちなよ、ユリコちゃん」

祖父が私の肩に手をかけた。背が低いので、祖父は背伸びした。

「なあに」

「ユリコちゃんは誰と暮らすことになったの。お父さんがアパートでも借りてくれたのかい」

「ジョンソンて人のおうちにいるの。昔、うちの山小屋の側に別荘を持っていた人」

「あの子もそこに行きたくはないのかなあ」

祖父は心配そうに言った。姉が離れていくのが心配なのだ。姉に新しい家族が出来たことを知って、私は衝撃を受けた。

「大丈夫よ、おじいちゃん」

「そうか、よかった。じゃ、元気でね。あんたは女優にでもなると成功するよ」

祖父とは、それきり会っていない。

6

私を引き取った時、マサミは三十五歳、ジョンソンより五歳年上だった。マサミは、ジョンソンの世話を焼き、ジョンソンの愛情を保持することに命を懸けていた。私はジョンソンのお気に入りなのだから、とマサミはジョンソンに見せつけるように私の面倒を見た。万が一、粗相があれば、愛が冷めるかもしれないと思ったのだろう。

私はマサミが意に添わないことをしても、決してジョンソンに訴えなかった。たとえ訴えたとしても、ジョンソンはマサミを怒らなかっただろう。皆、私の主体性などどうでもよかったのだ。私はジョンソンの家で、子供のいないマサミの愛玩物として、ジョンソンの玩弄物としての存在でしかなかったのだから。

辛い境遇だったかと言われれば、そうでもない。私は他人の玩具となるべくして生ま

れたのだ。男にとっては性愛の玩具、姉にとっては苛める玩具。姉は始終、私を気紛れで飼っているひ弱な動物のように扱ったものだ。関心が失せて顧みない日が続いたかと思うと、急にしつこく苛めたり、と。マサミとジョンソンには苛められたことはないが、褒めそやされた経験もない。私は他人と一緒の時は主体性を押し潰す訓練をとっくに始めていたのだ。まるで玩具の人形のような私を、誰が心の底から大事に思ってくれるというのだろうか。

私は、マサミが買ってくれた服を嬉しがって着なければならなかった。それがフリルの付いた甘いピンクの服でも、やたらロゴが目立つ気恥ずかしいブランド品でも、人が振り向くような奇抜な服でも。マサミは私に目立つ格好をさせては、擦れ違う人々の視線を追って楽しんだ。

しかし、どうしてか下着や靴下は買ってくれた例しがない。マサミはジョンソンの目に留まる物しか買う必要がないと思っていたのだ。そのため、私は少ない小遣いを遣り繰りして身の回りの物を買うのに疲れ、時々、声をかける男に付いて行っては金を貰った。

援助交際。当時はそんな言葉もなく、私は単に自分を商品化していたに過ぎない。私に声をかける男は、ほとんどがカールのような中年男だった。が、カールよりは金を持っており、中学生の私と寝ても、罪の意識を微塵も感じない人たちばかりだったので気楽だった。

マサミは私には御しやすい人間だった。綺麗なお嬢さんね、と母親面して喜ぶ。ユリコさんには自己主張がない、と保護者面談で言われた時は、「母親の自殺という酷い目に遭ってますからね」と篤志家気取りで釈明した。Ｑ学園の友達が遊びに来ると、スチュワーデス時代を思い出して、ファーストクラス並みのサービスで歓待した。私が素直でいさえすれば、それで万事めでたしなのだった。

私はマサミの作った食事をすべて美味しいと言って食べた。雪のようにシュガーパウダーを振りかけたドーナツも、週一回習いに行くこってりしたフランス料理も、前日の夜から作る、これ見よがしに盛り付けられたずしりと重い弁当も。嫌だとは思わなかった。何度も言うが、心の中は自由なのだ。だから私はジョンソンと一緒になってマサミを欺くことに、生き甲斐を感じたのかもしれない。

ジョンソンは忠実で愛情深い夫を演じるのが上手だった。マサミと一緒にいる時は常に手を取り、腰を抱く。食事の後は必ず片付けを手伝う。週末の夜は、私を残して二人で食事に出かけた。そんな日は必ず二人っきりで寝室に閉じ籠もる。マサミは私とジョンソンの関係を露ほども疑っていなかったと思う、あのことが起きるまでは。

ジョンソンがいつ私と愛し合っていたのかと言うと、早朝だった。マサミは低血圧のために起きられないので、朝食を作るのはジョンソンの役目だったのだ。ジョンソンがまだ眠っている私の隣に静かに入って来る。私はまだ覚醒していない体をジョンソンにまさぐられるのが好きだった。目覚めはゆっくりと指や髪の毛の先から始まる。そして

体の中心まで来ると、今度は逆に燃え盛って始末に負えなくなり、神経の末端にその炎が広がるまで気が済まなくなる。行為が終わるやいなや、ジョンソンは私の髪を撫でて言った。

「ユリコ、もう大きくならないで」

「私が大きくなったら嫌いになるの？」

「わからない。だけど、今のユリコが一番好きだ」

だが、私は成長した。Q女子高に進学する頃には、背はもう伸びなくなったが、胸が大きくなって腰がくびれ、少女というより若い女の体に急速に変化を遂げたのだった。少女でなくなった私は、ジョンソンに飽きられるのではないかと心配した。ところが逆だった。ジョンソンは夜中から私の部屋に通って来るようになった。私の体が欲しくて我慢できないのだ。徹底的にダイエットをしているマサミの肉体は、流行のドレスは似合っても、ジョンソンの欲求を満たしてはいなかったのだった。

女として完成しつつあった私の肉体は、中年男ばかりか、若い男にも狙われるようになった。通学の途中、私は何度も声をかけられた。でも、私は誰も拒まなかった。私の意志は心の中にしかない。それは決して外に出ない。

夏休みが終わって新学期になり、私はQ学園中等部に初めて登校した。中等部三年東組。担任を紹介されても、私は驚かなかった。生物教師の学年主任、木島だったからだ。

木島も私が欲しいのだろう。私は木島の欲望を見抜いた心を隠し、いつものぼんやりした顔で挨拶した。私は自分の顔が、精神の欠落を表すほど美しいのだ、と気付いていた。糊のきいた白衣をきちんと着た木島は、私の顔を食い入るように眺めて言った。

「早く慣れて、Q学園の生活を楽しんでください。わからないことがあったら、何でも私に聞いて」

私はメタルフレームの中で光る木島の目を見返した。木島は怖じたように後退り、目を背けながら聞いた。

「あなた、お姉さんが女子高に在籍してるって本当?」

私はうなずき、姉の名を告げた。木島はすぐにも高等部に私の姉を見に行くことだろう。そして、姉が私と似ていないことに落胆し、あるいは不審に思い、さらに私の欠落を探そうとするだろう。姉が私と違う容貌を持っていることで、私たち姉妹は他人に好奇の念を抱かせるのだった。

その朝、ホームルームが終わると、男子生徒も女子生徒も（Q学園は高等部から別学になる）、好奇心を剝き出しにして私の周りに寄って来た。私は小学生のような彼らの素直さに驚いた。育ちがいいということは、疑問と本音を対象にまっすぐぶつける無遠慮さを彼らに与えるのだった。

「どうしてそんなに綺麗なの」と、真顔で尋ねる男子生徒。

「陶器のお人形の膚みたい」と、私の頰を手の甲でそっと撫でる女の子。「マイセンの

お人形ってこんな色なのよ」

私の手と自分の手とを重ね合わせてみる子。髪に触れる子。可愛いと叫んで、私を抱き締めようとする女子生徒もいた。教室の後ろに固まって、熱っぽく私を見つめ続ける男子生徒たち。でも、少年たちはどんなに粋がっても、皆子供っぽく見えた。

私は、この学校では子供の振りをしてやって行こうと決心した。面接の日、十五歳なのに心が老女となってしまった私は、ずっと子供として生きていかねばならないのだ。だが、私には育ちのよさが与えた特権的好奇心や無遠慮さはない。いっそ口をきくのをやめよう。横を向いて、私は誰にも知られないように大きな溜息を吐いた。

顔を上げると、斜め前に座っている短髪の男子生徒と目が合った。眉の辺りに老成の翳りとひねくれた気配があった。そして、批判する目。少年の名もキジマだった。担任の息子。

キジマは私を欲しがらない初めての男だ、と私は直感した。私を嫌いな二番目の人間。一番目は勿論、姉だ。姉やキジマの前での私は、何の存在意義も持たない人間となる。私は自分を欲する人間によって、生きている実感を得ている存在なのだから。私はキジマの視線をゆっくりと剝がした。あなたの父親は私を欲して、私をこの学校に入れたのよ。だから、私がここにいる責任はすべてあなたの父親にある。キジマにそう言ってやりたかった。滅多に他人に対して向けられない私の主体性は、この時初めてベクトルの矢を得たのだった。

偶然にも、私の教室は面接を受けた部屋だった。黒板の横の水槽にいるリクガメ。カタツムリを食べたリクガメは、今日ものっそりと水槽を歩き回って餌を探している。私はリクガメにマークと名付けた。ジョンソンのことだ。

昼休みになった。級友たちは皆でどこかに出て行き、なかなか帰って来なかった。私は一人でマサミの作った弁当を食べた。が、食べても食べても弁当はなくならなかった。私は教室を見回して、ゴミ箱の在り処を探した。

「豪華なお弁当だね。パーティでもする気？」

頭上から声がした。小さくカールした髪を茶色に染めた女の子が、私の弁当を覗き込んでいる。その子は、弁当箱から一片のムースを指で摘んで口に入れようとしたが、ムースは崩れて机の上に落ちた。海老やブラックオリーブを入れた美しいムースゼリーは、哀れにも九月の陽気で溶けかかっていたのだった。その子はオリーブを拾って食べた。

「ちょっとしょっぱいね」

私は女の子の髪の生え際を眺めた。茶色に染めた髪の根本から、元の黒い毛が見えていた。黒い髪を持つ日本人。姉と同じ種族。唐突に、私はウルスラを思い出した。ウルスラはこの子と同じ美しい巻き毛を持っている。ウルスラは今日も水道の蛇口を締め上げていることだろう。

「よかったらもっと食べて」

「要らない。美味しくないもの」

私は笑うのを見られないようにうつむいた。他人からは、その子の言葉に傷付いたように見えただろう。だが、私は、マサミがどんなに衝撃を受けるだろうと想像しておかしかったのだ。

その子は杢美(もくみ)という奇妙な名前の子で、皆にモックと呼ばれていた。有名な醤油会社の社長の娘で、誰よりも無遠慮という特権を手にしている子供だった。

「あなたのお父さんって白人なの」

「そうよ」

「ハーフだとそんなに綺麗になるのなら、あたしもハーフを産むよ」モックは真面目な口調で言った。「でも、あなたのお姉さんは全然綺麗じゃないね。クラス全員でさっき高等部に行って見て来たの。本当のお姉さんなの？」

「そうよ」

モックは断りなく私の弁当箱の蓋を閉めた。

「信じられないね。あたしたちが見に行ったら、すごく嫌な顔してた。ブスだし、感じの悪い人だよ。あなたに相応しくない。はっきり言って、あなたにもがっかりした」

姉の存在は、私を時々こういう目に遭わせた。周囲の人間は私を見てはあれこれ勝手に想像するのだ。「ジェニーちゃん」や「リカちゃん」のように、立派なおうちに住んでいて、素敵なパパと綺麗なママがいて、ハンサムなお兄さんと美しいお姉さんに守られて、と。ところが、無愛想で似ていない姉を見て、私という存在にも幻滅する。そし

て、私は軽侮され、皆の玩具となるのだ。

私は教室を見回した。朝、あれほど興奮した級友たちが戻って来て席に着き始めたところだった。誰も私の方を見ようとはしない。モックがはっきり告げたように、私という謎の存在にひとつの答えが出されたのだろう。胡散臭い奴だ、と。

その時、私の机の上に何かが当たって転がった。丸めた小さな紙だった。私はそれを拾って制服のポケットに入れた。誰が投げたのだろうか。通路を隔てた隣は、真面目な女子生徒で、英語の教科書を広げていた。その前のキジマが振り向いて私を見た。キジマだったのか。私は紙切れをポケットから出してキジマに投げ返した。文面は読まなくてもわかっていた。姉を見に行ったキジマは、私を同類と見て取ったのだ。

放課後、モックが来て、有無を言わさず、私の腕を引っ張った。

「一緒に来て。あなたを先輩に見せるって約束したの」

モックは私と同じくらいの背丈だった。図々しいと思わせるほど姿勢がよく、幼い頃から人に大事に扱われるのに慣れていた。モックに手を引かれて廊下に出ると、綺麗に陽灼けしたポニーテールの高校生が立っていた。目は細いが口の大きな顔立ちは派手で、自信に満ち溢れていた。

「あなたがユリコね。私はチアガール部部長の中西。うちにぜひ入ってくれない」

「チアガールなんて、やったことないんですが」

私はクラブ活動というものに興味を感じたことは一度もなかった。金がない、という理由もあったが、集団で何かをする快楽など持てないからだ。

「すぐできるようになるよ。あなたなら花形になれるし、高校も大学も喜ぶ」

喜ぶ。すでに玩具化が始まっていた。

「自信がありません」

中西は私の言葉を聞き流し、制服のスカートから出ている私の脚を眺めた。

「脚が綺麗で長いんだね。あなた、完璧な容貌しているんだから、皆に見せてあげなくちゃ」

頭の中でジョンソンの言葉が繰り返された。ユリコはパーフェクト、あそこもパーフェクト。カタツムリを食べるリクガメ。

「チアガール部の部長自らスカウトに来て、断った人はいないよ」

中西の後ろにいるモックが威圧するように言った。反応の鈍い私に苛立ったのか唇を歪(ゆが)めている。分厚い唇にはピンクのリップグロスが光っていた。それでも黙っていると、モックは小さく笑った。

「ユリコって、もしかして頭悪い人？」

中西がモックを小突く。

「モック。言い過ぎ」

「だって、綺麗過ぎるもん。これで頭よかったら許せないじゃん」

中西がモックの語尾に、言葉を被せた。

「突然だから戸惑ったんでしょう。少し時間をあげるから考えておいて。十月には試合がたくさん控えているから、うちも忙しいのよ」

部長はモックを従えて帰って行った。高校生の部長が来たというので、あちこちから「先輩」という幼い声がかかった。政治とも言えないへつらい。私は面倒が嫌いだった。ジョンソンに頼んで医者の診断書でも手に入れようかと考えたが、ジョンソンは私のチアガール姿を喜ぶに決まっている。私の前に大きな影が立ち塞がった。キジマだった。

「お前、何で俺の手紙を読みもしないで突っ返したんだよ」

7

キジマは、男にしては繊細で美しい顔立ちをしていた。切れ味のよい刃物のような鋭い目に、薄い鼻梁。だが、私の美貌が私自身の知性や意志を隠してしまうのと同様、キジマも整った容貌で損をしているところがあった。不足と過多を感じさせる美しい外見。実際、キジマは何かが欠けて何かが過剰だった。おそらくは、自尊心と自意識とでもいったものが。そして、そのアンバランスさがキジマを貧しく、賢しらに見せていた。

「お前、何で答えない」

キジマは怒りで唇を歪めた。級友に囲まれた私は終始、曖昧な微笑でうなずいたり、

簡単な返事をしたり、受け身で素直だった。その私がキジマだけには頑として答えない。キジマはそのことに苛立ったのだろう。

「知らない人にお前なんて言われたくないもの」

私に拒絶の意志があることを知って、キジマは侮蔑の笑みを浮かべた。

「あなた様って言われたいか。俺はお前が馬鹿だって知ってるって言いたかったんだ。オヤジが持って帰った書類をこっそり見た。お前は到底Q学園に受かるレベルの頭じゃなかった。薄馬鹿だけど、顔がやたら綺麗だから受かったのさ。そのこと知ってるか」

「誰が入れたの」

「学校が」

「違う、学校じゃないわ。私を入れたのはあなたの父親、木島先生だよ」

私の言葉に衝撃を受けて、キジマは細い長身を撓めて後退った。私が逆らう意志を表す人間は姉だけだったが、今ここにもう一人増えたのだった。

「あなたのお父さんは私が気に入っているんだよ。おうちに帰って聞いてみたら？　あなたもお父さんが担任の先生だなんて可哀相だね」

キジマは両手をポケットに入れてうつむき、落ち着きなく貧乏揺すりをした。まったく似ていない姉の存在が、私のイメージを損なうように、キジマも自分の父親が担任ということで信用を失ったり、噂話が耳に入らなかったり、と教室での立場が危ういのだ。私とキジマは境遇が似ていた。しばらく考え込んでいたキジマは、やがて顔を上げ、答

えがわかったという勝ち誇った表情をした。

「うちは蝶や昆虫の標本だらけだ。オヤジは生物教師だからな、お前という生物が珍しくて入れたのさ。珍種だもの」

「あなたもお父さんに入れてもらったの？　珍しくもないのに」

キジマの急所を突いた手応えがあった。キジマの美しい顔がさっと紅潮し、それから怒りで青白くなった。

「みんな、そう思ってるんだな。俺が勉強できないと思って」

「思ってるんでしょうね。世間なんてそんなものよ」

「お前は世間か」

「あなたは世間じゃないの？　私の姉を見て、他の子と一緒に馬鹿にしたでしょう」

キジマは言葉を喉に詰まらせたような顔をした。私は従来、姉みたいに攻撃的な人間ではない。なのに、キジマにははっきりと怒りの意志を伝えているのはどういう訳だろう。理由は簡単だった。キジマが姉と同じく、私を嫌うせいだ。だから、私もキジマを嫌う。私は男に乞われれば拒んだことは一度もない。どんな男に対しても、欲せられた瞬間に、私の体にも心にも欲望が満ちた。だが、キジマに対してだけは欲望が湧かなかった。キジマはこの一点で、私の生涯を通じても稀(まれ)な男だった。キジマは同性愛者なのかもしれないという疑いを持ったのは、かなり後になってからだった。

「それよっか、さっきの手紙をどうして突っ返したんだ。俺がお前にラブレターを書い

たと思ったのか。男なら皆、お前を好きになると思っているんだろう」

「まさか。そんなこと思っていない」私はジョンソンの真似をして肩を竦めた。「あなたはどうせ、私の成績のことを書いたんでしょう」

「なんでわかる」

私は首を傾げて、言い捨てた。

「あなたが嫌いだから」

初めての学校、たった半日で態度を変えた級友、私を玩具として欲しがる学友たち。あまりのわかりやすさに、私はこのQ学園の中で生きることを面白く感じていた。立ち竦んでいるキジマを残したまま、廊下を足早に歩きだした私の前に、好奇心に満ちた顔が現れては消えた。行く先々の教室の窓から、生徒たちが私を見つめているのだった。

「俺もお前が嫌いだ」

キジマが追い付き、背後から悪魔のように囁いた。うるさく感じた私は返事をしなかった。そう言えば、キジマの耳は尖っていて悪魔に見えないこともない。

「もうひとつ聞きたいことがある。お前は何をしたいんだ。ここで何をしたい。勉強か？　それともクラブで楽しく遊ぶことか。その両方か」

私は立ち止まり、キジマを真っ向から見据えた。

「そうねえ、セックスかな」

私の答えに、キジマは惚けた顔をした。

「お前、それが好きなのか」

「大好き」

なるほど、とキジマは私の顔や体を観察した。キジマの目に、異種の生物と出会った、という驚きがあった。

「だったら、仲間になろう。助け合おう」

どういうこと。私はキジマを見返した。白いシャツの襟元から覗かせたTシャツ。きちんとアイロンのかかった灰色の制服ズボン。乱れはないのに、キジマにはどこかだらしない印象があった。

「俺がお前のマネージャーになってやる。いや、エージェントになる」

それも悪くないかもしれない。キジマの美しい目が青く光った。

「お前は早くもチアガール部から声がかかった。これからもっといろんなクラブが勧誘しに来るに決まってる。お前は目立つからスターにしたいんだ。お前はどこに入ったらいいかわからないだろうから、俺が話を付けてやるし、どことどう付き合ったらいいか助言してやるよ」キジマは廊下の隅で、私とキジマが話すのを遠巻きにしている生徒を振り返った。「見ろ、あれは皆クラブの勧誘に来てるんだ。アイスケート、ダンス、ヨット、ゴルフ。主だったところは皆来てる。あいつらはお前みたいな珍種を入れて、男子部や大学生だけでなく他校の奴らにも威張りたいんだ。Q女子はこんなに美しい女がいるんだってな。金も頭もある。残るのは何だ。決まってるよな。美だ」

私はキジマの饒舌を遮った。

「私はどこかのクラブに入った方がいいってこと？」

「セックスしたいのなら、その方がいい。そうだな、一番派手なチアガールがいいだろうな。それに中西自らが勧誘に来たんだから顔を潰すこともできないしな」

自分が玩具になることに何の抵抗もない私は、キジマがなぜ私に関わろうとするのか興味を持った。

「さっきの話だけど、私はあなたの何を助けられるのかしら」

「お前のマネージャーになれば、俺は偉そうにできる」キジマは目尻を下げ、卑しく笑った。「俺はあと半年で男子部に行く。そこでは、俺たちの競争はもっと激しくなるだろう。外部生も来るしな。勉強だけじゃない。男にはありとあらゆる競争があるんだ。その中で、俺はきっと勝ち抜けるだろう。なぜなら、お前というタマがあるからだ。男子部の生徒は皆、お前とやりたがる。ここの生徒は男も女も、金で世の中なんか何とかなると思ってる奴らばかりだ。だから、俺が調整する。それでどうだ」

悪くない。私はうなずいた。

「いいよ。あなたの取り分は」

「俺は四割。高いか」

「構わない。ただし、条件があるの。私の家には絶対電話しないで」

キジマは私の真新しい学生鞄を眺めた。

「お前はアメリカ人と一緒に住んでるんだろう。そいつは親戚じゃないのか」

違う、とかぶりを振ると、キジマはポケットから手帳を取り出した。

「愛人か」

「そんなようなもの」

「姉貴は似てないし、お前とは別に住んでる。複雑な奴だな」

キジマは手帳に何か書き付けてページを破り取り、私に素早く渡した。

「だったら連絡は必ずここで取ろう。渋谷のサテンだ。放課後、いつもここで落ち合う」

こうして、キジマは私の最初のポン引きになったのだった。キジマが男子高、私は女子高に別れた後も、キジマは私に様々な生徒や学生を紹介してきた。それも厳選した上で。部長と副部長に呼ばれてラグビー部の合宿に行ったこともあるし、ヨット部の顧問教師と寝たこともあった。Q学園の生徒ばかりでなく、他校の生徒も大学生もOBも教師も、ありとあらゆる男たちが、若くて美しく、チアガール部のスターである私と寝たがったのだから。そして、キジマは後腐れのないようにうまく彼らを整理してくれた。キジマとの取引は、私が一人立ちするまで続いた。

その日、商談を成立させた私とキジマは、購買部でコーラを買ってプール前のベンチで乾杯した。プールでは、出来たばかりだというシンクロナイズド・スイミング部が外

部からコーチを呼んで練習していた。部員の付けた透明の鼻クリップを見て、キジマは笑い転げた。

「コーチはオリンピック選手だ。ワンレッスン五万の金を部費で賄っているんだぜ。週に三回だ、信じられるか。それだけじゃない。ゴルフ部の連中は、コーチに全英オープンに出た一流プロを雇った。プロはQ学園にコネを付けておけば、子供が入れるかもしれないなんて目論んでんだ」

「あなたのお父さんはそういう恩恵がないの」

「ある」キジマは私の視線から顔を背けた。「内緒で女子高生徒の家庭教師を頼まれている。ハイヤーが迎えに来て、たった二時間教えて五万貰ってくる。うちはその金でハワイに行ったよ。そういうことを生徒は皆知ってる」

ここの生徒は何でも金で買えると思っている、というキジマの話を思い出した。私は年若い娼婦としてはかなり稼げるかもしれない。私は九月の空を振り仰いだ。残暑の厳しい東京の空は、都心の放出した熱を抱え込んでいるかのように、薄らぼんやりした灰色をしていた。

コーラを飲み干したキジマが、女子高のグラウンドを眺めている。紺のショートパンツを穿いた女子高の生徒がぞろぞろと出てきた。キジマが私の肩を叩いた。

「面白いもの見せてやる。付いて来いよ」

「面白いものって?」

「お前の姉貴が体育の授業に出るぞ」

「姉とは話をしたくないから行かない」

「まあ、いいから。ちょっと覗けよ。面白いぞ。お前の姉貴のクラスは有名人が多いからな」

姉のクラスは、奇妙なリズム体操の授業を始めるところだった。ジャージ姿の女性教師が真ん中に立ち、その周囲を盆踊りの輪よろしく生徒たちが囲む。教師は手にタンバリンを持ち、激しく打ち鳴らした。その途端に、踊りの輪が奇妙な動きを始めた。

「脚は三拍子、手は四拍子」

三拍子で歩きながら、腕は決まった振りでリズムを取る。体操とも踊りとも言えない滑稽な姿だった。強いて言えば、動きの多い盆踊りだった。

「あれはリズミック体操ていうんだ。Q学園女子の伝統の十八番だ。お前もいずれ体育でやらされるから見ておけよ。あれの見所は、誰が野心を持っているかがすぐわかることさ」

「野心て何に対して？」

他人を受け容れることしか考えない私の心には、野心など存在しないのだった。自由は心の中にだけ存在するのだから、現世的な欲望が芽生えるはずもない。それに、学校でどんな野心を抱けるというのか、私には見当も付かなかった。

「いい成績を取りたいってこと。そうすれば大学で行きたい学部に行けるだろう。この

学校は勉強だけができても許されない。リズミックも一番にならなきゃ、総合成績がよくないんだ」

キジマはそれが癖の貧乏揺すりをして面倒臭そうに言った。

「そんなつまらないことが野心の対象なの？」

「世の中のほとんどは、お前みたいに綺麗じゃないから違う人生を考える」

つまり努力することなのだ。努力が何を与えてくれるのか。長い時間の経過にたえられない一時的な自己満足に過ぎないもの。私は努力なんか信じない。

姉にも野心があるのかどうかが気になり、私は踊りの輪を注視した。姉は何度か周回しただけで、脚をもつれさせて脱落した。脱落した生徒は、踊りの輪を取り囲んで見ている。姉はたいして関心がなさそうに腕組みして、必死に手足を動かす生徒たちを眺めている。わざと脱落したのだ、と私は姉の計算を思った。

「脚は七拍子、手は十二拍子」

振りがさらに複雑になった。たちまち、十数人が間違えた。ぞろぞろと踊りの輪から出て、姉と一緒に正確な振りを続ける級友を見守っている。そのうち、ギャラリーの数の方が多くなった。

「見ろよ、あの二人。ひっちゃきだぜ」

キジマが意地悪さを剝き出しにして独りごちた。たった二人になった踊り手は、教師の繰り出す滅茶苦茶に難しい要求を、軽業師のように演じていた。他の学年の生徒も、

中等部の生徒も遠巻きにして眺めている。私とキジマは姉に見つからないように、踊りの輪に近付いた。

「脚は八拍子、手は十七拍子」

生徒の一人は小柄で均整の取れた体をしており、敏捷(びんしょう)そうに見えた。信じられない動きを軽々とこなして、余裕さえ感じられた。

「あいつはミツル。学年で一番。一度も凋落(ちょうらく)したことがない有名人だ。あいつが医学部を狙ってるのは誰でも知ってる」

「あの人は」

私はあやつり人形みたいにぎくしゃくした動きをしている細い少女を指さした。黒い髪が多くて鬱陶しく、顔にも仕種にも、とっくに自分の限界を超えている人特有の痛々しさがあった。

「あれは佐藤和恵とかいう外部生。チアガール部に入ろうとして断られ、大騒ぎしたんだって」

その言葉が聞こえたかのように、細い少女がこちらをちらと振り返った。そして、私を見て手足の動きを止めた。途端に拍手とどよめきが聞こえた。ミツルという少女が勝った瞬間だった。

8

一二月一三日

娼婦になりたいと思ったことのある女は、大勢いるはずだ。自分に商品価値があるのなら、せめて高いうちに売って金を儲けたいと考える者。性なんて何の意味もないのだということを、自分の肉体で確かめたい者。自分なんかちっぽけでつまらない存在だと卑下するあまり、男の役に立つことで自己を確認したいと思う者。荒々しい自己破壊衝動に駆られる者。あるいは、人助けの精神。その理由は女の数だけ存在するのだろうが、私はどれでもなかった。男に欲せられることによって容易に欲情し、性交が好きでたまらない私は、できる限りたくさんの男たちと一回限りの性交をしたいと願っている。要するに、私は深い人間関係にまったく興味がないのだ。

佐藤和恵はどうして娼婦になったのだろうか。Q女子高で優等生を目指し、チアガール部に入れないことをアンフェアだと怒った和恵は、校内で後ろ指を指される有名人ではあったが、ことあるごとに無視されるという、両極端な存在でもあった。中学三年からキジマをポン引きとして生きた、娼婦の私との接点は、あまりなかったと言ってもよい。そんな和恵に何が起きたのか。私はさっきから和恵のことばかり考えている。なぜなら、昨夜、私は和恵に二十年ぶりで出会ったからだ。それも、円山町のホテル街で。

指名がさっぱり入らなくなった私は、実入りの悪さに音を上げ、直引きをすることにした。私自身が街に立って、客を引いて交渉するのだ。だが、店がある新大久保周辺は、中南米や東南アジアから出稼ぎにやって来た娼婦のために縄張り争いが激しかった。たった数メートルもおかない距離に、決して乗り越えてはならない幻の境界線があまた存在する。境界線を越えれば袋叩きの目に遭う。新宿では、簡単に街娼にすらなれない掟が出来上がりつつあった。過当競争の時代に突入したのだ。孤独で何の後ろ盾も持たない私が、滅多に来ない渋谷まで出向いたのには、そのような訳があった。

私が選んだ場所は、神泉駅に近いホテル街の一画だった。角に地蔵が立つ仄暗い物陰で、私は男が通るのを待ち受けた。北風の強く吹く寒い夜だった。私は銀色の超ミニドレスの上に羽織った赤い革コートの前を掻き合わせた。ミニドレスの下は小さな下着一枚。すぐに商売できる衣装は、防寒の役目を果たさない。私は震えながら煙草を吸って、客を待った。狙いは忘年会帰りの酔客だ。

痩せこけた女が追い風に押しやられるようにして、安っぽいホテルに挟まれた坂を駆け下りてきた。腰まである長い黒髪が背中で揺れている。薄っぺらな白のトレンチコートのベルトをきつく縛り上げ、肌色の野暮ったいストッキングを穿いた脚は折れそうに細い。女を一風変わった目立つ存在にしていたのは、圧倒的とも言えるほどの貧相な肉体だった。北風に薙ぎ倒されそうな細い体は、骸骨の上に薄皮を張ったかというように

平板だった。そして、まるで仮装大会だと笑った後に、精神を病んでいるのかと背筋が寒くなる厚化粧。黒々と太く描いた眉と真っ青なアイシャドウ。深紅に塗られた唇は、ネオンを反射しててらてらと光っていた。女は私に向かって拳を振り上げた。

「誰に断って、そこに立ってるのよ」

意外な言葉が出たことに私は驚いていた。

「いけないの？」

私は煙草を道端に捨てて、白いブーツの先で踏み潰した。

「いけないの、じゃないよ」

女の血相が変わっている。強気な様子に、ヤクザでも一緒にいるのかと心配になった私は、背伸びして道の向こう側を見た。誰もいなかった。私を見つめていた女が何か声を発した。

「ユリコ」

呪詛（じゅそ）のような低いつぶやきだったが、私は聞き逃さなかった。

「あなた誰」

見覚えのある顔だった。が、どこで会った誰なのか。特徴を捉えているのに、稚拙なために誰の似顔絵か判別できないもどかしさを感じる。私は女をじっくり観察した。痩せているので馬面がいっそう目立つ。かさついた膚。出っ歯。鳥の脚みたいな筋張った手。醜い女だった。年齢は私とそう変わらない中年女。

「わからない？」

女は嬉しそうに笑った。笑うと、煮詰めた煮物のような懐かしい臭いが、女から漂ってきた。その臭いは乾燥した冬の空気に一瞬止まり、それから北風に吹き飛ばされて消えた。

「どの店で会ったのかしら」

「会ったのは店じゃないわ。それにしても、あなた老けたわね。顔も皺だらけだし、体もぶよぶよ。最初、誰かわからなかったくらいよ」

ということは昔から私を知っている誰かだ。私は厚化粧の下に隠された顔を思い出そうとした。

「二十年余り経つと同じようになるのに、若い時は天と地ほどの差なんだものね。見比べてちょうだいよ、今はどう違うの。同じかそれ以下じゃないって、あの時の友達に見せてやりたいよね」

女は赤い口を開け、小気味よさげに言い放った。滲んだアイラインの下で素早く動く黒い目が、昔、私を振り返った時の目つきを彷彿とさせた。どんなに隠しても、余裕のなさを露わにしてしまう視線。私は、女が私と出会って緊張しているのだと気付いた。息を呑んで喋る調子。ようやく私は、目の前にいる薄気味悪い女が、あの日、リズミック体操を必死に演じていた生徒だと思い出したのだった。さらに数分経ってから、その名が「佐藤和恵」だったと記憶を蘇らせた。姉と同じクラスで、姉とも関わりがあった

という変わった女。和恵は私に異様な関心を抱き、ストーカーもどきの行いをしたこともあった。

「あなたは佐藤和恵ね」

和恵は、私の背中を両手で乱暴に押した。

「そう、和恵だよ。わかったら早く行きなよ。ここは私の縄張りなんだから、客取ったら承知しないよ」

意外な言葉に、私は苦笑しながら繰り返した。縄張り、と。

「あたし、娼婦やってんの」

かすかに自慢する響きがあった。私は和恵が街娼になっていたことに軽い衝撃があり、言葉が見付からなかった。きっと私は、自分が特別な女だと思っていたのだ。物心ついた時から、自分は他人と違うと密かに思い込んでいたのかもしれない。誰とも違う自分に、自惚(うぬぼ)れがなかったとは言えない。

「あなたがどうして」

「じゃ、あんたがどうして」

和恵は即座に言い返した。私は答えられずに、和恵の長い髪を眺めた。明らかに安物のカツラだった。変装して娼婦をする女を、男は気味悪がる。和恵にいい客は付かないだろうと思った。だが、すでに私にも、いい客は来ないのだった。口には出さずとも、客の顔色で気に入っていないことくらいは見当が付く。若い頃の持てはやされ方とは雲

泥の差だった。若い素人女が娼婦の真似をする世の中だ。自分も和恵も娼婦としての価値はほとんどない。和恵の言うように、二十年余という時を経て、私たちは同列の存在になったのだ。

「でもね、私はユリコと違うわよ。だって、私は昼間働いているんだもの。あんたは寝てるだけでしょう」和恵はポケットから何かを出して私に見せた。どこかの会社の社員証らしかった。和恵は誇らしげに言った。「私は昼間は堅気なのよ。それも一流会社の総合職よ。あなたには一生できない難しい仕事をしてるの」

じゃ、どうして娼婦をするのか。私の喉元まで質問が出かかった。が、私はそれを呑み込んだ。聞いたところで、娼婦をしたい女の理由がまたひとつ新たに増えるだけだった。私はそんなことに関心はない。

「あなた、ここに毎晩いるの」

「週末にホテトルもやってるから、毎日来たいところだけど、そうは来れないよ」

和恵は、習い事でもするかのように言った。その言葉の端には、楽しささえ窺えた。

「じゃ、あなたの来ない時、私にも立たせてくれないかしら」

私は縄張りが欲しかった。十五歳の時から娼婦だというのに、今の私は縄張りも持っていないし、役に立つポン引きもいない。

「ここに立たせてくれってこと？」

「そう。お願い」

「だったら、条件がある」

和恵は私の腕を乱暴に引っ張った。指とは到底言えない細く固い箸に摘まれたみたいだった。私の二の腕にざわざわと鳥肌が立った。

「あなたとあたしとで、この場所に交代で立ってもいいよ。でも、それだったら、あたしと同じ格好をしてよ」

理由はわかっていた。いつも同じ場所で立つ娼婦には、固定の客が付くこともある。しかし、こんな醜い姿になるのか。嫌悪を感じた私の動揺などまったくお構いなしで、和恵は道行く二人連れのサラリーマンに目を留めた。

「お兄さんたち、お茶飲みません」

声をかけられた二人連れは、私と和恵を何度も見比べてそそくさと逃げて行く。和恵はダッシュして追いかけた。急に走ったせいで、大声で話しかける声が乱れている。

「いいじゃない。二人いるんだから、それぞれ遊んでってよ。安くするわよ。途中で取り替えたっていいわよ。あの子はハーフだし、私はQ大出てるのよ」

嘘だろう、と男の一人が嘲笑う。ほんとよ、ほんとだってば。和恵は社員証を出したが、男の一人が見ようともせずに和恵を邪慳に突き飛ばした。和恵はよろけながらも、男を追って行く。

「待ってよ。待ってったら」

諦めた和恵は私の方を振り向いて、にやっと笑った。直引きの経験がない私は、和恵

に私がこれから辿る道筋を教えてもらっている気がした。

その夜、私はアパートに帰る道すがら、歌舞伎町の二十四時間営業のスーパーに寄り、真っ黒な直毛のカツラを買った。和恵と同じ、腰まである長さだった。


私は今、黒いカツラを付けて鏡の前に立っている。目の上に真っ青なシャドウを塗り、赤い口紅を引いた。和恵に見えるだろうか。見えなくてもいい。和恵は、あの地蔵前の場所に立つために自分を娼婦に仕立てた。私も同じ扮装をして、同じ場所に立つ。

電話が鳴った。客か。勇んで出ると、ジョンソンからだった。明後日、私の部屋に来ることになっていたのだが、ボストンにいる母親が死んだために行けなくなったと言う。

「お葬式に帰るの？」

「帰れないよ。金がないし、母とは縁を切っているじゃないか。家で喪に服すことにするよ」

ジョンソンの言う「喪に服す」とは、あれをしないことだった。以前、父親が死んだ時も同じことを言った。

「私にも、喪に服してほしい？」

「いいよ、ユリコは関係ない」

「確かに関係ないね」

「ユリコはクールだからね」

ジョンソンは悲しげな笑い声を上げた。関係。電話を切った後、私は人間関係について考えている。私はさっき深い人間関係を持ちたくないから娼婦をしているのではないか、と書いた。父と姉という血縁を別にすれば、ジョンソンだけが、唯一私の持ち得た、深くはないが長い人間関係だ。だが、私はジョンソンを愛しているわけではない。私は他人を愛したことなど一度もないのだから、人間関係を持たなくて済む。ジョンソンが例外なのは、私が十四年前にジョンソンの子を産んだからなのだ。そのことは誰も知らない。父も姉も、当の子供も。

その子供はジョンソンが手許に置いて育てている。中学二年生の男の子。名前は聞いたが忘れた。ジョンソンが私と連絡を取り、月に四、五回部屋に通って来るのは、二人の間に子供がいるからに他ならない。ジョンソンは信仰を持っているのだ。私が密かに子供に愛情を持っているに違いない、という信仰を。私は苛立ちつつも、否定も肯定もしない。ジョンソンが子供の話をするのを、ただ黙って聞く。

「ユリコ、あの子は音楽の才能があるらしいよ。学校から報告を受けた。嬉しいかい」

「あの子は背が高くなったよ。百八十センチになるところだ。とても綺麗な子なのに、どうして一度も会おうとしない」

私は赤ん坊を産み落としたことがある。それは事実だ。だが、自分の血を分けた子供など要らない。だから、ジョンソンの母性信仰には辟易(へきえき)させられる。しかし、これだけ長く娼婦という仕事をしていながら、妊娠したのはたった一回しかないのだから、私と

ジョンソンの子供は運が強いのだろう。それとも、弱いのか。

私は十八歳になる前にQ女子高を退学した。高校三年になったばかりのことだった。ジョンソンと私の仲が、マサミに露見したからだった。

その頃、ジョンソンは危険を承知で、毎晩のように私のベッドに忍び込んで来ていた。私を抱くためだけではなかった。私がキジマの紹介で寝た客の話を聞くためだった。

「その野球部の学生はユリコを抱いた後、何と言った」

「また会ってくれたら、ホームランを打つと言ったわ」

馬鹿な奴だ、とジョンソンは笑い、私の裸身を満足げに眺めた。自分の持ち物が完璧だと確認する喜び。ジョンソンは話を聞くだけで寝室に戻ることもあれば、話の細部に興奮して私を抱くこともあった。マサミのナイトキャップにこっそり混ぜる睡眠薬と同様、私の話を聞くまで、ジョンソンの一日は終わりを告げなかったのだ。その晩のジョンソンは会社で面倒なことがあったのか、疲れた顔で延々と私に話をさせながら、ベッドの上でバーボンをラッパ飲みした。私が初めて見る自堕落な姿だった。

「もっと話せ」

種が尽きた私は、キジマの父親の話をした。

「私に関心がある人は、必ずコンタクトを取ってくる。でも、関心があるくせに、一度も取ろうとしなかった人もいる。キジマのお父さん、木島先生よ。生物教師」

「どんな教師だ」
よく見ると、ジョンソンの目は猛禽類の目に似ている。その目が鈍く淀んだ。

9

ジョンソンは私の学園生活に、一切興味を抱かなかった。私の成績もチアガール部の活動も、モックを始めとする交友関係も。たまに私の部屋でわざわざチアガールの扮装をさせては、青と金色のスカートの襞に触り苦笑した。ユリコの学校はアメリカのチアガールを似て非なるものにして遊んでいるのだ、と。ジョンソンは日本の少女たちにまったく関心を持っていなかった。おそらく、少女としての私にも。そして、日本という国にも。

私はジョンソンの家から学校に行き、戻って食事をし、夜はマサミの目を盗んでベッドを共にするだけ。ジョンソンの娘でもなければ、妻でもない不思議な存在。敢えて言えば、性的関係を持った知り合いの娘程度でしかなかったのだから、親身でないのは当然だった。しかも、ジョンソンはインモラルな人間だった。Q学園における私のアルバイトを知って面白がり、性の興奮剤にした。高い学費を半分負担してくれたのは、私の性的奉仕に対する代価のつもりだったに違いない。

「キジマという教師の話をしなさい」

私はくたびれて眠かった。しかし、ジョンソンの酔眼は淫蕩に濡れている。木島のことに、興奮する材料が埋もれていると勘付いたのだろう。シェラザードのように夜な夜な面白い話をして、ジョンソンを喜ばせることができたらいいのに、と私は思った。そうしたら、さっさと眠りに就ける。だが、私は姉みたいに作り話が得意ではなかった。ジョンソンが私の言葉の何に興奮するのかもわからず、ただありのままに伝えるだけ。私はベッドに仰向けに寝転んでぽつりぽつりと話し始めた。

「私をQ学園に入れてくれた先生よ。面接の日、私が入って行った教室には、大きな茶色い亀が飼われていたの。私は帰国したばかりで疲れていたし、試験の出来が悪かったから編入試験は落ちたに違いないと思って憂鬱だったわ。だから、亀を見つめていたの。その水槽のガラスの壁をカタツムリがのろのろ這っていた。すると、亀は私の見ている前で首を伸ばしてそれを食べてしまったの。そしたら、木島先生が亀の名を私に聞いた。私はリクガメと当てた。木島先生は生物の先生だったから、その答えに満足して私を気に入ったのよ」

ジョンソンは吹き出したために、唇の端からバーボンを垂らした。

「リクガメだろうが、ミドリガメだろうが何だっていいんだ。この四角い物は何ですか。はい机です、と答えたって、ユリコを入れたのさ」

ジョンソンは、私が馬鹿でセックス好きで、勉強ができないと思っていた。木島の息子のように。そして、私の姉と同じく。侮られても滅多に腹を立てない私だったが、急

にジョンソンに逆らいたくなった。ジョンソンが、私のシーツにバーボンの茶色い染みを付けたからだった。マサミに叱られるのは、ジョンソンではなく私なのだ。

「そのリクガメはマークっていうのよ」

ジョンソンは、大袈裟に肩を竦めた。

「俺ならカタツムリをマークとして、リクガメにはユリコと名付ける。男を食って生きていく女だもの。そのキジマという教師も、ユリコに食われたくて水槽に入ったのさ」

酔ったジョンソンはいつになく辛辣(しんらつ)だった。感情を露わにしないからこそ、私はジョンソンと気楽な関係を保てたのに。

「キジマはユリコにどうして声をかけないのだ。ユリコは教師とだって商売しているじゃないか」

「木島先生の息子が私のマネージャーなのよ」

ジョンソンは声を出さないように大きな掌で口を押さえながら、笑い転げた。

「だからできないのか。コメディみたいだ」

笑い転げるようなことではなかった。Q女子高に進学した私は、高校の生物を担当している木島にしばしば出くわした。そのたびに、木島は困惑したような硬い面持ちで私と挨拶を交わした。が、私は木島の生真面目な顔の下に、私を慮(おもんぱか)る温かなものがあったと確信している。

高校二年が終了した時、こんなことがあった。木島は、私を見るなり、激しい勢いで手招きした。相変わらずの白衣姿。教科書を持つ長い指にチョークの白い粉が付いていた。

「妙なことが耳に入ったので、まずきみに聞くよ。無論、否定してくれることを願っているが」

「なぜですか」

「きみの恥だからだよ」木島は苦しげに言った。「あなたを辱め、あなたの評判を悪くする最低の噂だ。私は信じない」

私はどうして木島が信じたくないのかわからなかった。どれほど精緻な噂でも、当事者の心を正確には伝えられない。というより、心の中は他人が手に取れるような簡単なものではない。だとしたら、木島の言うことなど最初から不毛で、自分が信じたいという欲望が剝き出しになった勝手な代物なのだった。

「どういう噂ですか」

木島は横を向いて唇を歪めた。人のいい木島に嫌悪の表情は似合わなかった。一瞬、木島が見知らぬ男に見え、性的に思えた。私はその時の木島を魅力的に感じた。

「きみが金を取って生徒と寝ているという噂だ。本当ならば退学だよ。学校の方で調べる前に何とかしたいと思っている。嘘だよね」

私は迷った。嘘を言えば救われるかもしれない。が、私はチアガール部にもクラスの

女子生徒にもうんざりしていた。

「嘘じゃないです。でも、私は自分の意志で好きでやっています。私の副業ですので放っておいてください」

木島は動揺すると顔が赤くなる。

「放っておけないよ。だって、きみの魂が汚れる。そんなことをしてはいけない」

「魂は売春なんかでは汚れません」

バイシュンという言葉を聞いて、木島は怒りで声を震わせた。

「気付かないだけだ。汚れる。あなたの魂は汚れている」

「じゃ、先生が家庭教師をして二時間で五万円貰って、そのお金でハワイに家族旅行するのとどう違うのですか。それは恥じゃないのですか。先生の家族は汚れない？」

木島は啞然として私の顔を見つめた。どうして私がそんなことまで知っているのか、想像も付かなかったのだろう。

「それは確かに恥だが、魂は汚れないよ」

「なぜですか」

「だって、労働の報酬だからだろう。私は労働するために努力している。でも、身を売ることはしてはいけないことだよ。あなたが女性だということはあなたが選んで努力したことじゃない。たまたま、あなたは美しい女性に生まれついただけだろう。そのことを利用して生きるのは魂が汚れる」

「利用しているわけじゃない。先生のバイトと同じです」

「同じじゃないよ。だって、きみの仕事は、きみを好きな人間を根底から傷付けることだよ。誰もきみを愛さなくなるし、きみも愛せなくなる」

新しい考えだった。私の体は私のもので、誰のものでもないはずだ。私を愛そうとする人間は、私の体まで支配しなくては気が済まないのだろうか。愛がそんなに不自由なものなら、私は一生知らなくてもいい。

「私は愛なんて要らないのです」

「よくもそんな傲慢なことが言えるね。きみはどういう人間なんだ」

木島は苛立った様子で指に付いたチョークの粉を見た。眉間に深い皺が寄り、撫で付けた髪がひと筋額にかかっている。驚いたことに、木島は私の肉体が欲しいのではなく、私という人間の心の中身を知りたいらしい。私の心。決して意志を外部に出さない私の心を知りたいと願う人間は初めてだった。

「ねえ、先生。先生は私を買わないの」

木島は答えずにしばらく黙っていた。やがて顔を上げてきっぱり言った。

「要らない。私は教育者で、きみは教え子だから」

では、勉強のできない私をこの学校に入れてくれた理由は。私は尋ねようとして、はっとした。木島は私の内面に興味があっただけでなく、欲しかったのだ。玩具の人形のような私の内面。誰も関心を抱かないものを求める人間がいる。カールでもなく、ジョ

ンソンでもない、キジマの父親が私を好きだということが、私の心を一瞬痺れさせた。私は感動したのだった。が、感動はしても欲情はしない。欲情しなければ、私は存在しない。存在しない私は何か、その先を見据える必要などなかった。私はいつも誰かに欲せられているからだ。

「先生、私を買わないのなら、私も先生を要らない」

木島の赤らんだ顔色が見る見る青白く冴えていくのを私は観察していた。

「それに先生の息子が私のポン引きなのよ。先生は聞いてないの？」

木島はしばし沈黙し、大きな息を吐いた。

「聞いてなかったよ。申し訳ないことをした」

木島は私に頭を下げた。校舎に向かって歩きだした背中を見て、いずれ木島は私とキジマを退学にするだろうと私は覚悟したのだった。そのことはジョンソンに告げていなかった。

案の定、高三になったばかりの五月、校門を出たところで息子のキジマが待ち受けていた。キジマは紺の学生服の前を開け、真っ赤なシルクのシャツを見せていた。胸には金の鎖。乗っているのは黒のプジョー。すべて、私と稼いだ金で木島に内緒で買った物だった。四月生まれのキジマは、さっさと免許を取ったのだった。

「ユリコ、乗れよ」

私は狭いプジョーの助手席に身を沈めた。帰って行く女子生徒たちが、私たちをちら

と横目で見た。羨望の眼差し。彼女たちはプジョーやキジマの存在が羨ましいのではなく、私とキジマが学外の、あるいは学内に埋もれている快楽を発見したことが羨ましいのだ。その手の視線の持ち主の筆頭が、昨夜会った佐藤和恵のような女だったのだ。キジマは、怒りを抑えるように煙草に火を点けて煙を吐き出すと、こう言った。

「お前、俺のオヤジに何か言っただろう。やべえぞ。お前も俺も退学になるかもしれない。俺たちのことは連休中の会議で決まるんだって。ゆうべオヤジに言い渡された」

「あなたのお父さんも辞めるんじゃないの」

「そうかもしれねえな」

キジマは嫌な顔をして横を向いた。その表情は木島にそっくりだった。

「これからどうする」

「さあ。私はモデルにでもなって生きてく。こないだスカウトされた時の名刺持ってるから。あるいは娼婦ね」

「俺はお前に引っ付いていていいか」

いいよ、私はうなずきながら前方を歩く女子生徒たちを眺めていた。一人が振り返って私を見た。姉だった。ばか。口を開けて声を発しない言葉を投げ付ける。ばかばかばか、と。

いきなりジョンソンが私に馬乗りになり、首を絞めようとした。やめて、と私は叫ん

で重いジョンソンから逃れようとじたばたした。ジョンソンは四肢で押さえ付けると私の耳許で叫んだ。

「キジマという教師はユリコが好きなんだ」

「たぶん」

「ユリコのような女と関わろうとするなんてクレイジーだ。大馬鹿者だ」

「そうよ。だって木島先生も私も学校辞めるんだもの」

「どういうことだ」

ジョンソンは力を抜いて、私に尋ねた。

「ばれたのよ。私も木島先生の息子もきっと、退学。木島先生も辞めると思うわ」

「ユリコは俺とマサミに恥をかかせるのか」

バーボンの酔いばかりではなく、荒々しい怒りがジョンソンを赤く染め上げていた。私はされるがままになった。ここで殺されても仕方がない、と思ったのだった。私の肉体を欲しいという男たちが、なぜ心にまで目を向けるのかよくわからなかった。それも気紛れに。酒瓶がベッドの上で倒れ、どくどくとバーボンがこぼれてシーツに染みが広がった。シーツばかりかマットレスも濡れる。私はマサミに叱られるのを恐れ、瓶を手で振り払った。フローリングの床に落ちた酒瓶がごとんと大きな音を立てた。

「お前は心のない空っぽの娼婦だ。最低の娼婦だ。俺は嫌いだ」

ジョンソンが私を犯しつつ囁く。これもジョンソンの新しい遊びか、と私は天井を眺

める。今日は感じないだろう。いや、もしかするとこれからもずっと。十五歳にして老女になった私は、十七歳にして不感症になるのかもしれない。

突然、ドアが激しくノックされた。

「ユリコちゃん、大丈夫？　誰かいるの」

答える間もなくドアが開き、怖々とゴルフクラブを持ったマサミが及び腰で入って来た。裸で犯される私を見て叫び声を上げ、さらに犯している男が、自分の夫だと知って床にくずおれた。

「あなた、これはどういうこと」

「見たままさ、ハニー」

ベッドの横で罵り合いをするジョンソン夫妻を横目で眺め、私はまだ全裸で天井を眺めていた。

私がジョンソンの家で暮らした三年足らずの期間は、Q学園の生徒だった時期とも一致する。私は高校三年になったばかりで退学を勧告された。キジマも一緒だった。木島先生は息子の不祥事の責任を取って学校を辞め、軽井沢にある企業の寮の管理人になったと聞く。今でもそこで、のんびり昆虫採集をしているらしいが、私は二度と会っていない。

キジマとは退学を勧告された後に、渋谷のいつもの喫茶店で落ち合った。暗い隅でキ

ジマは私に手を挙げた。片手に煙草を持ち、スポーツ新聞を広げていた。どう見ても、高校生というより群れからはぐれた若い男だった。キジマはがさがさと新聞を畳んで私の顔を見た。

「俺、どっかの学校に潜り込むよ。今時、高校も出てないんじゃ、男はどうしようもねえだろう。お前はどうする。ジョンソンは何て言ってる」

「好きなようにしろって」

要は、私は何の後ろ盾もなく、体ひとつで生きていかねばならないということだった。これまでと同様に。だから、何の変わりもなかった。

第四章　愛なき世界

1

わたしの話も聞いてください。ユリコにこんな嘘ばかり書かれてしまっては、口を挟まずにおれません。それがフェアというものではないでしょうか、違いますか。ユリコの手記は、あまりに不潔で、区役所勤めの真面目なわたしにはたえられません。だから、少し説明させていただけませんでしょうか。

ユリコは、わたしが日本人の母に似て醜かったと書いていますけど、わたしは誰がどう見てもハーフではありませんか。見てください、この膚の色。黄色ではなく、クリームがかっていますでしょう。そして、この顔つき。鼻が高くて目が窪んでいるじゃないですか。ややずんぐりした体型は残念ながら、母に似たのです。わたしが東洋人ぽく見えるとしても、前にもお話ししましたように、それはわたしの個性なのです。わたしとユリコはほとんど似ていない姉妹なのです。

胸を張って何度も申し上げますが、わたしの中には確実にスイス人の父の遺伝子が流れております。このことは、美貌をちやほやされたユリコが外見だけでわたしを判断するように仕向けているとしか考えられません。

それにしても、誰がユリコを騙（かた）ってこの手記を書いたのでしょう。最初から何度も言うように、ユリコは文章が書けるような、整理された頭脳の持ち主ではありませんでし

たよ。作文なんか、それはそれは拙(つたな)いものでした。ここにユリコが小学校四年生の時の作文がありますから、お見せしましょう。

「きのうわたしはおねえちゃんときんぎょをかいにいきましたが、きんぎょやさんがにちょうびでしまっていたので、あかいきんぎょをかえないのはいやだなあとおもってわたしはなきました」

小学校四年でこれですからね。それにしては字が大人っぽいというのですか。まさか、わたしが書いてユリコの作文だと偽っているとおっしゃるのではないでしょうね。違いますとも。この間、祖父の持ち物を整理していたら押入れから出てきた物です。このような悪文をわたしがひとつひとつ手直ししてやっていたのですから、わたしがいかに妹の頭の悪さ、性格の悪さをカバーしてやっていたか、おわかりでしょう。

ところで、和恵の高校時代のことをもう一度お話しいたしましょう。というのも、さっきユリコの手記に和恵のことが書いてあったからです。ユリコが中等部に編入して来た時、Q女子高でもひと騒ぎありました。その騒ぎは当然のことながら、姉のわたしにも及んでとても迷惑しましたので、よく覚えております。

最初にユリコのことを尋ねたのは、ミツルでした。昼休み、ミツルは参考書を片手にわたしの席までやって来たのです。わたしはちょうど弁当を食べ終わるところでした。その日のおかずは、前日に祖父が作った大根とがんもどきの煮物でした。なぜそんなこ

とまで覚えているかと言いますと、煮汁がこぼれて英語のノートに大きな茶色い染みを作ったからです。こういうことがしばしばあるので、わたしは祖父がこさえる煮物をおかずにする日が一番憂鬱だったのです。ミツルは、濡らしたハンカチで必死にノートを拭いているわたしを、気の毒そうに眺めていました。

「あなたの妹さんが中等部に編入したんですって」

「そうらしいね」

わたしは顔を上げずに答えました。ミツルはわたしの冷ややかさに驚いて首を傾げました。小刻みで素早い仕種と丸くなった目。ミツルはやっぱりリスみたいだ。わたしはミツルを可愛らしいと感じもし、同時に小動物に似ているなんて馬鹿みたいだ、と思ったりもしたのでした。

「そうらしいっておかしな反応ね。妹さんのことなのに、全然興味ないみたい」

ミツルはあの大きな前歯を見せて親しげに笑いました。わたしはノートを拭く手を休めて、こう言ったのです。

「あの子については全然興味ないの」

ミツルはさらに目を丸くしました。

「へえ、どうして。綺麗な妹さんだって聞いたわ」

わたしは問い返しました。

「そのことだけど、あなたは誰に聞いたの」

「木島先生が言ってたから。あなたの妹さんは木島先生のクラスに入ったそうよ」

ミツルは手にした参考書をわたしの眼前にかざしました。生物の参考書で、著者名は「木島高国」。中等部の担任をしながら、わたしたちの生物教師でもあります。まるで定規で測ったような四角い字を黒板に書く神経質な教師です。端正と言えば言えなくもない整った顔をしているのも気に入りません。わたしは大嫌いでした。ミツルは聞かれもしないことを言いました。

「あたしは木島先生を尊敬してるの。博識で面倒見がいいし、とてもいい先生だわ。中等部の合宿の時にもね」

わたしは思い出を語ろうとするミツルを遮りました。

「木島先生は何て言ってたの」

「ミツルのクラスに、ユリコという転校生のお姉さんがいるそうだねって。知りませんって言ったら、そんなはずはないよって。よくよく聞いたらあなたのことじゃない。びっくりしたわ」

「なぜ驚くの」

「あなたに妹さんがいるなんて知らなかったから」

賢いミツルは、ユリコがわたしに似ずに怪物的な美貌をしているせいだとは決して言いませんでした。その時、わたしたちは廊下がざわめいているのに気付きました。大勢の女子生徒が廊下から、入り口から、わたしの教室を覗いているのです。中等部の生徒

たちであることは明らかでした。遠慮がちながら、後ろには男子生徒までがいました。

「何だろう」

わたしが廊下の方を見遣ると、一瞬しんと静まり返りました。中から、巻き毛を茶色に染めた大柄な女子生徒があたかも代表者のように進み出て、教室に入って来ました。その堂々とした物腰と自信からも、内部生であることは明らかでした。内部生のクラスメートたちが気軽に「モック、何の用」と尋ねています。モックと呼ばれた生徒はその問いには答えず、わたしの前に立ちはだかりました。

「あなたがユリコさんのお姉さんですか」

「そうよ」

わたしは埃が入るのが嫌なので、弁当箱に蓋をしました。ミツルは生物の参考書を胸に抱いて、不安そうでした。モックは英語のノートに広がった染みをちらと見ました。

「今日のおかずは何ですか」

「大根とがんもどき」

答えたのは、わたしの隣の生徒でした。モダンダンス部に所属するその生徒は底意地が悪く、わたしの弁当を毎日チェックしては笑ったり、顔を顰(しか)めたりするのです。モックは興味なさそうに隣の生徒を無視し、わたしの髪を観察しながら言いました。

「ユリコさんとは本当に姉妹なんですか」

「本当よ」

「悪いけど信じられません」

「信じなくたって結構」

生意気な子供とは話したくありません。わたしは席から立ち上がり、モックの目を覗き込みました。モックはたじろいだのか、少し後退りました。モックの大きなお尻が前の子の机にぶつかって音を立て、教室中がわたしたちの方を見ました。すると、モックの肩までしか背のないミツルが、モックの腕を摑んで、ややきつい口調で諭したのです。

「余計なこと言わないで早く教室に帰りなさいよ」

モックはミツルに腕を摑まれたまま廊下を振り返り、大袈裟に肩を竦めてみせると、足音も荒々しく教室を出て行きました。途端に生徒たちから大きな失望の溜息が聞こえました。

いい気味です。わたしは子供の頃から、ユリコを引きずり落としてやるのが面白くてたまりませんでした。人は美しい者を見ると過剰に期待するものです。手の届かない者であってほしいと願い、その通りだったら安心して、ますます憧れます。だけど、意外に粗末で冴えないと知るや、感嘆を蔑みに変え、羨望を嫉妬に転化させるのです。わたしはもしかすると、ユリコの価値を反転させるために生まれたのかもしれません。

「あの子まで来ているとはね。呆れたわ」

ミツルの声が聞こえたわたしは、我に返りました。

「誰のこと」

「木島高志。木島先生の息子さんよ。息子さんは木島先生のクラスにいるのよ」

誰もいなくなった廊下にまだ一人だけ男子生徒が居残って、教室の入り口からわたしを見つめていました。木島そっくりなちんまりした顔の、線の細い男子。綺麗だと言えなくもない整った容貌。でも、力強さはありません。木島の息子の鋭い視線とわたしの視線が絡み合いかけましたが、息子の方からふっと外されました。

「あの子は問題児だって聞いてる」

ミツルが自分の胸に抱いた生物の参考書の、木島高国と書かれた部分を指で撫でました。その手付きに愛情があるのを感じて、わたしはミツルに意地悪なことを言いたい衝動に駆られました。

「どうせ、ひねくれ者なんでしょう」

ミツルは驚いた様子で聞き返しました。

「どうして知ってるの」

「目でわかる」

木島の息子とわたしの間には共通点がありました。木島の息子は、木島先生の評判を損なう者、わたしはユリコの人気を落とす者。どちらも、負の存在。木島の息子はユリコのあまりの怪物ぶりに不審を抱いてわたしを見に来たのでしょう。そして、わたしを知ったことでユリコを蔑むでしょう。でも、木島の息子は男です。下手すると美しいユリコに同情してしまいかねない。わたしは面倒な事態になったことにうんざりしました。

この学校で何とか生きていかねばならないのに、ユリコの出現でわたしの状況はより困難になったのですから。わたしは木島の息子のように、ここでの生活を負の存在のままで終わりたくはありません。この日、わたしは、機会があったらユリコを追い出そうと決意したのです。

「ねえねえ、何事なの」

親しげな声に振り向くと、佐藤和恵が馴れ馴れしくミツルの肩に手を置いて立っていました。ミツルに何とか近付きたい和恵は、いつも話しかけるきっかけを窺っているのです。細過ぎる脚を強調してしまう似合わないミニスカート、触ったらごつごつした骨しかない痩せた肉体。鬱陶しい髪の量。相変わらず靴下には赤い刺繍(ししゅう)が施してあります。和恵はあの殺風景で陰気な部屋の中で、せっせと靴下にポロのマークを真似て針を刺しているのでしょうか。

「この人の妹さんの話よ」

ミツルがさりげなく肩に置かれた手を外しました。和恵は傷付いたように少し顔色を変えましたが、それでも平静を装って尋ねます。

「妹さんがどうしたの」

「中等部に編入したんですって。木島先生のクラスよ」

たちまち和恵の顔に、焦燥の色が浮かびました。わたしは和恵そっくりの妹を思い出し、黙っています。

「中等部に編入したのって凄くない？　あなたの妹って頭いいのね」

「べつに。帰国子女枠だもの」

「帰国子女って有利よね。たいして勉強できなくたって入れるって本当かしら」和恵は溜息を吐きました。「うちの父も海外赴任だったらよかったのに」

「この人の妹さんはそれだけじゃないの。物凄く綺麗なのよ」

ミツルはきっと和恵が嫌いなのでしょう。前歯を爪でこつこつと叩きながら、和恵に言いました。しかし、わたしと話す時と違って、叩き方が投げ遣りでした。

「綺麗なのって、どういうことなわけ」

どうしてあなたの妹が綺麗なのよ、あなたはちっとも綺麗じゃないのに。そう言いたそうに和恵の顔が歪みました。

「凄い美人なんだって。だからさっき中等部の子たちがこの人に会いに来たのよ」

和恵は自分は何も持っていない、ということに気付いたかのように虚ろな目で自分の手を見ました。

「あたしの妹もここを狙ってるのよ」

「やめた方がいいんじゃないの」わたしは意地悪く言いました。和恵の顔が紅潮して何か言いたそうに唇が尖ります。「内部生が意地悪するから、入りたいクラブにも入れないじゃない」

わたしの厭味に和恵は咳払いをしました。すでに和恵はアイススケート部に入部して

いました。が、リンク代を払うのが大変らしいと陰口を叩かれているのをわたしは知っていたのです。アイススケート部は、オリンピッククラスのコーチを雇ったり、リンクを借り切って練習するので、お金がかかります。そのために、どんな下手な生徒でも入部させて部費を納めさせるのだと聞きました。この学校の生徒は、自分たちの快楽のためなら他の生徒をどんな目に遭わせても平気なのです。

「言っておくけど、あたしはアイススケート部に入ったのよ。チアガール部の次に入りたかったクラブだから満足してる」

「あなたが一度でも滑ることはできたの」

適切な言葉がなかなか出てこないのか、和恵は唇をしばらく舌で舐め回していました。

「お金をたくさん出している内部生や、綺麗で可愛い先輩がリンクを独占してるんじゃないの。オリンピックに出たコーチは、そういう生徒のプライベートレッスンも見ているはずだから、えこ贔屓(ひいき)するに決まってる。でなければ、才能を認めた生徒しか教えないんじゃない。馬鹿馬鹿しくて、高校生のアイススケートごっこなんて見ちゃいられないものね。所詮、お嬢様のお遊びなんでしょう」

わたしは和恵を傷付けてやれ、と思ったのですが、驚いたことに、「お嬢様のお遊び」という言葉を聞いて、和恵は嬉しそうに顔を綻(ほころ)ばせるではありませんか。そうです。和恵は俗物でもあったのです。勉強もできるし、アイススケートもできる「お嬢様」として、皆に認められたい気持ちも人一倍強かったのです。それは和恵の父親の切なる願い

でもありましたし、このQ女子高に努力して入った外部生と、その父母のほとんどに言えることではなかったでしょうか。わたしはなおも言ってやりました。

「あなたはリンクの掃除やスケート靴の手入ればかりやらされてるんでしょう。それとも筋力トレーニングという名のしごき？　そういえば、この間、気温が三十五度もあったのにグラウンドを何周も走らされてたね。あなた、顎出して苦しそうだった。それもお嬢様のお遊びなの？」

　わたしに圧倒されていた和恵は、ようやく口を開きました。

「しごきなんかじゃないわよ。基礎体力を付けるためのトレーニングよ」

「基礎体力なんか付けてどうするわけ。オリンピックに出られるの？」

　言っておきますが、これは決して意地悪ではありません。和恵のような努力を信じている鈍い女には、誰かがいつか事実というものをきちんと教えてやって、教育し直さねばなりません。世間知らずの和恵に世の中の理を教えてやるのは快感でもあるのです。そして、それは和恵を汚染しているあの父親への反撥でもあったのです。

　気が付くと、横にいたミツルは、窓際でお喋りしているグループのところに行き、談笑の輪に入っていました。わたしとミツルの目が合いました。ミツルは何も言わずに軽く肩を竦めてみせただけでした。意味のないことしても無駄よ。ミツルはきっとそう言いたかったのでしょう。

「あたしはオリンピックに出ようなんて思ってはいないけど、まだ十六歳なんだから、

死ぬ気で努力すれば行けないこともないと思うわよ」

　わたしは呆れました。

「あなたってほんとにお目出度い人ね。じゃ、あなたがテニスをこれから死ぬ気でやったからってウィンブルドンに出られる？　あなたが綺麗になろうと死ぬ気で努力したからってミス・ユニバースになれる？　あなたが死ぬ気で勉強したからって学年で一番になれる？　ミツルを抜ける？　あの子は中学一年からずっと学年で一番だっていうじゃない。一度も座を譲ったことがないなんて、一種の天才よ。あなたの言う努力って何よ。努力なんていくらしたって、絶対に限界ってあるわよ。だってあなたは天才じゃないんだからさ。努力しただけで擦り切れる一生ってあるんじゃない」

　昼休みはそろそろ終わろうとしているのに、わたしはいつしか本気になっていました。中等部の連中がわたしを見せ物のように見に来たから、苛立っていたのでしょう。見せ物になるべき存在は和恵の方なのです。来てはいけない場所に来て、してはいけないことを平気でしている和恵なのです。しかし、和恵はなかなかしぶとかった。和恵はわたしを小馬鹿にしたように言いました。

「黙って聞いていたけど、あなたの言うことって、負け犬の思想だと思うわ。何にもやったことのない人がよくそういう言い方をするわ。あたしは努力し続けるわよ。そりゃ、オリンピックやウィンブルドンは無理だと思うけど、学年で一番になることは不可能だとは思わないわ。あなたはミツルを天才だって言ったわね。でも、あたしはそうは思わ

ない。ただの努力家よ」

偏差値順に序列が決まっている、という和恵の家の話を思い出したわたしは、軽蔑の笑みを浮かべました。

「あなた、怪物って見たことある？」

和恵は不揃いの眉を上げて、不審な顔をしました。

「怪物って？」

「人間じゃない人たちよ」

「天才ってこと？」

わたしは言葉を呑み込みました。天才だけでは済まないのです。怪物とは、何かを歪ませて成長し続けて、その歪んだものが大きくなり過ぎた人のことなのです。わたしは黙ってミツルを指さしました。さっきまで談笑していたミツルは、そろそろ午後の授業が始まるからとすぐに席に着き、独特の雰囲気に包まれておりました。ミツルが授業に際して、身辺に漂わせる空気というのは、うまく言葉で説明することができません。例えば、冬の気配を察知するリス、とでも言えばいいのでしょうか。誰も気付いていないのに、迫り来るものの正体を知っていて、一人身構えているとでも言った方がいいかもしれません。この本能があるからこそ、ミツルはさほどの努力を要さないでも勉強ができる人なのでした。その力はこのQ女子高で身を守る楯であり、敵を斬り倒せる刀でもあったのです。ミツルは、でも、その力を全開にし過ぎている。実は最近、わたしはミ

ツルが怖くなっていたのでした。和恵はわたしが言葉に詰まったと思ったのでしょう。

「あたしは努力して上に昇るわよ」

「してみたら」

「すごい嫌な言い方ね」和恵は言いにくそうに言葉を選んで続けました。「うちのお父さんが、あなたって変わってるって言ってたわ。若い娘らしくないってね。もしかすると僻んでるだけなんじゃない。綺麗な妹とか、勉強のできる人とか、うちみたいに父親がしっかりしているサラリーマンの家庭とかに」

和恵は席に戻って行きました。あんな父親の意見をわたしに告げるなんて。わたしは和恵の後ろ姿を見送りながら、和恵のこれからの努力とやらを見届けてやろうと決心したのでした。

教室は静まり返っていました。腕時計を見ると、とっくに午後の授業が始まる時間ではありませんか。わたしは出しっ放しになっていた弁当箱を鞄の中にしまいました。ドアが開き、白衣を着た木島が生真面目な表情で教室に入って来ました。

すっかり忘れていましたが、今日は週に一度の生物の授業がある日だったのです。ユリコ。わたしを睨み付けていた木島の息子。そして木島。何という因縁の日でしょう。わたしは急いで生物の教科書を探し出して机の上に置きましたが、慌てたために下敷きが床に落ち、静かな教室にその間の抜けた音が響きました。一瞬、木島が眉を顰めたのが見えました。

木島は教壇に両手を突いて、教室をひとわたり見回しました。わたしを探しているに違いありません。わたしは見付からないように顔を伏せていましたが、木島の視線がわたしのところで留まるのを感じました。そうです、わたしは美しいユリコを損ねる醜い姉なのです。でも、あなたの息子もあなたを損ねているでしょう。わたしは目を上げて、木島を真っ向から見ました。

わたしの視線を受け止めている木島の顔は、息子によく似ておりました。広いおでこと細い鼻梁。鋭い目つき。顔に似合った銀色の眼鏡が木島を学究的に見せているのですが、身なりはいつも何かがひとつ乱れているのです。剃り残した髭とか、一筋はらりと額に垂れた髪とか、白衣に付いた染みとか。その一点の乱れが象徴しているものが、意に添わない息子の存在なのかもしれません。相似形の父と息子は、目の表情だけが違っていました。拗ねた目をした息子と違い、木島はまっすぐに対象物だけを見るのです。その視線は固定することなく、輪郭をなぞったり、造作をひとつひとつ丁寧に眺めたりすることから、木島が観察していることがわかるのです。木島は口を開かずに、しばらくわたしの顔や姿形を観察していました。ユリコとの生物学的な相似は見付かったか。わたしを変種の昆虫みたいに見るな。わたしは燃えるような怒りと共に、木島の視線を吸い込んでいたのでした。木島はやっとわたしから目を離すと、ゆったりした口調で言いました。

「今日は、恐竜の楽園が終わったところからでしたね。恐竜が裸子植物の花を食べ尽く

してしまったって話をしましたよね。覚えてますか。恐竜の首が伸びたのも、高いところにある花を食べるためだった。生物は環境に適応するっていう面白い話でした。そこでわかったのは、裸子植物は風に頼って生殖するだけなので食べ尽くされる一方だった。それに比して、被子植物は昆虫をパートナーにすることで生き延びたっていうことでしたね。ここまでで何か質問は」

ミツルは身じろぎもせずに木島を見つめています。わたしは木島とミツルの間に、二人だけの密度の高い空気があるように思いました。ミツルは木島が好きなのでしょうか。わたしはその空気の塊が見えやしないかと目を凝らしました。

以前、わたしがミツルに恋心を抱いていたと申し上げましたよね。もしかしたら、それは正確ではないかもしれません。わたしとミツルは、地下水脈で繋がっている山中の深い湖のようなものだったのだと思います。山中にぽつねんとあって、訪れる人もない寂しい湖なのですが、地下で繋がっていますから水位はいつも一緒なのです。わたしが下がればミツルも下がり、わたしが満たされればミツルも満たされる。同じ思いで繋がっているのです。なのに、ミツルには木島という違う世界が見えているのかもしれない。わたしは木島の存在を邪魔だと思いました。

しかも、木島はユリコを気に入ったに違いないのです。わたしに関心を持ったということは、ユリコという女に興味があるからに他ならないからです。わたしの言うことは間違っていますでしょうか。確かに、わたしは恋愛をしたことなど一度もありません。

でも、好きな人間がいれば、その人間の係累に興味を持つのが普通ではありませんか。それとも、木島は生物教師として、わたしとユリコの生物学的関係に興味を抱いたのでしょうか。木島が黒板に字を書きました。『花と哺乳類　新しいパートナーの誕生』

「教科書の七十八ページを開いて。ネズミは被子植物の実を食べて、糞から種を撒き散らします」

カリカリとクラスじゅうが一斉にノートに書き込む音がします。わたしはノートも取らずにぼんやりと考え込んでいました。ユリコは被子植物。わたしは裸子植物。被子植物は、花の美しさや蜜で昆虫や動物を誘う。木島は動物なのだろうか。動物だとしたら、何だろう。木島が向き直ってわたしを見ました。

「さあ、ちょっと復習しましょうか。そこのあなた、恐竜はどうして絶滅したのか覚えていますか」

木島の指はわたしを指していました。他のことを考えていたわたしは戸惑い、ふて腐れました。木島が厳しい声で促します。

「立って」

わたしはがたがたと椅子をずらしてゆっくり立ち上がりました。ミツルが振り返ってわたしの顔を眺めています。

「巨大隕石ですか」

「それもある。植物との関係は」

「覚えていません」

「じゃ、あなた」

ミツルは音もなく立って、すらすらと答えました。

「食べ尽くしたら次に移動するだけで、植物を独占できないからです。そうなると恐竜の生存を支えていた森が消滅します。その点、被子植物と動物の関係は一対一です。パートナーシップで互いに共存します」

「その通り」と木島はうなずいて黒板にミツルが言ったことをそのまま書き付けました。和恵がいい気味とばかりにわたしを見て、肩をそびやかしました。嫌な女。わたしは和恵にも、ミツルにも、木島にも敵意を抱いたのです。

生物の後の授業は体育で、リズミック体操でした。体操着に着替えてグラウンドに集合しなければならないのですが、わたしの足は重かった。生物の授業の屈辱から、まだ脱し切れていなかったのです。木島は、皆の前でわたしを辱めようとしたに違いありません。ユリコの姉だからということで。いいえ、美しいユリコに、わたしのような姉がいることが許せなかったのです。ところが、逆に思う人物もいたのは、わたしにとっても驚きでした。和恵のことです。

リズミック体操は、ご存じの通り、Q学園女子の体育の必修科目です。手と脚とをばらばらに動かして、脳の働きを活性化させる運動なのだそうですが、家でまったく練習

をしないわたしは苦手でした。とはいえ、最初から間違ってしまえば目立ちます。何とか中盤まで頑張らねば、と必死に踊っている最中、わたしはユリコが木島の息子と連れ立って、私たちを眺めているのに気付いたのです。

ユリコはしばらく会わないうちに、変貌を遂げていました。白いブラウスの胸がはち切れそうに膨らみ、高い位置にあるお尻はタータンチェックのスカートを突き上げています。まっすぐに伸びた脚は完璧な形をしていました。そして、あの顔。白い膚に茶色の瞳。いつも何か問いたげで、憂いさえ感じさせる美しい顔。うまく作った人形だって、こんなに可愛くは出来ないでしょう。体は大人の女より豊満なのに、顔はあどけないなんて狡い。わたしたちは本当に姉妹なのでしょうか。年頃になったユリコの美しさは、姉のわたしにさえも信じられないほどだったのです。

ユリコの成長に驚いたわたしは、たちまち間違えてしまいました。失敗した者は、踊りの輪の外に出なくてはなりません。予定より早いのは、ユリコのせいだ。わたしはのんびりした顔で踊りを見ているユリコが腹立たしくなりました。あっちへ行け、と内心で毒づいていますと、級友の嘲りが耳に入ってきました。

「佐藤さんを見てよ。あのタコ踊り」

ミツルに負けじと、和恵が必死の形相で踊っていました。努力など無駄だ、とわたしが言ったから、目にもの見せようと頑張っているに決まっています。対して、ミツルは涼しい顔で腕を左右に振り、バレエでも踊るような軽やかな足取りで悠々とステップを

踏んでいました。和恵がユリコを見て、呆然とした様子で動きを止めました。とうとう怪物を見たのだ。わたしは和恵の顔に表れた衝撃を見て、思わずほくそ笑んだのです。

「さっきは悪かったわ」授業が終わった途端、和恵が駆け寄ってきました。「まあいいから、仲良くしましょうよ」

わたしは和恵の変化を薄気味悪く思って返事をしませんでした。

和恵は額からぽたぽたと垂れる汗を拭(ぬぐ)おうともせずに、わたしに聞きました。

「あなたの妹、名前何ていうの」

「ユリコ」

和恵は羨望とも感嘆とも嫉妬ともつかない、奇妙な熱が籠もった口調でつぶやきました。

「へえ、名前も綺麗じゃない。あたしと同じ女だなんて信じられないわ」

そうなのです。怪物的な美貌を持つユリコとわたしたちは女という同じ生物なのに、そのことがどうしても信じられなくなるのでした。生まれついての姿かたちがこれほどまでに違うということを目の当たりにすると、美醜という相対的な判断などどうでもよくなり、たったひとつだけの絶対的な美と、凡庸なその他であることを認識せざるを得なくなるのです。ユリコの前では、わたしたちはあまりにもつまらない、単なる生物学的な意味での女でしかなくなってしまうのですから、怪物は本人以外の人間をすべて無

価値な存在にしてしまうほどの力を持っているのです。

　正直に申し上げましょう。個性だの、才能だの、そんなものは、凡庸な種族が何とか競争社会を生き延びるために備えて磨く武器でしかないのです。わたしが悪意、ミツルが頭脳。才能をそれぞれ磨いて、このQ女子高で何とかサバイバルしようとしているのも、姿かたちが他を圧倒して、力を封じてしまうほどの怪物ではないからなのです。動物だってそうではないでしょうか。保険外交のおばさんが飼っているマルチーズは、近所の大きな犬に出会うたびに、尻尾を巻いて体を縮めました。巨大な存在の前では、誰もが萎縮するのです。それは動物の本性ではないでしょうか。

「顔も綺麗だし、体も綺麗だし、名前も綺麗だし。言うことない人って、あたしは初めて見たけど。ああいうのを完璧って言うのかしら」

　熱に浮かされたようにまだぶつぶつと繰り言を垂れ流す和恵の体から、つんと酸っぱい汗の匂いが漂ってきました。その強い酸味が、和恵のユリコに対する関心の高さを物語っている気がして、わたしは思わず顔を背けました。ユリコという怪物を見た和恵の世界は、少しずつ変容するに違いありません。子供の頃からユリコと暮らしてきたわたしと同じく。わたしはいつも自分を、ユリコという丈の高い、陽射しをいっぱい浴びている植物の陰で、枯死する木みたいだと連想していたのですから。

　ユリコは木島の息子と共に、校庭を去るところでした。ひねくれ者の木島の息子がユリコにくっついているのは、何かよからぬことを企んでいるからに違いありません。先

程の授業の屈辱は、この馬鹿息子で晴らしてやればいいのかもしれない。わたしは木島親子とユリコを、この学校から早く追い出してやりたいと願ったのでした。

何も知らない涼しげな顔で、軽やかに去るユリコの後ろ姿を皆の好奇と賛美に満ちた視線が絡みついて追いかけていきます。わたしが密かに「キリン娘」と名付けている級友がやって来て、頭の上から和恵に聞こえよがしに言いました。キリン娘は茫洋とした眠そうな顔をしているのですが、百八十センチ近くも背があり、バスケットボール部に属しているのです。

「あの子のこと、早速チアガール部がスカウトに行ったらしいわよ、部長自ら。あれだけ綺麗なら即スターだものね。きっとみんなで奪い合うに決まってるわ。面白くなったと思わない？」

中等部からのキリン娘は、和恵の反応を見たくて言ったのです。わたしも同じ思いでした。和恵は素早く目を伏せましたが、わたしはその小さな目に勝ち気な光が走ったのを確認しました。キリン娘はさらに付け加えました。

「どこのクラブが取るのか興味津々だわ」

「あら、あたしは断られたのに、それって不公平じゃない」

予想通りの和恵の反論を聞いて満足したキリン娘は、重い瞼を半分開いて吹き出しました。

「チアガール部は特別なのよ。だって、男にもてることしか考えてない子の集まりだも

の。男って馬鹿だから、Q女子高のチアガール部員ってだけでアイドル視して騒ぐでしょう。どっちもどっちだわ。あなた、断られて正解よ」

「あたしはそんなこと考えて入部希望を出したんじゃないわ」

和恵は憤然として抗議しました。

「そうよね。あなたはただミニスカートの下からパンツ見せたかっただけだものね」

キリン娘は意地悪く言い捨てて、笑いながら行ってしまいました。

「何よ、あったま悪そうな声して。英語の発音だって悪いくせに。よく中等部から入れたわね」

和恵は怒りを鎮められずに悔しそうに言い返しましたが、無論、キリン娘の耳には届きませんでした。長い首でリズムを取りながら、仲間の方に行ってしまったのです。

「あたしが男の子にもてたいと思う？」

和恵は、わたしに向き直って問いかけました。違うわよね。あなたは、Q女子高の一員としての証（あかし）のために入部したかったのよね。わたしはそう思ったのですが、口には出さずにミツルの方を見遣りました。リズミック体操で勝者となったミツルは、四十代の女性体育教師と談笑しているところでした。教師からタンバリンを渡されたミツルが、足でリズムを踏み、トントトンとタンバリンを叩きました。わたしの視線を感じたミツルが、手を止めて笑いました。

「ねえ、聞いてるの」

苛立った和恵が尖った声でわたしの放心を咎め、腕を掴みました。和恵の掌が汗でじっとりと濡れています。わたしは和恵の汗の匂いを思い出し、腕を振り払いました。

「聞いてるのってば。あたしは別に男にもてたいから入ろうとしたわけじゃないって言ったのよ」

「わかってる」

「ほんとにわかってるの？　あたしはね、ただチアリーディングというスポーツがしたいだけなの。憧れだったの」

「はいはい」

わたしは和恵と話しているのが面倒臭くなりました。ええ、わたしはいつも和恵と話していると、相手をするのに飽きてしまうのです。和恵がどういう道筋で、何を考えているのかが容易に想像できるものですから。和恵ほど、他人から見てわかりやすい女はいなかったのではないでしょうか。

ところが意外なことに、この時の和恵の本心というのは、わたしの想像を絶したところにあったのです。そのことは、これからお話しします。

数日経って、わたしは和恵から手紙を貰ったのです。帰りしな、背後から近付いて来た和恵が、わたしの手の中に小さな封筒を押し込んでいったのです。電車の中で開けてみると、スミレの花がプリントされた少女趣味の便箋二枚に、綺麗だけど個性のない字でびっしりと書いてありました。

前略にてごめんください。

私もあなたも、同じ外部生。あなたはうちに遊びに来てくれたし、うちの両親にも会っているし、もしかするとQ女子高で一番仲良くなれそうな人ではないかと思います。私の父が、家庭環境の違うあなたとは付き合うなと言いましたが、手紙だったら父にもばれません。時々こうやって文通しませんか。互いに悩みを打ち明けたり、勉強のことを相談し合ったりしませんか。

私はあなたのことを誤解していたような気がします。あなたって、同じ外部生なのに何だか落ち着いていて、この学校に昔からいる人みたいだから。それにミツルとよく話し込んでいるので、少し近寄りがたくて敬遠してました。

Q女子高の人たち（特に内部生）って、何を考えているのか、よくわからないのでまだ馴染めません。でも、私は自分を恥じているのではありません。私が小学校の時から目標にしていたQ女子高に入れたのは、私自身の努力の成果だと思っています。そう、私は自分に自信を持っています。自分が信じてやってきたことがちゃんと実を結んで、いい結果が出て、本当に幸せな人生を歩みだしていると思ってます。

だけど、こういう時だけはどうしたらいいのかわからなくなります。誰かに相談したくて、思わずペンを取りました。私はあることで悩んでいるのです。そのことでぜひ、相談に乗ってください。

佐藤和恵

書き出しの「前略にてごめんください」というのは、大人の手紙の冒頭部分を真似たのでしょう。その姿を想像するとおかしくて笑ってしまいますが、和恵の悩みとはいったい何かと気になって仕方がありません。悩みの相談になんか乗りたくはないものの、その中身は知りたい。他人の悩みほど、人を興奮させるものはありませんでしょう。ちなみに、わたしはこれまで生きてきて、悩んだことなんてほとんどありません。それは現在も同じです。わたしは悩む前に結論を出して、そのように行動するからなのです。人は容易に結論が出せないから悩む、とおっしゃるのですか。結論を出すなんて、とても簡単なことではありませんか。自分の身の丈に合ったことは何か、を常に考えている人間には悩みなど生まれません。日光が足りなくて光合成ができないのなら、その植物は枯死するしかないのです。間引かれる運命になりたくなければ、光を遮る丈の高い植物を倒すか、光合成をしなくても生きられるものに存在を変えるしかないのです。

その晩、わたしはそんなことをぼんやりと考えながら、英語の予習をしておりました。すると、夕飯の支度をしていた祖父が台所からこう尋ねたのです。

「『ブルーリバー』チェーンは、お姉ちゃんと同じクラスの子のうちなんだってね」

「そうだよ。ミツルって子のお母さんがやってるの」

わたしは、髪の手入れの悪い、薄汚れたジャージ姿のミツルの母親を思い出しました。でも、祖父は、楽しそうに続けます。

「俺、驚いちゃったよ。この辺りでQ女子高に行ってる娘がいるうちなんて、うちだけかと思ってたのにさあ。こないだ駅前の『ブルーリバー』で警備員やってる奴と会ったんだよ。そいつは管理人の同級生なの。管理人と親しくて、管理室に遊びに来てたの。俺、あそこの植木の手入れもしてやってるからさ。そしたらさあ、そこのママさんの娘もQ女子高の生徒で同じクラスらしいっていうじゃない。同じ学校の父兄の誼（よしみ）で一度飲みに行ってみようかな、なんてね。そんなこと考えたら、生きてるの楽しくなっちゃったよ」

「行ってみたら。ミツルのお母さんもおじいちゃんに、来てください、とか言ってたよ」

「ほんとかい。俺なんか行ったら迷惑だろう。だってジジイだもん」

「客なら誰でもオッケーでしょう。盆栽好きだって前に言っておいたし、喜ぶんじゃない」

私は上の空で答えましたが、祖父は本気にしたのか、ジャリジャリとやけに景気のいい音を立てて米を研ぎ始めました。

「『ブルーリバー』は、結構高いだろうなあ。若い女しかいないしなあ。少しまけてくれるかな」

大丈夫でしょ、とわたしは生返事をしました。和恵の手紙に心を捉われていたのです。わたしは和恵の手紙を取り出し、英語の教科書の上に置いてもう一度読み返しました。

そして、明日聞いてみよう、と決意したのです。

「手紙読んだよ。悩みって何」

「誰もいないところで話したいの」

勿体ぶった和恵は、真面目な顔で腕組みをしたまま、空いていた階段教室に入って行きました。時折、生物や地学の授業に使う階段教室は普通の教室より広く、中央の教壇を囲む半円形になっていました。教壇の真後ろに、スライドや十六ミリ映画を上映するための白いスクリーンが掛かっています。和恵はまるで授業中の教師のように、階段の途中からわたしを振り返りました。余裕のない小さな目に複雑な膜が張っています。わたしに言っていいものかどうかという逡巡と、心中を打ち明けたい欲望とがせめぎ合っているのでしょう。

「なかなか人には言いにくいことなのよ」

「でも、言いたいんでしょう」

わたしは最上段の椅子に腰掛けました。外はいい天気だというのに、放課後の教室はしんと静まり返っていて薄暗く、気味が悪いほどでした。

「じゃ、言うわね、思い切って」和恵は羞(は)じらうように頬に手を当て、途切れ途切れに言葉を選びました。「あのね、あたしね。あの、木島君のことが好きなのよ。知ってるでしょ。木島先生の息子、木島高志君。だから、高志君がユリコさんとどういう付き合

いをしているのか知りたいと思って。あたし、木島君とユリコさんが一緒にいるところを見て以来、気になって眠れないの」

何ということでしょう。わたしは弾む心を必死に抑えて、冷静に問いました。

「木島先生の息子って、中等部の子でしょう」

「そうよ、三年。あなたの妹と同じクラス」

「確かに顔は綺麗だと思うけどね」

わたしは木島の息子の、爬虫類を思わせる体型と、ひねた目付きを思い起こしながら言いました。

「あたしはああいう顔が好きなの。男の子なのに繊細で綺麗で、背も高くてクールだし、夢中になっちゃった。最初に見かけたのは、夏休み前だったの。学校前の本屋で会って、かっこいい子だなと思ってたら、木島先生の息子だって聞いてびっくりした。あたし、あの親子のこと、いろいろ調べたのよ。昔っから田園調布に住んでるとか、木島先生もQ学園出身だとか、弟が初等部にいるとか。木島先生は夏休みに必ず家族旅行に行くけど、昆虫採集を子供たちに手伝わせている、とか」

わたしは、あっと声を上げました。和恵がリズミック体操でミツルに負けた理由がようやくわかったからです。いえ、それだけではなく、裸子植物と思った和恵が、パートナーである昆虫や動物を見付けようとしていることに驚いたのです。何という身の程知らずな女なのでしょうか。それも、あのひねくれ者の木島の息子が好きだなんて。世の

中とは、どうしてこんなに皮肉な事実を用意しては、わたしの前に差し出してくれるものなのでしょう。わたしは笑いを嚙み殺すのに苦労しました。

「そうだったの。うまくいくといいね」

「だから、あなたの方からユリコさんに聞いてくれないかしら。ユリコさんはすごく綺麗だから木島君は好きになったんじゃないかと思うと、心配で夜も眠れないの。だけど、あたしにだって脈はあるとは思うのよ。前に、あたしの方を見て、笑いかけてくれたことがあったから」

木島の息子のことですから、和恵の滑稽さに失笑したに違いありません。ユリコや木島親子をこの学校から追い出したいと願うわたしの策略に、この笑いだしたくなる話を使えないでしょうか。わたしはあれこれと考え始めたのです。

「ユリコにそっと聞いてみてあげる。ユリコと木島君はどういう関係なのか。そして、木島君はどんな女の子が好きか」

和恵は息を詰めるようにしてうなずきました。わたしは和恵の不安げな表情を見て、こう付け加えました。

「それで、あなたが木島君を好きだってことは言っていいの？」

和恵は慌てた様子で両手を振りながら、階段を駆け上って来ました。

「駄目、駄目。それはまだ駄目。あたしは慎重にいきたいの。告白はもっと先」

「わかった」

「でも、これだけは何気なく聞いてみてくれないかしら」和恵はずり落ちた紺のハイソックスを膝下まで引っ張り上げて言いました。「ひとつ年上の女の子でも、木島君は好きになってくれそうかどうか」

「女の子が年上かどうかなんて関係ないんじゃないかしら。あの木島先生の息子なんだもの。そんなこと気にしない、頭のいい子に決まってるよ」

わたしは和恵の恋情を煽ってやることにしました。和恵は声を弾ませ、小さな目を憧れで見開きました。

「そうよね。あの先生も素敵だものね。あたし、木島先生の生物の授業好きよ」

「じゃ、今日ユリコに電話してそれとなく聞いてみるわね」

わたしは嘘を吐きました。ジョンソンの住所はおろか、電話番号さえ知らないのです。でも、和恵は心配そうに顔を伏せました。

「うまく言ってね。あなたの妹、お喋りじゃないかしら」

「あたしたちは口が固いから大丈夫」

「そう、よかった」和恵は腕時計を覗きました。「あたし、そろそろクラブに顔を出さなきゃ」

「もう、滑らせてもらえたの？」

和恵は曖昧にうなずき、クラブでお揃いの紺のスポーツバッグを持ち上げました。

「コスチューム作ったら滑らせてあげるって言われたから作ったの」

「見せてよ」

渋々、和恵はバッグの中からアイススケートの衣装を取り出しました。紺と金色のQカラー。チアガール部の衣装とそっくりのデザインでした。

「自分でスパンコールを付けたの」

和恵は胸の前にコスチュームを当てました。

「チアガールみたいだね」

「そう？」和恵は少し嫌な顔をしました。「あなた、あたしがチアガール部に断られたから、よく似た衣装を作ったと思ってるんじゃない」

「思ってないけど、思う人はいるかも」

わたしの率直な意見に、和恵は一瞬顔を曇らせましたが、自分に言い聞かせるようにつぶやきました。

「しょうがないわ。もう作っちゃったんだし。あたしはQカラーの色の組み合わせが好きだから使っただけなんだもの」

和恵は、こうやって自分を誤魔化す術を知っているのです。現実にすぐに折り合いを付けて、図々しく生きる和恵。わたしは和恵のこういうところが嫌いなのでした。

「木島君って、どこのクラブの子が好きなのかしら。アイススケートが嫌いだったらどうしよう。軽薄な男子部の男と一緒で、チアガールが好きだったりして」

おやおや。キリン娘と同じことを言っている。わたしは滑稽に思いましたが、優しく

微笑みました。

「アイススケートも派手だから、きっと好きだよ。少なくともバスケットボールよりはいいんじゃないかしら。それに勉強できる子も好きだよ」

「やっぱりあなたもそう思う？　あたし、木島君を好きになってから、勉強するのが楽しいの」

和恵は幸せそうに言うと、机の上に衣装を広げてぞんざいに畳み、バッグにしまいました。和恵は挙措が粗雑なので、丁寧な遣り方ができないのです。

「ああ、もう行かなきゃ。遅れたら先輩のブレード磨きやらされるの。じゃ、また明日ね」

和恵はコスチュームとスケート靴の入った鞄を提げて、ばたばたと駆けだして行きました。一人残ったわたしは、階段教室の硬い椅子にずっと腰掛けていました。秋の日暮れは早く、だんだんと暗くなっていきます。お尻が痛くなってきました。机の端っこに、油性ペンでいたずら書きがしてあるのに気付きました。「LOVELOVE・JUNJI・愛してる」とあります。わたしは思わず連想しました。LOVELOVE・TAKASHI・愛してる。LOVELOVE・KIJIMA・愛してる。ミツルと木島の間の熱い空気の塊。わたしは溜息を吐きました。

わたしは生涯一度も男を好きになったことなどありません。男との間に空気の塊など感じなくて済む人間なのです。それは楽ちんで、とてもいいことです。和恵も同じ種族

のはずなのに、どうしてそれがわからないのでしょうか。

九時過ぎ、わたしがお風呂から上がってテレビを見ていたら、玄関の扉が開き、わたしと入れ違いに外出していた祖父が帰って来ました。お酒を飲んできたらしく、顔が真っ赤で息が切れています。

「遅かったね。ご飯食べちゃったよ」

わたしは卓袱台に載った祖父の分のおかずを指さしました。鯖の味噌煮と菜浸しとおしんこ。祖父自身が出かける前に、用意していったのです。祖父は何も言わずにふっと大きな息をひとつ吐きました。祖父は見たことのない背広を着ていました。抹茶色に太い黒い縦縞の入った派手な服です。中は薄黄色の半袖シャツで、襟元にループタイと言うのですか、七宝焼で出来た妙な物を付けていました。祖父は男にしては小さな手で、ループタイの紐を緩めて何か思い出し笑いをしました。「ブルーリバー」に行ったに違いありません。

「おじいちゃん、ミツルのお母さんのお店に行ってみたの?」

「うん」

「ミツルのお母さんはいた?」

「うん」

普段、口数の多い祖父にしては珍しく寡黙なのが気にかかりました。

「どうだった」

「すごくいい人だったよ」

祖父はしみじみと独り言のようにつぶやいた後、わたしとあまり話したくないのか、盆栽を外に出しっ放しの盆栽を見に、ベランダに出て行ってしまいました。いつもなら、盆栽を夜露に当てたりしないのに、とわたしは少々嫌な気がしたのです。

その夜、わたしはとても奇妙な夢を見ました。太古の海の中で、わたしや祖父がふらふらと漂っている夢でした。死んだはずの母も、トルコ人の女の人と暮らしているという父も皆がいて、海底の黒い岩の上に腰を下ろしたり、ざらざらした砂に横たわって休んだりしているのです。わたしは子供の頃に気に入っていた緑色の吊りスカートを穿いていて、スカートの襞を撫でさすりながら、懐かしいなあと思っているのでした。祖父は「ブルーリバー」に着て行ったお洒落な格好をして、ループタイを水中に揺らしています。父と母は、いつも家で着ていた普段着姿でした。両親が昔の姿なのを見て、二人とも遠い思い出の存在になったのだ、と子供の姿をしたわたしは夢の中で感慨に浸っているのです。

水中にはプランクトンがたくさん浮遊していて、目を凝らすと細かい雪が降りしきっているように見えるのでした。見上げた水面からは青空が透けているのに、わたしたち家族は穏やかに海の中で暮らしているのです。何と不思議で心和む夢でしょう。でも、ユリコの姿がありません。わたしはそのことに安堵しつつも、いつユリコが現れるのだ

ろうと、どきどきして待ってもいるのでした。

真っ黒な頭をした和恵がチアガールの姿で、生真面目な顔で泳いできます。肉色のタイツを穿いていますから、きっとアイススケート用の衣装なのでしょう。和恵はリズミック体操の振りを懸命にしているのですが、如何(いかん)せん水の中ですから、動きは緩慢でおかしいのです。わたしは吹き出して、ミツルはいないのかしら、とあちこちに目を遣りました。ミツルはどうやら、海底に横たわる廃船の中で勉強しているようです。その廃船の甲板には、ジョンソンやマサミもいました。わたしがそちらに行こうとした時、急に辺りが暗くなりました。大きな人影が、輝く水面を覆い隠しているのです。わたしは驚いて上を見ました。

とうとうユリコがやって来たのです。わたしは子供のままなのに、ユリコは女神のような真っ白な衣装を着て、大人の顔と体をしているのです。豊満な胸が白い衣装から透けて見えます。長い腕と長い脚。ユリコは美しい顔でにこやかに微笑みながら家族の元に泳いで来ます。水中を見渡す光のない目。わたしは怯えて岩の陰に隠れようとしますが、ユリコはわたしを引きずり出そうとその優美な形の腕を伸ばすのです。

目が覚めたら、目覚ましがなるちょうど五分前でした。わたしは慌てて時計を止め、夢のことを考えました。ユリコが来て以来、ミツルも和恵も祖父も急に変になったことについてです。LOVELOVE・KIJIMA・愛してる。ミツルは木島先生に、和恵は木島の息子に、祖父はミツルのお母さんに、皆、心を奪われてしまったのではない

でしょうか。恋愛だけは、わたしの心に作用しない化学変化なのでよくわかりませんが、何とか食い止めてミツルと祖父だけはわたしの側に引き戻さねばなりません。

ユリコは疫病神。子供の時からずっと思っていた言葉が蘇りました。今、成長して前にも増して美しくなったユリコは、いやらしい熱線を発しては、Q女子高の連中もわたしの周囲も脅かそうとしているのです。みんな熱に浮かされておかしくなる。ユリコと戦えるだろうか。いや、戦わなくてはならない。わたしは決意を固めました。

昼休みに、満を持した様子で和恵がわたしのところにやって来ました。空いた席に弁当の包みを置き、けたたましい音を立てて椅子を引き出しました。

「一緒に食べていい？」

とっくに座ろうとしているくせに。わたしは苛立って、和恵の姿を凝視しました。ブス。かっこ悪い。最低。罵りの言葉を繰り出したくなるほど、今日の和恵は変な姿をしていました。カーラーを使って髪を巻いたらしく、いつもはヘルメットのように頭にへばりついている髪が、笠を被ったみたいに真横に広がっているのです。カールは一応、内巻きになっているのですが、カーラーの段がくっきりと残っています。和恵はやることが粗くて技術も幼稚ですから、髪を巻くのもきっと下手糞なのでしょう。しかも、小さな目が眠そうな二重瞼に変わっているのでした。

「目、どうしたの」

和恵はそっと目許に手を遣りました。

「これ、エリザベス・アイリッド」

それは、一重瞼を糊でくっ付けて二重瞼にするという代物でした。内部生の何人かが、トイレで使っているところを盗み見たことがあります。わたしは、和恵があの小さな楊枝のようなプラスチックの二股スティックで、瞼を突いている姿を想像し、胸が悪くなりました。スカート丈がさらに短くなり、えぐれた腿が半ばまで見えます。必死にお洒落しても浮いてしまうのは、滑稽を通り越して痛々しいくらいでした。

級友が和恵を見て肘で小突き合いながら露骨に笑っているにも拘わらず、和恵自身は自分のことを言われているという自覚がないのです。ひょっとすると、和恵は現実認識がまったく欠けている人なのかもしれません。わたしは和恵と仲良く見られることさえ苦痛になってきました。ただの「しこ勉女」だけだったらまだ許せたのに、和恵はユリコのせいでもっと変な姿になってしまったのですから。

「佐藤さん、お願いしたいことがあるの」

同じクラスのアイススケート部員が二人、和恵の横にやって来ました。二人共、内部生ですが、片方は腰巾着と言われていました。二人の父親がどこかの大使とかで仲がいいのですが、派遣された国に序列があるらしく、それが二人の力関係となって表れているのでした。

「なあに」

和恵が機嫌よく顔を向けました。和恵の二重瞼を見た二人の顔に笑いが浮かび、それを必死に隠そうとしているのを、わたしの目はしっかり捕らえました。でも、和恵は気付かずに、髪も見てくれと言わんばかりにカールを指で触りました。二人は髪に視線を移し、とうとう忍び笑いを洩らしましたが、和恵はきょとんとしています。

「クラブで中間テストの対策委員会を作ることになったのよ。あたしたちが幹事なの。悪いけど、英語と古典のノート、コピー取らせてくれない。あなたが一番できるから」

内部生が和恵に頼んでいます。わたしは馬鹿らしくなって横を向きましたが、「いいわよ」と和恵は誇らしげに承知してしまったのです。

「だったら、現国と地学もいいかしら。みんな喜ぶと思うわ」

「お安いご用よ」

二人は和恵の了承を得ると、さっさと教室を出て行きました。今頃、廊下で爆笑しているに違いありません。

「あなた馬鹿よ。対策委員会なんて嘘に決まってるじゃない」

余計なこととは知りながらも、わたしは思わず口を挟みました。でも、和恵は「一番できる」と言われたことに満足げでした。

「皆で助け合わなくちゃ」

「ご立派ね。あなたは彼女たちに何を助けてもらったの」

「あたしはスケートもできないから、技術とかいろいろ教えてもらっているのよ」

「あなたスケートできないのに、クラブに入ったの？」

和恵は困惑した様子で弁当の包みを開けました。中身は小さなお握り一個とトマトだけ。わたしは祖父の残した鯖の味噌煮を詰めてきていて、それを楽しみにしていたほどですから、和恵の弁当の貧弱さには驚きました。和恵はお握りをさも不味そうに食べ始めました。中身は何も入っていない塩むすびです。

「滑れないとは言ってないわ。お父さんと何度も後楽園に滑りに行ったもの」

「じゃ、コスチューム作ってどうするの。無駄じゃない」

「あなたに関係ないでしょう」

むきになって言った後、和恵はわたしへの頼み事を思い出したのか、感情を剝き出しにしたことを誤魔化すようにトマトをかじりました。勢いが余って、和恵の口から赤い汁が飛び、机の上を汚しました。和恵は他人の机に付けたトマトの染みに気付かず、苦行のように口を動かし続けています。余程、食べることが嫌いなのでしょう。わたしはしつこく問いました。

「コスチュームとかリンク代とかにお金かかるって、あなたのお父さんは何も文句言わないの」

「言うわけないじゃない」和恵は唇を尖らせます。「余裕あるもの」

余裕なんかあるわけないじゃん。わたしは殺風景な和恵の部屋の様子や、和恵の父親に国際電話の料金を請求されたことを苦く思い起こしました。

「あたしのクラブのことはどうでもいいわ。それより、あのことユリコさんに聞いてみてくれた？」

「例の件ね」わたしは箸を置いて、唇を舐めました。「すぐに電話して聞いておいた。あのね、安心して。ユリコは木島君に校内を案内してもらっていただけだって」

「ああ、やっぱりね」

ほっとした顔で、和恵はトマトの汁で汚れた指を、弁当を包んできたハンカチで拭いました。

「それから、木島君は今誰も付き合っている人はいなさそうだって言ってた」

「そう、よかった」

和恵が手を叩いて喜びました。わたしは嘘の報告をしていることが面白くてたまらなくなってきました。

「年上については何て言ってたの」

「ああ、そのことはユリコの意見だけど、関係ないみたいって。木島君、年上の女優とかが好きみたいだってよ」

「へえ、誰？」

「大原麗子とか」

わたしは咄嗟(とっさ)に口からでまかせを言いました。ええ、当時、大原麗子は憧れる人も多いと聞いたものですから。和恵は「大原麗子かあ」とがっかりした顔で中空を睨み付け

ました。いくら何でも、大原麗子には負けると思ったのだと思います。ええ、和恵を騙すのは実に楽しかったです。わたしは久しぶりに、幼いユリコに様々な嘘を吐いて誑かしていた頃のことを思い出して心が躍りました。でも、ユリコは芯のところでわたしを信用してはいなかったから、反撃してくる手強いところがありました。馬鹿な子は馬鹿な子なりに、あれこれ考えるのでしょう。なのに、和恵はころりとわたしの嘘に騙されるのです。父親にマインドコントロールされている和恵は、きっとどこか無防備で、抜けていたのです。ええ、その意味では無垢な女でした。

「で、どう思う。あたしに勝ち目あると思う?」

自惚れの強い和恵は自信を取り戻した様子で、横目でわたしを窺いました。

「あるわよ」わたしは断言しておきました。「あなたはまあ勉強ができる方だからさ。木島君は頭のいい女の人が好きらしいよ。だって、木島君はミツルの名前を知っていて、憧れも持っているって」

「ミツルのことを」

衝撃を受けたのか、和恵はミツルの方をきっと見遣りました。ミツルはとっくにサンドイッチの弁当を食べ終わって、カバーの掛かった本を読んでいました。英語の小説のようでした。ミツルを凝視する和恵の横顔からは、嫉妬が熱く感じられました。あんたは敵いっこないわよ。ミツルは怪物なんだから。わたしは和恵の横顔を意地悪く眺めたのです。

ミツルが視線を感じたのか、こちらを振り返りましたが、その目には何の関心も表れていませんでした。わたしは昨夜、祖父が「ブルーリバー」に行ったことについて、ミツルから何の話も出なかったのを奇妙に思っていました。ミツルの母親は、わたしの祖父がお店に行ったことを報告していないのでしょうか。すると、ねえねえ、と和恵がせがみました。

「木島君はあと、どんな女の人が好きなのかしら」

「そりゃ、男だもの。やっぱり綺麗で可愛い人が好きなんじゃない」

「綺麗な人ね。そうか」和恵はお握りを食べあぐねて溜息を吐きました。「ユリコさんみたいになりたい。あんな顔に生まれてきたなら、どんなにいいかしら。どういう人生が開けているのかしら。あの顔で頭がよかったら最高よね」

「あの子は怪物だから」

「そうね。勉強なんかできなくてもいいから、怪物になりたいと思うことあるわ」

和恵は本気でつぶやいていました。ええ、あの人は最後、本物の怪物になってしまいましたよね。わたしは、でもその時は、将来のことなんかまったく考えてもいませんでした。え、のちの和恵の奇行は、この時のわたしの対応に原因があるとおっしゃるのですか。わたしに責任があると。まさか、そんなことはありますまい。だって、すべての原因は、その人間を形作っている核とでもいうべきものに存するのではないでしょうか。和恵が変貌する原因は和恵自身にあったのだと思いますよ。

確かにわたしは、弁当を食べ終えた和恵にこう言ったことは覚えています。それは作為とまではいかない、単なる悪意程度のことだったと思います。悪意だから作為だとおっしゃるのですね。その定義ならば、そうかもしれません。でも、質問の発端は、まさに単純な好奇心でしかなかったのですよ。

「あなた、少食ね。朝ご飯食べ過ぎたんじゃない」

和恵は激しく首を振りました。

「まさか。あたし、朝は牛乳一本しか飲まないのよ」

「どうして。前に蕎麦つゆまで飲んでたじゃない」

和恵はむっとしてわたしを睨み付けました。

「そういうことはやめたの。あたし、食事制限することにしたのよ。だって、モデルみたいに綺麗になりたいんだもの」

和恵は今で言うダイエットをしていたのです。わたしはその時、とても残酷なことを思いました。和恵が今より痩せてしまったら、もっとみっともなくなって誰も和恵を好きにはならないだろうと。だから、こう勧めたのです。

「そうだね。あなた、もう少し体重を絞った方がいいかも」

「そうでしょう。そう思うでしょう」和恵は恥じ入ってスカートを下に引っ張りました。

「脚なんか太いものね。スケートも痩せている方が軽くていいって言われた」

「ほんのちょっとの努力よ。木島君も細いもんね」

和恵はわたしの言葉に決然とうなずいたのでした。

「あたしが細くて綺麗になったら、木島君とお似合いになるかしら」

和恵は楽しそうに言うと、空の弁当箱をトマトの汁で汚れたハンカチで再び包んだのです。いつの間にか本を小脇に挟んだミツルがやって来て、わたしの肩を叩きました。

「ユリコさんが来てるわよ。あなたに用事があるんだって」

ユリコが。あれほどわたしのところには来るなと言っておいたのに。わたしは驚いて、廊下を見ました。教室の入り口に、ユリコと木島の息子が二人してこちらを覗き込んでいました。わたしはまだ二人がいることに気付いていない和恵の背を押しました。

「木島君よ」

その時の和恵の反応を見せてあげたかったです。頰を紅潮させて、うろたえだしたのです。どうしようどうしよう、まだ早いわ。どうしようどうしよう、と。わたしは立ち上がりました。

「大丈夫。あの子たちはわたしに用事なんだから」

「だって、あなたユリコさんにあたしが木島君が好きだって言っちゃったんでしょう」

「言ってないわよ」

嘘、嘘、と取り乱した和恵を持て余し、わたしは二人のところにさっさと向かいました。ユリコが近付くわたしを真っ向から見据えています。緊張しているせいか、眉根を寄せて真剣な表情をしていました。癪なことに、背が伸びて、わたしより十センチは高

くなっています。半袖のブラウスから出た腕は細くて長く、完璧な形をしています。指も美しく、どんな指輪も似合いそうでした。わたしとは似ていない顔と体をした妹。あんたは誰に似たの。化け物。幼い時からの思いが、またもマグマのようにわたしの内部から噴出するのを感じました。

「何の用」

わたしのぶっきらぼうな物言いに、びくっと木島の息子が反応するのがわたしにもわかりました。おお、怖い。きっとそんなことを言ったのでしょうが、わたしには聞こえませんでした。

「お姉ちゃん。担任の木島先生が家庭調査表を出してくださいって言うんだけど、どう書いたらいいかしら。お姉ちゃんが書いたのと一緒じゃないと変だと思って」

「あんたはジョンソンとマサミのことを書いておいたらいいじゃない」

「でも、ジョンソンは家族じゃないわ」

わたしは疑いを口にしました。

「もしかして家族以上だったりして」

木島の息子がにやっと笑ってユリコの顔を眺めました。その瞬間、ユリコの頬が紅潮して、目に光が射しました。怒りという感情が生み出す意志。意志を持つと、ユリコの目には光が射すのでしょう。わたしはユリコに意志など必要ないのだから、感情そのものを打ち消したい、いや踏みにじってやりたいと強く思ったのです。でなければ、その

神々しいほどの美貌に負けそうな気がしてならないのでした。

「あたしはお父さんとお姉ちゃんのことは書いておくから、先生から何か言われたら、お姉ちゃんの方に回すわ」

「勝手にしたら」わたしは木島の息子を見ました。「ところで、あなた。木島先生の息子さんでしょう」

「そうです。それが何か」

木島高志は憮然とした目でわたしを見返しました。教師である父親のことを言われるのが一番嫌なのでしょう。なぜなら、自分は木島先生を損ねる存在だからです。

「木島先生はいい先生なのにね」

「家でもいい父親ですよ」

高志は受け流しました。

「ユリコといつも一緒にいるみたいだけど、あなたたち仲がいいのね」

「俺はこの人のジャーマネですから」

高志はふざけて言うと、制服のズボンのポケットに両手を突っ込んで肩をそびやかしました。お前にわかってたまるかという、冷ややかに拒絶するものがびんびんと伝わってきました。この二人の間には何か企みがある。わたしはそれが何かを知りたくてなりませんでした。

「何のマネージャーなの」

「いろいろです。そうそう、ユリコはチアガール部に決まりました」

ふーん。わたしは皮肉を感じて振り向きました。和恵は関心のない振りを装ってうつむいています。でも、注意をわたしたちに向けているのはあからさまでした。

「木島君、あの人、どう思う」

高志はちらと和恵を見て、何の関心もなさそうに首を傾げただけでした。ユリコが面倒臭げな顔をして高志の腕を引っ張りました。

「キジマ、早く行こう」

ユリコはすでに、わたしから離れた。わたしはその時、気が付いたのです。ユリコはもう、雪道で必死にわたしの後を追っていた妹ではなくなったということが。つい六カ月前、スイスに発つ時だって、口はきかないものの、いよいよわたしと別れる段になったら、切なそうな顔をしていたのに。

「ユリコ、あんたスイスで何があったの」

わたしはユリコの腕を摑んで詰問しました。体温が低いのか、ユリコの腕はしっとりと冷えていました。わたしの質問の意図ですか。当然のことながら、それは下品で意地の悪いことでした。男との初体験とか、その手のことだったのです。でも、ユリコは意外なことを告げました。

「あたしの一番好きな人が死んだの」

「誰」

「もう忘れたの」ユリコの目の中の光が一瞬、燃えるように強くなりました。「お母さんに決まってるじゃない」

ユリコはわたしを軽蔑するように見下げ、顔を背けて答えました。ユリコが顔を歪めたり、目に光が生じると、悲しげな表情になるのです。わたしはその顔をもっと醜くしてやりたいと願ったのです。

「あんた、ちっとも似てないくせに」

「似てることに何の意味があるの」

言い捨てたユリコは、高志の肩を摑みました。

「キジマ、もういいよ。行こう」

高志はユリコに引っ立てられるように踵を返したのですが、不思議そうにわたしの顔を眺めていました。わたしがどうしてむきになったのか知りたかったのでしょう。そうです。わたしは「相似」ということにずっと拘って生きているのです。それは今でも同じです。その理由は、わたしにもわかりませんが。

「ねえ、あなたたち何の話をしてたの。長かったわね」

席に着く前に、和恵が走り寄って来て尋ねました。

「いろいろ。あなたの話は出なかったわ」

和恵は無理矢理、二重瞼にした不自然な目を伏せ、考え込んでいます。

「どうやったら、あたしのことを木島君に知ってもらえるかしらね」

リコの表情の真似だと気付きました。

「それがいいわ。今度、手紙書くから見てくれる？　客観的な意見が欲しいんだもの」
客観。わたしは唇を歪めて笑ってしまったのでした。後で、その笑い方がさっきのユ

わたしの提案に和恵は顔を綻ばせたのです。

「手紙を書けばいいんじゃない」

2

その夜、わたしが何をしたとお思いですか。相似。そのことに囚われていると気付いたわたしは、祖父を問い詰めてみようと決心したのです。わたしの父親は誰なのか、ということを。いえ、わたしはハーフです。それは間違いありません。日本人である母とどこか違う国の人間とのハーフだと信じております。だって、この膚。黄色くありませんでしょう？　違いますか。

ただ、わたしの本当の父親が、ユリコの父親である、あのスイス人の男でないことは絶対に確かです。なぜなら、まず似ていない。それに、あの凡庸な男から、どうしてわたしのような明晰な子供が生まれるとお思いですか。そんなことあるわけがありません。父の方も、何とはなしにわたしに距離を置いていましたし、一度叱責を始めると、愛情なんかまったく感じられない遣り方でわたしを虐待したではありませんか。このように

証拠はたくさん挙がっていたのです。

子供の頃から、ユリコは何かというと容貌の違いに触れて、わたしを苛めてきました。このわたしがユリコに苛められたということが信じられませんか。なぜです。ユリコが美しいからですか。とんでもありません。ユリコはああ見えても、わたし以上に意地悪で、邪悪なものをいっぱい持っているのです。わたしの心を抉ることを、何の躊躇いもなくやっていました。『じゃ、お姉ちゃんのお父さんはどこにいるの。お父さんに似てないじゃない』。これが最終兵器でした。子供同士の喧嘩でも言ってはならないことがありますでしょう。ユリコは、わたしに勝てない時は、最後には必ずこの爆弾を落とすのです。ユリコほど気が強い性悪女はおりません。これは本当です。

わたしがスイス人の父親が実の父親でないとわかったのは、ユリコの存在なのです。だって、ユリコは誰にも似ていませんが、明らかに西洋人と東洋人のハーフ特有の容貌をしていましたし、頭が悪いのは両親にそっくり。わたしは誰にも似ていないのに、ユリコとは違う東洋人臭い顔で、優秀。じゃ、わたしはどこから来たのだろうか。わたしは物心ついた時から、自分の存在が不思議で仕方なかったのです。わたしの父親は誰なのだ、と。

ある時は、理科の授業がわたしの疑問に解答を与えてくれました。突然変異。そうだ、わたしはきっと突然変異なのだ、と納得しかけました。しかし、その魔法もすぐに解けてしまいました。だって、スイス人にも日本人にも似ずに、怪物的に美しいユリコの方

が突然変異の度合いが強い、と思ってしまったからです。それは負けも同然で悔しいことです。以来、わたしは解答を見付けられずにおります。それは今でも同じです。そして、ユリコが日本に帰って来たことで、わたしの疑問は再び成長を始めてしまったのです。だから、和恵の恋愛騒ぎなど、もうどうでもよくなってしまいました。

　祖父は夕方からどこかに出かけたらしく、家にはおりませんでした。夕食の支度もまだだったので、わたしは仕方なく米を研ぎ、冷蔵庫にあった豆腐で味噌汁を作りました。おかずは何もありませんが、祖父が何か買って来てくれるのだろうと待つことにしました。なのに、祖父は待てど暮らせど帰って来ません。やっと玄関のドアが開いたのは、十時近くでした。

「遅かったね」

あちゃー。わたしの文句に、祖父は叱責されたかのように首を竦めておどけました。あれ、祖父の背が高くなった。わたしは驚いて玄関まで迎えに出ました。祖父は見覚えのない茶色い靴を脱いでいます。三和土（たたき）に置かれた祖父のちんまりした靴は、女の靴みたいに踵（かかと）が高くなっています。

「この靴、どうしたの」

「へへ、シークレット・ブーツって奴」

「こんなのどこで売ってるの」

「まあ、いいじゃない」

祖父は照れ臭そうに頭を掻きました。祖父の肩の辺りから、ポマードが強烈に臭いました。祖父は洒落者で、家でもポマードを欠かさず付けているのですが、その夜の臭いの量は半端ではありませんでした。わたしは鼻を押さえて、祖父を観察しました。祖父は見たことのない、サイズの合わない茶色の背広に、警備員のおじさんに借りた青いシャツを着ていました。前に警備員のおじさんが自慢していたのを覚えていましたから、すぐにわかりました。それに祖父は小柄なので、背広の袖口からシャツの袖が長く出てしまって借り着だとすぐばれるのです。そして銀色の派手なネクタイを締めていました。

「ごめんよ。腹減っただろう」

祖父は上機嫌でわたしに折り詰めを手渡しました。鰻の蒲焼の香ばしい匂いがポマードの臭いと渾然一体となって漂い、わたしは眩暈がしました。たれの染み出した折り詰めはじんめりと湿っています。わたしは折り詰めを両手で持って、しばらく黙っていました。祖父の様子が明らかにおかしいのです。祖父は盆栽詐欺から足を洗ったはずなのに、どうして次から次へと新しい服や物を買えるのでしょう。祖父はどこから金を工面しているのでしょうか。わたしはとうとう口にしました。

「おじいちゃん、その服、新しいね」

「駅前のナカヤで買ったの」祖父は生地を撫で擦りました。「ちょっと大きいんだけど、これ着てると遊び人みたいだろ。俺、何だか贅沢にはまっちゃったよ。ネクタイも勧め

られてね。こういう服には銀のネクタイが映えるって言われたからさ。よく見るとこの地模様、蛇のウロコみたいだけどね。それが時々光って渋いんだって。靴もさ、駅の向こう側の北村商店まで行って買ったんだよ。俺、背低いだろ。だから、たまには他人を見下ろしてみたいな、なんて思っちゃって。あれこれ散財しちゃったから、反省してシャツだけはあいつに借りたの。だって、この色、背広に合うじゃない。ほんとはカフスするらしいけど、カフスだけはないからなあ。今度いいのあったら買ってみようって思ったけど、先にシャツだよなあ」

祖父は残念そうに袖口に視線を遣りました。確かに袖はだらんと伸びて、男にしては華奢な指まで掛かっています。わたしは折り詰めを指さして詰問しました。

「じゃ、鰻はどうしたの。誰に貰ったの」

「おお、そうだ。早く食べなよ。お弁当のおかずにと思って、多めに買ったんだから」

「あたしは誰に貰ったって、聞いたんだよ」

「誰にって俺が買ったんだよ、小遣いで」

祖父は怒気を孕(はら)んだ声で言い返しました。わたしの中の悪意と疑惑にようやく気が付いたのでしょう。でも、過剰反応するということは、わたしに知られると都合の悪いことがあるに決まっています。

「ミツルのお母さんのお店に行ったの？」

「行ったよ、悪いか」

「昨日も行ったじゃない。よくお金あるね」

祖父はガラガラと音を立ててベランダの戸を開け、またもしまい忘れた盆栽を眺めました。が、昨夜のようにいそいそと世話をするわけでもなく、秋の夜風を顔に受けてぼうっとしています。わたしは嫌な予感がして、ベランダに見に行きました。明らかに盆栽の鉢がふたつ三つ減っていました。

「おじいちゃん、盆栽売ったんだね」

祖父は何も言わず、五葉の松の大きな鉢を持ち上げて、尖った松の葉に愛しそうに頰擦りしました。

「明日はそれを売っちゃうの」

「いや、これは死んでも売れねえよ。万寿園だったら三千万の値を付けるかもしれないけどな」

万寿園にいる保護司のおじさんの顔が脳裏に浮かびました。だったらわたしが売ってやろうか、わたしが売った方が高く売れるかもしれない、と一瞬思いましたが、祖父の言う値段は当てになりません。しかし、このまま放っておいたら祖父の盆栽は次から次へと売られ、その収益は万寿園と「ブルーリバー」に全部吸い上げられてしまうことでしょう。わたしは自分たちの生活が冒される気がして焦りました。

「ミツルのお母さん、いた？」

「いたよ」

「二人でどんな話するの」

「あの人は忙しいから、俺の相手ばっかりってわけにはいかないよ」

あの人。祖父の口から出たその言葉は、これまで聞いたことのない憧れに満ちていました。祖父の体から、何か得体の知れない柔らかで強いパワーが出ています。皆を変にするユリコの影響を感じて、わたしは目を耳を塞ぎたくなりました。祖父が振り向いてわたしを見ました。その顔に怖じる気配があります。わたしが祖父の恋を嫌がっていることを察したのだと思います。

「ミツルのお母さんと何の話をしてるの」

「たいした話なんかできないってば。あの人はオーナーだからさ」

「だから、外で鰻食べたんだ」

わたしの推測は当たっていました。

「うん。店の子には内緒でちょっと出ましょうって言われてね。川向こうの何とかいう高いところに連れてってもらったよ。俺、萎縮しちゃってさ。そんな高い鰻屋行ったことないだろ。肝吸なんて初めて飲んだ。実に旨かったな。お姉ちゃんにも食べさせてやりてえなって言ったら、一人でお留守番じゃ可哀相って、あの人が折り詰めを頼んでくれたんだ。この間、お母様が亡くなったばかりですものねって。一人でよくやってらっしゃるわって。本当に優しい人だよ」

『母親に自殺されちゃ、子供も立つ瀬ないよね』

運転席から振り返ってさばさば言い放ったミツルの母親のひしゃげた声。「あの人」は祖父には優しいかもしれませんが、わたしの母の死など何も感じなかったはずです。祖父の口から伝えられるミツルの母親は、どうしてこんな風に天女みたいにたおやかになってしまうのでしょう。ミツルだって自分の母親をこう評していたではありませんか。『うちの母親って変わっているでしょう、偽悪的で。あたし、ああいうの嫌いなのよ。ことさらに嫌なことを自分から言う人って、弱い人だと思わない？』

そんなことを思い出していると、わたしの内部にミツルの母親に対する反感が満ちて弾け出そうになったのです。わたしは仏頂面で確かめました。

「やっぱり貰い物じゃない」

「貰ったって言い方が引っかかるんだよ、俺は」

祖父がむきになったのを制して、わたしはぴしゃりと言ったのです。

「でも、あれだね。ミツルのお母さんはおじいちゃんが刑務所に入っていたって知ったらショック受けるでしょうね」

祖父は黙って背広を脱ぎました。眉間に皺が寄っています。わたしは祖父が困ることを言ってやりたくてたまりません。だって、祖父はわたしと楽しく暮らしていたのに、わたしと盆栽を置いてユリコと同じようなイヤらしい世界に旅立とうとしているのですから。裏切り者。和恵のことは面白いから煽っても、祖父が恋をするのだけは何としても阻止しなくてはなりません。

「そのことはいずれ話すよ、俺からね」

祖父はそう言って大きな溜息を吐きました。その時バランスを崩してズボンの裾を踏み、足を取られて転びそうになりました。踵の高い靴に合わせてズボンの丈を伸ばしたせいでしょう。裾が侍の袴みたいにだぶついています。わたしは思わず吹き出し、和恵の二重瞼を思い出しました。恋のために人は道化になってしまうのです。他人から見ると嘲笑されるようなことを大真面目でして、笑われていることに気付かなくなるのです。このパワーを全部ユリコが統べている。そしてわたしの住む世界を浸潤していく。わたしは憎しみと焦りで気が狂いそうになりました。

「おじいちゃん、あの人って気韻ある？」

えっと聞き返す祖父に、わたしは苛立って声を荒らげました。

「ミツルのお母さんて、気韻があるって聞いてるんだよ」

「ああ、あるよ。気韻でいっぱい」

なあんだ。わたしは急に祖父にも失望したのでした。盆栽の世話をしながら「狂がある」だの「気韻」だのと叫んでいた祖父は、あんなつまらないおばさんにも気韻があると言うんですから。ということは、以前、祖父がユリコは美し過ぎるから気韻がない、と言ったことだって怪しいではありませんか。わたしの中で祖父に対する愛情が減じるのを感じました。それは大きな落胆を伴っていました。この世界で好きな人はおじいちゃんだけだったのですから。わたしは固い声で祖父に話しかけました。

「それよっか、おじいちゃん、話があるんだよ」

祖父は背広を丁寧にハンガーに掛けてから顔を上げました。

「何だよ、改まって」

「あたしの父親って誰。どこにいるの」

「誰って、スイス人のあいつに決まってるじゃねえか。お前、何言ってるんだ」祖父は不機嫌になって、ズボンのベルトを緩めました。「あいつ以外の誰もいやしないよ」

「嘘。あの人は父親じゃないよ」

「嫌だなあ、そういうの」祖父はズボンを脱ぐと、くたびれた様子で畳の上にぺたんと座りました。「何か夢でも見てるんじゃないのかねえ。お前の母親は俺の娘だし、お前の父親はあのスイス人。俺は反対したけど、娘は結婚するって聞かなかったんだよ。だから、間違いないの」

「だって、あたしは誰にも似てないよ」

「似てるってそんなに問題かなあ。前にも言ったろ。俺の家系はあまり似ないんだって」

祖父は、どうしてそんなことに拘るのかとわたしの顔を不思議そうに見上げるのでした。わたしは失望して、まだ手にしていた折り詰めを床に投げ付けたくなったほどです。母はその衝動を何とか抑えているうちに、わたしは恐ろしいことに気付いたのです。母はその秘密を胸に抱いて死んで行ったのではないかと。

「戸籍見ろよ、戸籍。ちゃんと書いてあるから」

祖父はネクタイを外し、懸命に皺を伸ばしてぶつくさ言いました。そんなものは当てになりません。わたしの父親は美しく頭のいい白人に決まっています。フランス人かイギリス人だといいのに。その人は、わたしと母親を捨てて、放浪の旅に出て行ってしまったのです。もしかすると死んでしまったのかもしれません。だから連絡できないのでしょう。あるいは、わたしが成長するのを待って連絡してくるつもりなのかもしれません。そうだったらいいのに。わたしはカーテンを引かない窓に映る自分の姿を、目を凝らして眺め続けたのでした。

　わたしと父の間には、どうしても埋められない奇妙な距離感がずっと存在していました。それが何かはわかりません。ウマが合わないとしか言いようのない間柄でした。父もユリコとは自然に話すのに、わたしに相対する時は緊張の度合いを深めるのです。唇の脇に皺が刻まれるのですぐ気が付きました。だから、顔を合わせていても取り立て話題もなく、かといって、わざわざ探すのも面倒ですから、わたしは父が居間にいるとさっさと部屋に帰ったものです。

　時たま、仕事から帰った父が、わたしを問い詰めることもありました。こういう時は、機嫌の悪いことが多いので要注意なのですが、わたしはわたしでそんな父と交戦したいような昂（たかぶ）った気分になり、意地でもそこに留（とど）まることがあったのです。父の攻撃はこういう風に始まります。

「お前は痩せているけど、給食をちゃんと残さずに食べているのか」

父の攻撃は大概、そんなくだらないことから始まるのでした。父は、給食費を払っている以上、子供たちが給食を全部食べてこないと許さないのでした。でも、嘘を吐けば何とでもなります。何だ、そんなことか。わたしは内心せせら笑いながら、級友から借りたマンガの本から目を上げずに答えます。

「食べてるよ」

「本を置いて、ちゃんと私の目を見なさい」父はわたしの手からマンガを取り上げて怒ります。「答えるまで本は返さない」

「それ、借りた本だから返して」

わたしの抗議に初めて、父はしげしげとマンガを眺めます。くだらない。父の顔が歪んでいるのがわかります。父は無教養で頭の悪い男でしたが、日本のマンガやテレビ番組などを「馬鹿になる」と言って軽蔑していたのです。父の声が怒りで震えます。

「こんな物を読んで恥ずかしいとは思わないのか」

「思わないよ。返して」

わたしの手を振り払い、父は借りた本を破いてゴミ箱に投げ捨てるのです。わたしは父の感情の爆発を前にして、心を固くしていきます。敵は意外なところから攻めてきた、という自分の甘さに対する反省です。さっきまでテレビを見ていたユリコは、わたしと父との間に戦争が始まったと察してとっくに部屋に消えているのでした。そうです。ユ

リコはああ見えても、要領がよく、逃げ足も早いのです。

「お父さん、本どうするの。弁償しなくちゃ」

わたしが哀れなマンガを指さして非難しても、父は頑然と言い張るのです。

「お前の友達のためにもよくない。保護者には私から電話して事情を説明するから、本は諦めなさい。弁償する必要なんかない」

いつの間にか、給食の話題はマンガに移り変わっています。事後処理に駆けずり回るのは母でした。わたしの報告で青くなった母は、新しいマンガ本を買いに行き、わたしに手渡すのです。なくしたから新しいのを買った、と言いなさい、と。母は母で、気の弱いところがあったものですから、本屋で見つからなくて、大騒ぎしたこともあります。このように、両親の正反対な態度に翻弄されるのは、いつもわたしなのでした。本当に馬鹿馬鹿しい限りではありませんか。母のうろたえる様が今でも思い出され、わたしはとても嫌な気分になるのです。

両親が口論をしていたりすると、いたたまれませんでした。でも、ユリコは平気な顔をしてテレビを見続けているのです。わたしと父が喧嘩する時は逃げておきながら、そういう時は意にも介さないのですから、あの子は鈍かったのでしょうか。それとも、わたしと父の諍い（いさか）がそんなに辛かったのでしょうか。

両親の口論の内容は、主に家計に関したことでした。わたしの家は、父が家計を管理し、母は父からお金を貰う形で毎日の総菜を買っていたのです。前にも言いましたが、

父は吝嗇で、誰も気付かないようなことまで細かくチェックするのが常でした。

「ホウレンソウは昨日も買ったんだから、また買うことはない」

冷蔵庫を開けて中身を点検した父が、スーパーのレシートを握って母を問い詰めています。

「安売りだったんですよ。いつもの百三十八円が九十八円だったんですから」

「四十円安くたって、同じ野菜を買う必要はないよ。昨日の残りを食べればいい」

母は無益な反論を試みます。

「あなたはホウレンソウを茹でると、どのくらいの量になるか知ってるの」

「知ってるさ」

でも、茹でたらこんなですよ。母が掌に幻のホウレンソウを載せて見せています。いや、このくらいにはなる。父が大きな掌にてんこ盛りにします。何言ってるの。あなたは料理などしないんだから、わかるはずないわ。こんなに小さくなるんですよ。それを四人家族で分けているんですから、一日でなくなるに決まってますよ。だったら、二日に分けたらいい、オヒタシになんかするからすぐなくなるのだ。ニンジンと混ぜてソテーしたらいい。それはお肉の付け合わせじゃないですか。うちのご飯には合わないわ。ご飯というけど、生活習慣の違う私がどれほど妥協しているかわかっているのかね。

こんな具合に不毛な口論が延々と続くのです。母がもう少し頭がよかったら、茹でて冷凍にするから大丈夫だとか、じゃ、あなたが買い物と調理を担当してください、とか

いくらでも言いようがあったと思いますが、悲しいことに、母は力のない反論を繰り返すだけだったのです。父には、母の家庭経営が甘く思えてならなかったのでしょう。それだけではありません。父は家族の誰に対しても不満を持っていました。わたしは言うことを聞かないという理由で。そしてユリコは、自分の意見を出さないということで。自分だけ正しいと信じて荒れ狂う父が、わたしはユリコの次に大嫌いでした。要するに、わたしは家族で好きな人間が一人もいないという孤独な子供時代を送ったのですよ。不幸ではありませんか。違いますか。だから、わたしは佐藤和恵が無条件に父親の価値観を踏襲していることが不思議でならなかったのです。お父さんのいい子になる和恵が理解できないばかりか、軽蔑していたのです。

ユリコの手記の中に、わたしと父の性格が似ていたという記述がありましたよね。わたしはあの箇所を読んだ時、本当に、鳥肌が立つほど腹が立ちました。わたしと父は似ているところなど、まったくありません。だって、わたしは別の人間の子供なのですから。あの人の遺伝子は絶対に受け継いでおりませんとも。

小学校六年の時、わたしは白系ロシアの血を引いたバレリーナのマンガを読んで、こういう作文を書いたことがあります。内容をお知りになりたいのですか。うろ覚えですが、書いてみましょう。

『遥かロシアの地』

雪の降り積む平原に、レンガ造りの家が一軒建っている。今は雪に覆われているが、家の横に生えた大きなリンゴの木は、夏に青々と葉を繁らせてその家を優しく包んでいる。リンゴで作ったジャムを熱い紅茶に入れ、その家に住む老婆はペチカの前で密かに思い出している。そう、あの日本に一人置いてきた孫娘のことを。あの子に手紙を書きましょう。老婆は樫で出来たテーブルに向かい、鉛筆を舐めながら字を書くのでした。

アンナ、元気かい？　お前のお父さんはモスクワに行ったきり、帰って来ないよ。ボリショイ劇場で公演があるのです。でも、便りのないのは元気の証拠と言いますから、安心してちょうだい。お父さんとパ・ド・ドゥを踊るのは、ロシアの誇る名花、パブロワだそうです。白鳥の湖だということですが、お父さんは自分の創作バレエをやりたいと張り切っていました。お父さんの創作バレエは、日本をテーマにしています。でも、「さくらさくら」や「花」なんて学校で習うような唄はひとつも出てきません。チャイコフスキーが作るような素晴らしいバレエ音楽だそうです。写真が出来たら、あなたにも送りますから楽しみにしていて。

日本で一人暮らすのはとても寂しいでしょうね。あなたをあんな家族に預けてきたこと、お父さんはとても後悔していますよ。でも、政治的な亡命の最中の事件ですから、仕方がなかったのです。でなければ、あなたの命はなかったかもしれない。だから、お願いですから、勉強して一日も早く大人になってください。あなたは金色の髪をしたお父さんと、黒髪のウラル美人との間の美しい子供。あなたが大人になったら光り輝いて、

あなたの妹なんか問題にならないことでしょう。

こんな内容だったと思います。ユリコの作文はあったのに、どうして自分のは持っていないのかとおっしゃるのですか。さあ、どうしてでしょう。わかりません。そんなことはいいじゃないですか。ともかく、わたしの子供時代というのはこういう感じだったのです。わたしに文才があったことなども、今ではもう、どうでもいいことですが。

いずれにしましても、Q女子高時代のわたしは、父と離れて暮らせて本当にほっとしました。それは現在でも変わりません。あの人とわたしはおそらく他人同士。気も合わないし、一生会うことがなければそれで万事めでたしなのです。何ですか。わたしに影響を与えた男の人はいないのかというご質問ですか。和恵にとっての父親のような、ですか。それは皆無でしたね。父との関係は今お話しした通りでしたし、わたしは男を好きになったことも、肉体関係を持ったこともないのです。わたしはユリコみたいなニンフォマニアではありませんから。

わたしはむしろ、男という生き物が嫌いで嫌いでたまらないのです。肉も骨も固くて汚い皮膚を持ち、体中にざらざらした毛を生やし、厳つい膝頭を持った男たちが。声は太くて、体は脂臭いし、挙措は乱暴で、頭がずさん。ええ、わたしに悪口を言わせたら、それは切りのないことです。わたしが区役所のバイトでよかったとつくづく思うのは、通勤電車に乗らなくて済むことでしょうか。毎日、あんな臭いサラリーマンたちとすし

詰めになって通うのだけは、絶対にできません。

でも、わたしは同性愛者ではありません。そんな汚らわしいことは絶対にありません。確かに、高校時代のわたしはミツルを少し好きになりましたが、尊敬に近いものでした し、すぐに消えてなくなるような淡い感情でした。ミツルが頭脳という武器を磨いていることに気付いたわたしが、勝手に連帯感を募らせ、多少憧れを持っていただけなのです。なぜなら、高一の後半、ミツルは生物教師の木島を好きになってしまいましたし、実はその前にもある出来事があって、わたしとミツルとは仲違いをしてしまったからなのです。

祖父が「ブルーリバー」に通い出して何週間か経った頃でした。祖父は盆栽を売り続けて店に通う金を工面しておりましたので、わたしは空っぽになったベランダを見ては、悲しいやら、情けないやらで、不愉快極まりなかったのです。そんな鬱屈した思いを抱いていたある日のことです。

芸術の時間が終わった時でした。わたしは書道を選択していましたから、別棟にある階段教室から教室に戻って来ました。勝手に好きな字を書け、という教師の出題に、わたしは「気韻」と書きなぐってきたところだったのです。すると、先に教室に戻っていたミツルがわたしの姿を見付けて、手にした譜面を振って合図しました。ミツルは音楽を取っているからです。わたしは制服のブラウスに飛んだ墨の染みを眺めて、憂鬱な気

分になっていましたから、ミツルの弾んだ声が少しうざったく感じられました。ミツルは、翌週から中間テストが始まるせいで睡眠不足の赤い目をしていました。

「ちょっと話したいことがあるんだけど、いい」ミツルの白目に複雑な模様を作っている細い血管を見つめ、わたしはうなずきました。「母がね、あなたとあなたのおじいさんと四人でお食事しましょうって言うんだけど。いかが？」

「どうして」

わたしはとぼけました。ミツルは前歯をコツコツと爪で叩き、首を傾げたのです。

「母はあなたのことが気に入ってるみたい。ご近所だし、一度ゆっくりお話ししてみたいんですって。よかったらうちに来てもらってもいいし、どこかで美味しいものでも食べませんかって」

「わたしなんかが行くより、あなたのお母さんとおじいちゃんと二人っきりにしてあげた方がいいと思うけど」

理不尽さを嫌うミツルの目が、謎を解こうというようにきらりと光りました。

「それ、どういうこと」

「あなたのお母さんに聞いてみたら。あたしは遠慮する」

ミツルが怒ったのを見たのは初めてでした。顔が紅潮し、眦（まなじり）がきつくなりました。

「あなたって失礼な言い方するのね。理由があるのなら、はっきり言ったらどうかしら。あたしはそういうの好きじゃない」

涙声を耳にして、わたしはミツルの心の傷を知ったのです。ミツルは、あの母親のことを言われるのが苦痛なのでしょう。でも、わたしは思っていることを告げました。

「じゃ、言いましょうか。あなたのお母さんに、うちのおじいちゃんは夢中みたい。別にそれはそれでいいのよ、あたしには関係ないから。だけど、あたしを引っ張り出すのだけはやめてほしいの。あたしは人の恋路のダシになんかなりたくないもの」

「それはどういうことなのかしら」

　ミツルの顔が見る見る青ざめていきました。

「あなたのお母さんのお店に、うちのおじいちゃんはしょっちゅう行ってるわ。お金がないから盆栽を売ってね。おじいちゃんの盆栽だから、わたしには関係ない。だけど、あなたのお母さんって、どういうつもりでおじいちゃんと付き合ってくれているのか、不思議に思うこともあるわ。だって、うちのおじいちゃんはもうじき六十七よ。あなたのお母さんはまだ五十前でしょう。そりゃ、恋愛に歳は関係ないと思うわ。でも、あたしは淫靡な雰囲気ってすごく苦手なの。あたしの妹のせいかもしれないけど、最近のあなたも変だし、おじいちゃんも変だし。ユリコが帰って来て以来、いろんな世界が崩れていくのを見るのが嫌なのよ。わかる？」

「わからない」落ち着いたミツルはゆっくり頭を振りました。「あなたの言うことは支離滅裂だわ。だけど、ひとつだけわかったことがある。あなたはあたしの母親とあなたのおじいさんとが付き合っているのを許せないってことがね」

許せないよりも、もっと悪いのです。わたしは恋愛をする人間たちを裏切り者だと憎んでいるのですから。わたしは黙り込みました。すると、ミツルはこう言い放ったのです。

「あなたは幼稚な人ね。あたしは母親が何をしても構わないけど、あなたの口から伝えられると、母親がとても汚く聞こえることがたえられないわ。あなたとはもう話もしないし、付き合わないことにする。いいかしら」

「仕方ないよね」

わたしは肩を竦めたのです。こうして、わたしはたった半年間でミツルとの交流を絶たれたのでした。

3

そろそろ、佐藤和恵の話に戻らなくてはなりませんね。ええ、そうでしょうとも。わたしの祖父とミツルの母親の嫌らしい恋物語なんか、お聞きになりたくないですよね。でも、この話にはおかしな後日談があるのです。予定通り東大医学部に現役合格したミツルが、Q大学文学部ドイツ語学科に進学したわたしに連絡してきたのでわかったのです。そして、同時にいろいろと揉め事が起きたのです。ユリコと和恵の話とは直接関係がありませんが、時間があればそのことも、おいおいお話しいたしましょう。楽しみに

していてください。

佐藤和恵に奇行が目立つようになったのは、いったいいつ頃のことだったでしょうか。わたしたちが高校二年に進級したあたりかもしれません。和恵が、中等部を卒業してQ女子高に入学してきたユリコを追い回しているという噂が耳に入ったのです。今の言葉で言えば、ストーカー行為というのでしょうか。おぞましいことです。和恵はユリコの教室を覗き込み、体育の授業を盗み見、ユリコがチアガールとして出場する試合に行き、飼い主の後を追う犬のようだったという話でした。もしかすると、ジョンソンの家まで尾けて行ったかもしれません。それもユリコに会うと、魅入られたようにその姿を目で追っていたというのですよ。和恵は何を思ってストーカーになったのか、ですって。そんなこと、このわたしにも想像付きませんよ。

前にも申し上げましたが、ユリコの怪物的な美貌は見る人を落ち着かなくさせるのです。どうしてこんな美しい人間がこの世に存在しているのだ、それに引き替え、自分は何の意味がある、とユリコの存在に畏怖する者は、必ずや自分に返ってくる疑問に答えなくてはなりません。その苦しい自問自答にたえられる人間だけが、心から美しいとユリコを認めることになるのです。ですから、ユリコの周辺というのは常に騒がしいものでした。中等部時代、いつも一緒にいた木島の息子は、都下にありますQ学園の男子高に進学しましたから、代わりにあの生意気な少女が金魚のフンのようにユリコにくっつ

いていました。はい、そうです。モックとか呼ばれていた醤油屋の娘です。

モックはチアガール部のマネージャーをしていました。ですから、ボディガードとしてユリコと行動を共にし、あらゆる誘惑や妬み嫉みからユリコを守っていたのです。ユリコはチアガール部のマスコット・ガールだったのです。それはそうでしょう。さして運動神経も頭もない女に、いくら何でもチアガールの難しい技がこなせるわけがありません。ユリコはQ女子高チアガール部の美的レベルを示す広告塔の役割を果たしていただけなのです。

背の高いユリコとモックが校内を歩いていると、皆はその姿に圧倒され、視線を外すことができないのでした。わたしはいい気なもんだと呆れておりましたけどね。ユリコは無表情な顔で女王然として少し先を歩き、モックが侍女よろしく付いて行く。さらにその後ろを和恵が必死の形相で追っているのです。おかしな図でした。

和恵は食べたばかりのお弁当をトイレで吐いているのをしばしば目撃されていました。お弁当といっても、碌な食べ物ではありません。小さなお握り一個とトマトか、お菓子。和恵は特に「五家宝」という黄粉の駄菓子に目がないらしく、よく持って来てました。でも、それを食べた後はひどい後悔にかられるらしく、必ずやトイレに駆け込んで吐くのです。クラス中がそのことを知っていて、和恵がごそごそと五家宝の袋を出した時は肘でつつき合って笑ったものです。ある時は黒く腐敗しかけたバナナを嫌々食べていたという噂もありました。なぜバナナが黒くなったかというと、食べずに何日も持ち歩い

ていたからだと、それを見た級友が証言していましたっけ。はい、和恵は拒食症になっていたのだと思います。でも、当時はそんな病気があるとも知りませんでしたから、わたしたちは和恵の偏食や食べた後に吐く癖を毛嫌いしていました。
アイススケート部でも、実に評判が悪かったようなのです。何度も請求しないとリンク代を出さないとか、練習日なのに勝手に衣装を着て澄まして滑っているとか、退部勧告がなされるのは時間の問題だということでしたが、不思議にそうはなりませんでした。というのも、和恵は試験の時のノートの供給源として重宝がられていたからなのです。でも、無料でノートを貸し出すのはクラブの仲間だけ。級友からはお金を取っていました。ええ、一教科に付き、百円くらいは取っていたと思います。その頃から、和恵が物凄く金に執着する、ケチだ、という陰口も同時に囁かれるようになりました。

和恵の変化はすべて高校一年の後半からです。最初はQ女子高の裕福な環境に溶け込もうとして努力し、冬に急に壊れてしまったのです。大学生の時、あの父親が死んだせいで人間が変わったという話も耳にしましたが、わたしの知り得る限りでは、和恵の変貌はすでに高校二年から発芽していたのです。

わたしが目にしたのは、教師にしつこく質問を繰り返す和恵の異様な熱心さでした。勉強に対する執念は異常とも言えるものでした。和恵はおそらく、自分には勉強しかないと悟ったのだと思います。教師の方が辟易（へきえき）して、「次に行きましょう」と言ってこれ見よがしに腕時計を覗いたりしているのに、和恵は泣きそうな顔で「先生、わかりませ

ん」と訴えるのです。クラス中が迷惑な顔をしていてもお構いなしでした。ええ、和恵は周囲の反応なんか見もしませんでしたよ。現状認識をますます欠落させていったのです。それなのに、問題が解けた時は一人でさっと手を挙げて得意げな顔をしたり、答案を書く時は片手で隠したり、勉強に関してはまるでガリ勉の小学生に戻ったみたいでした。この頃、和恵に対するクラスの評価は決定的になったのでした。そうです。「変な人」と。和恵は、絶対に関わり合いになりたくない「変人」になってしまったのでした。

でも、それはわたしが仕組んだことでもあったのです。おわかりでしょう。和恵は思うようにならない人間関係を思い知り、そのことに打ちのめされたからなのです。木島高志のことです。わたしは、和恵の木島高志に対する恋情を風船玉のように膨らませるためにありとあらゆることをしたのですから。和恵はわたしのアドバイス通り、高志への手紙を数通書いて、わたしのところに見せに来ました。わたしはそれを添削して和恵に返してやりました。そして、和恵はその手紙をまた何度も書き直し、高志に送るべきか否か、迷いに迷っていたのです。手紙を見たいですか。では、お見せしましょう。なぜわたしが持っているのかと言いますと、わたしが自分のノートに写し取ってから、和恵に返したからです。それがまだ残っているのです。

前略にてごめんくださいませ。

突然のお手紙を差し上げるご無礼、お許しくださいませ。最初に自己紹介をさせてい

ただきます。私は女子高一年B組の佐藤和恵と申します。私は将来、経済学部に進んで経済問題の研究をしたいと考えております。そのため、毎日勉学にいそしむことを自分に課している真面目な生徒です。クラブはアイススケート部に所属しています。まだ大会に出られるような腕前（足前というのでしょうか）ではありませんが、いずれ出られることを夢見て頑張っています。よく転ぶので、練習の後は痣（あざ）だらけになりますが、それも練習の内だと先輩に言われました。だとしたら、私はかなりの練習熱心ということになります。

　趣味は手芸と日記を付けること。日記は小学生の時からずっと欠かさず付けています。今では書かないと気持ちが悪くて眠れないくらいです。高志さんはどこのクラブにも入っていないと噂で聞きました。趣味は何ですか。

　私は今、木島先生に生物を教わっております。木島先生は難しいことを噛み砕いて教えてくださるのでいい先生です。授業のうまさと高潔な人格を、私はとても尊敬しております。私がQ女子高に進学できてよかったとつくづく感じたのは、木島先生のような優秀な先生方がたくさんおられるからです。高志さんは、木島先生のご子息としてQ学園の薫陶（くんとう）を小さい時から受けておられると聞きました。何と素晴らしいことでしょうか。

　恥ずかしいのですが、告白してしまいます。私は一学年上でありながら、高志さんに憧れを持っております。私は妹しかいませんので、男の人のことはよくわかりません。もし、よろしければお返事をいただけませんか。文通ができたらいいな、と夢のような

ことを考えています。それではまた、お手紙差し上げます。中間テスト頑張ってくださいネ。

佐藤和恵

これが一通目でした。二通目を見せられた時、わたしは思わず吹き出しそうになりました。「スミレ咲く道」という詩だったからです。これを和恵は「ばんばひろふみ」に歌ってもらいたい、と言ってわたしに見せたのです。

「スミレ咲く道」
野のスミレ、ひともと。
あなたの足跡が続く道。
こぼれたスミレを摘みながら
あなたのあとを追うのでしょう。
野のスミレ、咲く道。
あなたの心が溢れる空を
高く見上げて泣きながら
あなたと逆の帰り道。
野のスミレ、見えない。

あなたの愛をさがせなくって
わたしはとまどいおそれてます。
夜の山道、横は崖。

この時、和恵は土方歳三の句だという俳句のようなものも見せてくれました。確か「知れば迷ひ知らねば迷はぬ恋の道」というものだったと思います。和恵は「これはあたしの気持ちなの」と、この句を丁寧に便箋に書き写し、四つに折って定期入れにしまっていました。勉強は人を押し退けてもやり抜くのに、恋愛に関してはおくてで古風なのでした。

「ねえ、どう思う。この手紙、出しても平気かしら」

和恵はわたしの目を見つめてそんなことを聞くのです。わたしは半分空恐ろしく、半分愉快に思いながら、一週間の間隔を空けて、二通とも高志の自宅に出させたのです。空恐ろしいと思ったのはなぜかと言いますと、恋に落ちた人間は愚かなことをする、と感じ入ったからなのです。たいした才能もないのに、あれこれと創造してしまうなんて恐ろしいではないですか。貰った方も戸惑うに違いない押しつけがましい手紙も書くし、少女趣味の詩だって書いてしまうのです。自分の無知や無才を晒け出すことになってしまうのに、平気で創り、後先顧みずに自分の恥部を相手に易々と明け渡してしまうのですから。わたしが恋を嫌悪するのはそういうこともあるからなのです。

当然、高志からの返事は来ませんでした。普通でしたら、この時点で相手に気がないと気付くのですが、和恵は混乱した様子でした。

「どうして返事がこないのかしら。もしかしたら届いていないのかな」

エリザベス・アイリッドで無理矢理二重にした和恵の目は大きく見開かれ、瞳はぎらぎらと輝いていました。そして、前より痩せた体からは不思議なオーラが出て、体全体から発光しているのです。濁った沼が発する気体のような。お化けみたい。こんな醜い女でも恋をするんだ。わたしは和恵が怖くて、その姿を正視できなかったほどです。和恵はわたしに、ねえねえ、と言うのです。

「ねえねえ、どう思う。ねえ、どうしたらいい」

和恵のしつこさにわたしは鳥肌を立てて、こう答えました。

「中等部に行って高志君を呼び出して、直接聞いてみたらいいじゃない」

「できないわよ、そんなこと」

和恵は蒼白になって沈み込みました。

「だったら、クリスマスにプレゼントあげて、その時聞いてみたら」

わたしの提言を聞いた和恵は、ぱっと顔を明るくしました。

「マフラーでも編もうかな」

「そうよ、男の子は手作りに弱いって言うじゃない」

わたしは教室を見回しました。十一月に入って、クラスの中にはボーイフレンドのた

めにセーターやマフラーを手編みしている子たちがちらほらと目立ったのです。中には請け負ってふたつ三つと編んでいる子もいたほどです。ええ、Q女子高の生徒たちは他校の男子からもてるので、二股三股かけている子なんかざらでした。

「ありがと。そうしてみる」

不安を秘めながらも、新しい目標を摑んだ和恵はとりあえず落ち着いた様子でした。やがてその顔に自信が漲ってくるのがわかりました。あたしだってできるわよ、そのくらい。和恵はそう思ったに違いありません。和恵の自信というのはいつも鼻持ちならなくて、わたしはそれを感じるたびに、何とかへこませる方法はないものかと考えてしまうのでした。しかも、その横顔はあの男によく似ていました。ええ、和恵の父親に。わたしの母親が死んだ日、もう和恵とは付き合うな、と偉そうに言い渡したミスター世間。そこで、わたしはある計画を立てたのです。

クリスマスに近くなった頃、和恵が高志のために編んでいるマフラーは一メートル以上の長さになっていました。黄色と黒のだんだら模様。蜜蜂のお尻みたいな醜いマフラーです。わたしはこのマフラーを首に巻き付ける高志を想像し、こみ上げる笑いをいつも押し隠すのに苦労したものでした。

冬の夕暮れ時、わたしは木島の自宅に電話をしました。木島の父親は職員会議があるので、帰宅していないことを確かめてからです。電話に出たのは、意外にもはきはきと

元気のいい高志本人でした。高志はきっと学校と家庭とで人格が違うのでしょう。気味の悪いことです。

「はい、もしもし木島です」

「あたし、ユリコの姉ですけど。高志さんですか」

「そうです。似てないお姉さんですね。僕に何か用ですか」

木島はたちまち愛想のいい声を引っ込めてトーンを下げました。

「いつもユリコがお世話さま。実は、あなたにお願いがあるのよ」

高志は警戒を深めた様子です。高志の拗ねた目付きを思い出して不快な気持ちになったわたしは、早く用件を終わらせたくて、こう切り出しました。

「電話じゃ言いにくいことなんだけど、あたしも見ていられないので思い切って言うわね。あなた、あたしのクラスの佐藤和恵って子から手紙を貰ったでしょう」

高志から息を呑む気配が伝わってきました。

「その手紙、返してくれないかって本人が言ってるの。恥ずかしくて死んでしまいたいくらいなんだって」

「何で本人が言わないんですか」

「とてもあなたに電話なんかできないって泣くから、あたしがしてるんだけど」

「泣いているんですか」

意外なことに、高志はしんと静まりました。もしかして。わたしの中で不安が高まり

ました。思うように事が進まなかったらどうしようか。

「和恵は、あなたに手紙を出したことをすごく後悔してるのよ」

高志はしばらく沈黙していましたが、やっとこう答えました。

「そうですか。僕はちょっと感動しなくもなかったなあ。特に、あの詩よかったですよ」

「どこが」

「初々しくて」

「嘘言わないでよ」

蔑みのあまり、わたしは思わず叫んでいました。まさか、そんなはずはない。あんなくだらない詩を高志が気に入るのはおかしい。でも、高志は飄々と返しました。

「ほんとですよ。だって、僕はユリコさんと、純情とはまったく縁のないことばかりしてますからね」

「それ、どういうこと」

わたしのレーダーは即座にユリコと高志の発する秘密の熱を捉えました。かすかに邪悪の匂いもします。和恵のことなどもはや念頭から去り、わたしは高志の言葉の意味を考え始めました。が、高志は慌てた様子で早口に誤魔化しました。

「どうでもいいじゃないですか。僕とユリコさんのバイトなんだから。お姉さんに関係ないでしょう」

「ねえ、二人でどんなバイトしてるの。教えてくんない。あたし、一応、ユリコの姉なんだからさ」

わたしは勢い込んで尋ねました。ユリコと高志は何かでお金を稼いでいるのです。それが「純情とは縁のないこと」とは。わたしは、この間ちらりと見かけたユリコの首に光っていた細い金色の鎖や、制服のブラウスの下に透けていた、レースでごってり飾られたブラジャーや、赤と緑のリボンがこれ見よがしにくっついたスリッポンを思い浮かべました。あれは確かイタリアのグッチとかいうブランドではないでしょうか。仕送りなどほとんどないユリコが、どうしてQ学園に相応しい、いやそれ以上の服装ができるのか不思議でなりませんでした。いくら何でも、ジョンソンが高校生に金を注ぎ込むはずはありません。ああ見えても、ジョンソンはケチに決まってます。今度はこの謎を解かなくてはならない。どうやったらわかるのでしょうか。わたしは受話器から耳を離し、秘密を探る計画を立てることにしました。余程、ぼんやりしていたのでしょう。「もしもし、もしもし」と呼びかける声がして我に返りました。高志のからかいを含んだ声が聞こえます。

「もしもし、どうしたんですか」

「何でもないわ。ねえ、あなたたちのバイトって何」

「それより、佐藤さんの手紙どうしましょうか」

高志は話を変えました。深追いしても仕方ない。わたしは諦め、和恵の話に戻しまし

た。

「ともかく和恵は恥ずかしいって。あたしはそれを伝えるように頼まれただけなんだから、そうしてあげてよ」

「変な話だな。貰った手紙って、貰った人に所属するんじゃないのかな。どうして返さなくちゃならないんでしょうか」

「あのね、和恵って、思い詰める質なのよ。返してくれないなら、手首切っちゃうかもしれないわよ。睡眠薬、飲んじゃうかもしれないわよ。それが嫌なら早く送り返してやって」

「わかりました」面倒臭そうに高志は答えました。「明日、持って行きます」

「駄目」わたしは大声を上げました。「和恵の家に送って」

「郵便でいいんですか」

高志の不審な問いをよそに、わたしは指示しました。

「いいのよ。住所と苗字だけ書いて封筒ごと返してあげて。他には何にも入れないで。それから、できれば速達で」

わたしは言うだけ言って、がちゃんと電話を切りました。さあ、もうこれで大丈夫。和恵は送り返されたラブレターを見て蒼白になるに決まってます。そして運が好ければ、和恵の父親がこれを知って激怒することでしょう。さらに、もっと運が好ければ、わたしはユリコと高志の企みを暴くことができることでしょう。わたしは学校に行くのが楽

しみでなりませんでした。

三日間学校を休んだ和恵が登校して来た朝は見物でした。教室の入り口にぬっと立ちはだかった和恵は、暗い目で教室を見回しました。もう髪を巻いてもいないし、エリザベス・アイリッドで無理矢理、二重瞼にもしていませんでした。いつもの、地味でださい優等生の佐藤和恵に戻っていました。でも、首には驚くほど派手なマフラーが幾重にも巻き付けられていました。黄色と黒の縞模様。和恵は高志のために編んだマフラーを自分で巻いてきたのです。マフラーは腹の減った大蛇が、和恵の痩せた首を絞め上げているようにも見えました。和恵の姿を見た級友の何人かは、見てはいけないものが視界に入ってきたという風に慌てて目を伏せたくらいです。が、そんなことも意に介せず、和恵からノートを借りようという魂胆のアイススケート部員が駆け寄りました。

「佐藤さん、どうしたの」

和恵は眩しそうに級友を見上げました。おどおどした顔。

「テスト前に三日も休まないでよ」

「ごめんなさい」

「英語と古典なんだけど、貸してくれる」

和恵は気弱な目をして何度もうなずき、前列の生徒の机の上にどさっと学生鞄を置きました。当然のことながら、すでに席に着いていた前列の生徒は嫌な顔をしました。内

部生でスタイルのいいその生徒は、ケーキやクッキー作りがうまいことで有名だったのです。ちょうどお菓子の本を開いて見ていたところでした。

「ねえ、人の机の上に勝手に物を置かないでくれる。あたし、この本を見ながらお菓子作るのよ。汚いじゃない」

「ごめんなさい」

和恵は何度も頭を下げて謝りました。和恵の体全体から発せられていた、あの不思議なオーラはとうに消え失せていました。和恵は果物の搾り滓のように、惨めで醜くなっていたのです。

「ほら、ここに泥が入った。あなたってガサツね」

生徒はわざとらしく本から泥を払い落としました。和恵の鞄は通学途中に電車のホームだの、歩道の上なんかに置くものですから、底が汚れていたのです。その声が聞こえた何人かはくすりと頬を緩め、他は無関心を装いました。ノートを奪い取られ、級友から嘲りの視線を浴びた和恵は、よろけて自分の席に辿り着いたのです。そして、助けを乞うかのようにわたしを振り返りました。わたしは反射的に顔を背けました。それでもまだ、和恵の想念が絡み付いてきます。助けて、という声。あっちへ行け。わたしは夜の雪道でユリコを突き飛ばした時のことを思い出しました。嫌なものを力ずくで斥けてやりたい荒々しい衝動。突き飛ばした後の爽快感。和恵をそうしてやりたくてたまりません。疼くような思いを抑え、わたしは何とか一時間目の数学の授業を終えました。そ

の日は、いつもしつこい質問を繰り出しては教師を困らせる和恵もいやに静かでした。

「ねえねえ、ちょっと聞いてくれる」

放課後、取り入る隙を与えなかったわたしの背後から、とうとう和恵の哀れな声がかかりました。わたしはすでに二階の廊下を歩き始めたところでした。

「何、どうしたの」

さっと振り向いたわたしの視線を真っ向から受けた和恵は苦しそうに目を伏せました。

「高志君のことなんだけどね」

「彼から返事が来たの？」

「そうなの」和恵は渋々という様子で認めました。「四日前ね」

「凄いじゃない。どんなことが書いてあったの」

わたしは興奮する振りをしながら、和恵が何と答えるのか楽しみで仕方がありませんでした。やっぱり駄目だったわ。しかも、あたし、お父さんにばれて叱られたの。どうしたらいい。死にたいわ。わたしは頭の中で勝手にシナリオを書いて喜んでいたのです。でも、和恵は唇を舐め回して黙っていました。適切な言い訳を探しているのでしょう。

わたしは焦れて聞きました。

「ねえ、高志君、何て書いてきたの」

「あたしと付き合いたいって」

嘘吐き。わたしは唖然として和恵の顔を凝視しました。が、和恵は羞じらいでこけた

頰を染めるのです。

「こう書いてあったわ。僕もあなたのことは前から気付いていました。父の授業を褒めてくれて嬉しいです。年下の僕でよかったら、文通から始めましょうって、趣味のことでも、何でも聞いてくださいって」

「それ、本当？」

わたしは半信半疑でした。だって、そうじゃないですか。高志が手紙を返しますと言ったところで、それを確かめる術はないですし、高志はあのくだらない詩を気に入ってもいました。だから、万が一ですが、真実かもしれないのです。あるいは、高志も人が悪く、気がないのに和恵をからかうことにしたのでしょうか。わたしは自分の計画が失敗したのかと思い、慌てました。

「その手紙、見せてよ」

わたしの差し出した手を眺め、和恵は迷った風に視線を泳がせましたが、厳然と首を振りました。

「駄目よ。高志君が人には見せないでって書いてたから。これだけは、いくらあなたでもできないわ」

「じゃ、どうしてあなたはマフラーしてるの。それって高志君にプレゼントするんじゃなかったの」

和恵ははっとして首許に手を遣りました。中細毛糸。目の詰んだ一目ゴム編み。十セ

ンチ幅で繰り返されるブラックアンドイエロー。さあ、どうなのよ。正直に言いなさいよ。わたしは和恵を小突いてやりたい欲望と戦いながら、意地悪く和恵の反応を窺っていました。あんた、何て言い訳するのよ。

「自分の記念にしようかと思って」

ほら、ばれた。わたしは小躍りしました。

「だったら、あたしが持っててあげようか。文通だけじゃなくて、プレゼントしたら喜ぶんじゃない」

わたしがマフラーを鷲摑みにすると、和恵は手を払い除けました。

「触んなよ、汚い手で」

低く脅すような声でした。わたしは凍り付いて和恵の目を見返しました。たちまち、和恵の顔が紅潮しました。

「あ、ごめん。ごめんなさい。そんなつもりじゃないの」

「いいわ。悪かったわ」

わたしは踵を返しました。怒った振りをして、徹底的に下手に出てもらおうと思ったのです。

「待ってよ。ごめん。謝る」

和恵が追って来ましたが、わたしは振り返らずに歩きました。実は、この場をどう収めていいのか、さすがのわたしも混乱していたのです。いったい真実はどこにあるので

しょう。和恵は本当に高志と文通することになったのでしょうか。それとも虚言？　放課後の校内は生徒の笑い声や走り回る音で賑やかでした。でも、わたしの背後から追って来る和恵のひたひたという足音と、荒い吐息、短いスカートが鞄に擦れる音がはっきりと聞き分けられました。

「謝る。待って。相談できる人って、あなたしかいないんだから」

泣き声が聞こえた気がして、わたしは立ち止まりました。和恵が涙で顔をぐちゃぐちゃに崩しながら母親に置いてきぼりを食らった子供みたいな表情で、わたしの前に回り込みました。

「ごめん。許して」

「どうしてあんなこと言うのよ。あたしは親切に言っただけなのに」

「わかってる。だけど、何かあなたの言い方って意地悪な気がして苛ついたの。そしたら、あんなこと言っちゃって。本心から出たんじゃないのよ」

「だって、あなたたちうまくいきそうなんでしょう。あたしに当たることないじゃない」

わたしの言葉に和恵はきょとんとしました。やがて、その顔に狂騒と言えなくもない奇妙な明るさが射しました。

「そうよ。あたしたち、うまくいったらアツアツよ」

「デートしなよ」

うん、とうなずいた和恵があっと叫んで立ち竦みました。廊下の窓から、校門に向かって歩いて行くユリコと高志の後ろ姿が見えたのです。わたしは急いで窓を開けました。

「ちょっと、何するの」

蒼白になって逃げようとする和恵のマフラーを摑み、わたしは首から剝ぎ取りました。やめてよ、やめてよ、と縋り付く和恵を廊下の壁に力いっぱい押し戻し、わたしは大声で呼んだのです。

「高志くーん」

高志とユリコが同時にこちらを見上げました。わたしは窓からマフラーを摑んだ両手を激しく振りました。黒いダッフルコートを着た高志は怪訝な顔でわたしを見つめていましたが、ユリコの肩を抱くようにして校門を出て行きました。紺の洒落たコートを羽織ったユリコが非難する目でわたしを見詰めています。気でも狂ったの、お姉ちゃん。

「あなたって、酷いことするのね」

和恵が廊下に蹲って泣いていました。行き交う生徒は好奇心を丸出しにしてわたしたちを見遣り、ひそひそと囁きながら去って行きます。わたしは和恵にマフラーを返しました。和恵はマフラーを恥ずべき物のように背中に隠しました。

「あいつ、まだユリコと一緒にいるじゃない。あなた、何で嘘吐くの」

「嘘じゃないもの。本当に返事が来たんだもの」

「じゃ、高志君、あなたの詩のこと、何か言ってた」

「いい詩だって。本当よ」

「じゃ、自己紹介の手紙は」

「素直でいいって」

「教師が書いたレポートの感想じゃないんだよ」

わたしは腹が立って怒鳴りつけました。だって、そうじゃないですか。和恵の想像力の貧困さといったらお粗末で話になりません。もう少し独創的な嘘を吐いてほしいです。わたしは猫撫で声で聞きました。

「あなたのお父さん、何て言ったの」

和恵は急に黙り込みました。ええ、そうです。この日から、和恵はさらに壊れ始めたのでした。

4

その夜、わたしの家に三人の人物から電話がかかってきました。それは我が家にとっては異常な事態でした。祖父はまだ便利屋をしていましたが、保険のおばさんは直接仕事を持って来ますし、わたしには電話をかけてくる友達なんか一人もいません。

最初の電話は、祖父と二人で「太陽にほえろ！」を見ている最中にかかってきました。コールの音に祖父は慌てて立ち上がり、こたつ掛けに足を取られて蹴躓(けつまず)きました。後で

気が付いたのですが、祖父はミツルの母親からの連絡を待っていたに違いないのです。その時はわからず、わたしは祖父の慌てた様子に思わず笑ったほどでした。祖父は痰の絡んだ声で、「あ、もしもし」と言った後、すぐに直立不動の姿勢になりました。詐欺師のくせに、祖父には気の弱い律義さがあるのです。

「どうもお世話になっております。勉強？　いやあ、とんでもないですわ。してくれりゃいいんですが口開けてテレビ見てます。はあ、そうですか。うちのがお宅にお邪魔したこともあるんですか。うちのは何にも言わないもんですから、わたしも知らなくて。それはらったんですか。そりゃ有り難いことですな。あら、国際電話までかけさせてもそれは大変失礼いたしました」

祖父は言わなくてもいい余計なことを喋った上に、ぺこぺこと何度も頭を下げました。その姿は、他人に不必要に卑屈になる母親にそっくりです。姿かたちは似ていなくても、人間の芯は同じだとわたしは冷ややかな気持ちで眺めていました。ミツルの母親との恋愛事件以来、わたしは祖父にも心を閉ざしていたのです。やがて、額にぷつぷつと冷や汗を噴き出させた祖父は、わたしに受話器を手渡しました。

「テレビ見ていたんですって、余裕ねえ。期末テストは来週からでしょう」

和恵の母親からでした。魚みたいな顔をした和恵の母親。わたしは殺風景な家を思い出しながら、素っ気ない挨拶を返しました。『そんなことはどうでもいいから、早く聞いてみろ』。父親の押し殺した声が耳に飛び込んできました。母親の横で苛立っている

のでしょう。わたしは、しめたと思いました。まんまとわたしの作戦に引っ掛かった哀れな家族。母が死んだ日の屈辱を晴らす絶好の機会でした。ミツルの代役でしかなかったわたし。和恵と付き合うなと脅されたこと。国際電話の料金。これらの落とし前は、きちんと付けてもらわなくてはなりません。母親はおずおずとわたしに尋ねました。

「最近、うちの和恵の様子はどうでしょう」

「どうって言われても困ります。付き合うなと言われましたから、よく知りません」

「あら、何のことかしら。私は聞いてないけど」

母親が困惑した声を出した途端、父親に代わりました。単刀直入で強引、そして相変わらず傲慢でした。

「あのねえ、和恵が木島高志って男とまだ付き合っているのかどうか教えてくれないかな。うまく聞き出そうと思ったのに、私が怒鳴ってしまったんですよ。まだ高一なのに早過ぎる、みっともないことするんじゃないってね。そしたら泣くばかりで口をきかないんだよ。もしかすると、和恵はしたないことしてるんじゃないだろうね」

言う端から、言葉尻が怒りで震えているのがわかります。もしかすると、和恵の父親は高志という存在に嫉妬しているのかもしれません。きっと、こういう男は和恵の生活全般に影響を及ぼす絶対者として君臨したいのでしょう、それも生涯にわたって。こんな時、わたしの頭には悪魔のような知恵が次々に湧いて出るのでした。ええ、わたしは和恵の自立を妨げてやろうと決心したのです。

「いいえ、そんなことはありません。みんなはラブレター書いたり、マフラー編んだり、校門で待ち伏せしたりしてますけど、和恵さんはしたないことはひとつもしてません。お父さんの誤解だと思います」

父親は猜疑心が強いのか、なかなか納得しません。

「じゃ、あの派手なマフラーは誰にやるために編んだんだろう。問い詰めても言わないんだ」

「自分のだと聞いてます」

「自分のために、貴重な時間を割いて編んだと言うのかね」

「和恵さんは器用ですから」

「送り返された手紙は。あれは完全にラブレターだろう」

「現国の授業に創作というコースがあります。その授業で書いたものだと思います」

「木島という生徒は教師の息子だそうだね」

「はい。ですから、架空の相手としては文句がないと判断したんでしょう」

「創作かなあ」わたしの滅茶苦茶な説明に、父親はさすがに疑心暗鬼でした。「親はね、心配なんだよ。このままじゃ期末テストに差し支えるからねえ。あの子は経済学部狙いだから、絶対に成績を落とすことはできないんだよ」

「和恵さんなら大丈夫ですよ。お父さんのことを尊敬してるっていつも言ってます。東大出たお父さんみたいに生きるって。クラスでも和恵さんは人気者です」

父親はわたしの言葉に感激した様子でした。

「そうそう、いつも言ってるんですよ。お前、男の子なんか大学に行けばいくらでも付き合えるぞって。Ｑ大生なんだから、よりどりみどりだぞってね」

さあ、どうかしら。わたしは大学生になった和恵の不格好さ、不器用さを想像して笑いだしそうになりました。努力を信じる種族は、なぜにこうも、楽しいことを先へ先へと延ばすのでしょうか。手遅れかもしれないのに。そして、どうして他人の言葉をいとも簡単に信じてしまうのでしょう。

「あなたの意見を聞いて安心したよ。じゃ、テスト頑張って。これからもよろしく付き合ってやってください」

あらあら、この間は家庭環境が違うから付き合うな、と言ったじゃない。わたしの憤懣をよそに、ほっとした父親はさっさと電話を切ってしまいました。横で聞いていた祖父が、能天気に自慢しました。

「俺も物怖じしなかっただろう。俺はＱ学園の親なんか、ちっとも怖くないんだからさあ」

わたしは無視してテレビドラマに戻りましたが、肝心の山場はとっくに終わっていました。腹立たしく思いながら夕刊を広げていると、電話がまた鳴りました。再び祖父が素早く取り、今度は嬉しそうに叫びました。

「ユリコちゃんかあ、久しぶりだね。元気かい」

わたしはまだユリコと話したそうな祖父から受話器を奪いました。

「何の用なの。早く言って」

突慳貪なわたしの態度に、ユリコは高く澄んだ笑い声を上げました。

「親切に電話して教えてあげようと思ったのに意地悪は変わらないわね。ねえ、お姉ちゃん、今日はどうしてタカシの名前を呼んだの。あたし、びっくりしたわ」

「それより、何を教えてくれるって言うの」

「タカシのことよ。だってタカシのこと好きなんでしょう。だったら無駄よ」

「何で。あんたのことが好きだからなの」

「違うわ。あの子はたぶん、同性愛よ」

「同性愛」わたしはさすがに驚きました。「どうしてそんなことわかるのよ」

「だって、あの子、あたしをちっとも欲しがらないもの。じゃあね」

何という自信満々の嫌らしい言い方でしょうか。腹立たしい一方で、腑に落ちたわたしは「なるほど」とつぶやいていました。わたしの様子を窺っていた祖父が遠慮がちに口を挟みました。

「お姉ちゃん、ユリコちゃんの電話に冷たいね。たった二人きりの姉妹なのにさ」

「ユリコは妹なんかじゃないわ」

祖父は何か言い返したそうに唇をすぼめましたが、わたしの不機嫌な顔を見て口を噤みました。

「最近のお姉ちゃん、ちょっと怖いね。俺にも冷たいしさ。何かあったのかい」

「何かあったじゃないでしょう。おじいちゃんのせいだよ。あんなミツルのお母さんなんかに入れ込んで、最低だよ。不潔だよ。こないだミツルがお母さんとおじいちゃんと四人でご飯食べようなんて変なこと言うから、ミツルとも仲悪くなっちゃったじゃない。ユリコが帰って来たら、途端にみんなスケベになっちゃって。最低」

祖父は縮かんだように小さくなって部屋の隅に並んだ盆栽を見遣りました。それはもう三鉢しか残っていなかったのです。五葉松と真柏と楓。その三鉢が売られるのも時間の問題でした。わたしはそのことも気に入らなかったのです。

三度目の電話が鳴りました。意気消沈した祖父が動こうとしないので、今度はわたしが出ました。掠れた女の声がいきなり祖父の名を呼びました。

「安治（やすじ）さん？」

ミツルの母親なのでした。わたしと話した時はカエルが潰れたようなひしゃげた声でがさつに喋っていたのに、祖父の名は優しく呼ぶのです、聖母のように。わたしは何も答えずに祖父に受話器を突き付けました。祖父の顔が見る見る赤らみ、わたしの手から受話器を引ったくりました。祖父は少し緊張して喋っています。「あそこは梅の季節がいいらしいねえ」。二人で温泉にでも行くつもりなのでしょう。わたしはこたつに入ったまま仰向けになって、祖父の様子を横目で観察していました。祖父はわたしの視線を感じて平静を装っていましたが、声は弾んでいるのです。

「いいや、まだ寝てないよ。わたし、宵っ張りだから。あなたは何してたんですか」

二人の会話から、目に見えないどろどろの液体がこぼれ出てくる気がします。祖父の横顔が喜びに輝いています。この世に、抑えようとしても抑えられない喜びなんか、存在するのでしょうか。わたしが一生経験することのない喜び。いえ、したくもない喜び。皆、その喜びを味わうと、わたしから逃げ去って行くのです。寂しいかって？　まさか。わたしは自分がいつも平常心を保っていることを誇りに思っていますから、怒りを感じるのですよ。仲間だと思った祖父の行動はわたしに対する裏切りです。でも、とわたしは思いました。逃げられるのが寂しいと思う相手は逃げられないようにすればいいし、離れてもらいたい、うざったい人間はもっと逃げるように仕向ければいいのです。祖父とミツルは逃げてほしくない人ですし、ミツルの母親とユリコはもっともっと遠ざけたい人です。

さて、わたしからしたら、和恵はどちらのグループに入るのでしょう。幼児のように父親を好きで、努力を信じる馬鹿女。ああいう鈍い女は手許に置いて苛めるに限る、これがわたしの結論でした。すでに和恵の存在自体が、わたしや、Q女子高の過酷と言ってもいい生活に苛つく級友たちの、格好の餌食(えじき)となっていたのですから。

翌朝、馬鹿な和恵はわたしに礼を言いました。

「ゆうべは父にあのこと言わないでくれたのね。ありがとう。父が怒るので困ったけど、

あなたが否定してくれたから、何とか収まったわ」

「お父さんは許してくれたの」

「うん、もう大丈夫」

　これで和恵は、父親の呪縛からしばらくは逃れられないでしょう。あるいは一生。その方が面白い。自ら逃れる絶好の機会を作ってやり、手ずから壊したわたしは、嬉しさにほくそ笑んだのでした。そうです。和恵を見ていると、愚かな人類を操る神様のような気分になれるのでした。

　わたしがこうして和恵を苛めたから、和恵がおかしくなったとおっしゃるのですか。いいえ、違います。何度も言いますけど、和恵の中に常にある、父親に対していい子でいたい、いい学校に通っていることで世間から尊敬されたい、という思いがあまりにも幼稚で純情だったのです。以前、和恵は現状認識が甘いと申し上げたと思いますが、その欠落は決定的でした。それは周囲を見ないことだけではありません。自分も見えないことです。実は、ここだけの話ですが、和恵は自分の容姿に密かな自信を持っていたのですよ。これは本当です。わたしは鏡を覗き込む和恵の姿を何度も目撃しましたが、和恵は鏡の中の自分に笑いかけ、恍惚（こうこつ）とした表情を浮かべていました。はい、自惚れていたのです。

　和恵も和恵の父親も、自分と同じくらいの能力を持った人間はごまんといる事実を絶

対に認めようとはしませんでした。また、和恵と同等の能力、あるいは多少能力が落ちても、姿かたちが数段美しい女は和恵よりも価値があるという事実をとうとう最後まで認識しませんでした。逆に言えば、とても幸せな人生ではありませんか。何でも見通して客観化してしまう、わたしと比べてみればおわかりでしょうよ。

わたしやミツルがサバイバルのためにそれぞれ天賦の才を磨こうとしているのに対し、和恵は自分を知らなさ過ぎました。自分を知らない女は、他人の価値観を鏡にして生きるしかないのです。でも、世間に自分を合わせることなんて、到底できるものではありません。いずれ壊れるに決まってるじゃないですか。

なぜわたしが笑うのかって？　だっておかしいじゃないですか。そんな自明の理を、和恵はどうしてわからなかったのだろうと不思議でならないからですよ。確かに、わたしは和恵に冷たかったです。苛めました。今でも冷たいです。和恵が殺されたと聞いた時も、特に何にも感じませんでしたしね。でも、生涯でたった一度だけ、わたしは和恵に感謝したことがあります。

それは、和恵のある発見でした。ユリコと高志のストーカーになった和恵は、二人の奇妙な放課後の生活を知ったのです。ある日、和恵がわたしを呼び止めて、こう告げたのでした。

「木島君って、あなたの妹を始終誰かに紹介してるのね。それも、いつも大学の体育会クラブの部長とか副部長クラスばかり。あれって何してるのかしら。あたし不思議でし

ょうがないんだけど」

「純情とはまったく縁のない」バイト。それは売春に違いありません。ユリコは男好きですし、高志は同性愛者。二人の趣味と実益を組み合わせれば、薄汚いバイトはすぐに成り立ちます。わたしの勘は冴え渡りました。わたしは和恵を使って報告を上げてもらい、とうとう二年後には、木島親子とユリコをこの学校から追い出すことに成功したのでした。それはもうご存じでいらっしゃいますでしょう。

そう言えば、ユリコの手記には驚くべきことが書いてありましたね。覚えていらっしゃいますか。ユリコとジョンソンの間に男の子供がいるということです。さすがのわたしも初耳でした。もう高校生になっているはず。そんな大きな子供がいるなんて。わたしはいずれ、その記述が真実か否かを確かめに行かなければならないでしょう。いえ、絶対に行くべきです。だって本当だとしたら、ユリコの息子がどんな顔をしているのか、この目で確かめなくては気が済みませんもの。わたしの母親の弱い遺伝子と、スイス人の父親の身勝手な遺伝子から生まれたユリコと、アングロサクソンのジョンソンとの間に出来た息子なんて。ああ、想像するだけでわくわくします。


（上巻　了）